La vie épicée
de Charlotte Lavigne

De la même auteure

La Vie épicée de Charlotte Lavigne, tome I, *Piment de Cayenne et pouding chômeur*, Éditions Libre Expression, 2011.

Nathalie Roy

La vie épicée de Charlotte Lavigne

Tome 2
Bulles de champagne et sucre à la crème

Libre Expression
Une société de Québecor Média

Catalogage avant publication de Bibliothèque et Archives nationales du Québec et Bibliothèque et Archives Canada

Roy, Nathalie, 1967-
    La vie épicée de Charlotte Lavigne
    L'ouvrage complet comprendra 3 v.
    Sommaire: t. 1. Piment de Cayenne et pouding chômeur -- t. 2. Bulles de champagne et sucre à la crème.
    ISBN 978-2-7648-0591-6 (v. 1)
    ISBN 978-2-7648-0882-5 (v. 2)
    I. Titre. II. Titre: Piment de Cayenne et pouding chômeur. III. Titre: Bulles de champagne et sucre à la crème.

PS8635.O911V53 2011   C843'.6   C2011-941345-0
PS9635.O911V53 2011

Édition: Nadine Lauzon
Révision linguistique: Isabelle Lalonde
Correction d'épreuves: Sophie Sainte-Marie
Couverture: Clémence Beaudoin
Mise en pages: Louise Durocher
Photo de l'auteure: Sarah Scott

Remerciements
Nous reconnaissons l'aide financière du gouvernement du Canada par l'entremise du Fonds du livre du Canada pour nos activités d'édition.
Nous remercions le Conseil des Arts du Canada et la Société de développement des entreprises culturelles du Québec (SODEC) du soutien accordé à notre programme de publication.
Gouvernement du Québec – Programme de crédit d'impôt pour l'édition de livres – gestion SODEC.

Les Éditions Libre Expression
Groupe Librex inc.
Une société de Québecor Média
La Tourelle
1055, boul. René-Lévesque Est
Bureau 800
Montréal (Québec) H2L 4S5
Tél.: 514 849-5259
Téléc.: 514 849-1388
www.edlibreexpression.com

Dépôt légal – Bibliothèque et Archives nationales du Québec et Bibliothèque et Archives Canada, 2012

ISBN: 978-2-7648-0882-5

Distribution au Canada
Messageries ADP
2315, rue de la Province
Longueuil (Québec) J4G 1G4
Tél.: 450 640-1234
Sans frais: 1 800 771-3022
www.messageries-adp.com

Diffusion hors Canada
Interforum
Immeuble Paryseine
3, allée de la Seine
F-94854 Ivry-sur-Seine Cedex
Tél.: 33 (0)1 49 59 10 10
www.interforum.fr

À tous mes amis caméramans.
Vous qui m'avez si souvent fait de belles images.
Pardonnez-moi d'avoir ainsi déformé la vôtre…

1

« Je veux vivre un conte de fées. »
VIVIAN (JULIA ROBERTS)
dans le film *Pretty Woman*.

— *M*axou, il faut que je te dise quelque chose.
Je suis à table avec mon futur mari dans sa grande maison de Saint-Lambert, où j'ai pratiquement élu domicile depuis quelques semaines.

Pour ce petit mardi soir d'après les fêtes, j'ai préparé un repas tout simple : saumon gravlax, mesclun à la grenade et croûtons au romarin. Le tout précédé d'un cappuccino aux champignons. J'avale une gorgée de muscadet pour me donner du courage.

— C'est à propos de notre mariage.

— Je t'écoute, Charlotte, dit Maxou en déposant sa fourchette pour m'accorder toute son attention.

Plus j'apprends à le connaître et plus je suis amoureuse de mon chum, Maximilien Lhermitte. Le matin, quand je me réveille et que j'aperçois sa belle tête blonde à mes côtés, je me pince discrètement pour être certaine que je ne rêve pas. C'est comme ça tous les jours depuis qu'il m'a fait la grande demande à Noël.

— En fait, c'est mon patron qui m'a demandé un service.

— Charlotte, on a dit un mariage intime. Pourquoi as-tu invité ton patron?

— Non, non, inquiète-toi pas. Je l'ai pas invité. En réalité, c'est pour l'émission…

Depuis deux ans, je suis recherchiste pour une émission de télé qui s'appelle *Totalement Roxanne*. Titre tiré du nom de l'animatrice, Roxanne D'Amour. On y fait de la cuisine, de la déco et des tribunes téléphoniques sur des sujets tels que « Avez-vous déjà brisé une amitié à cause du sexe? ».

— Tu sais que l'émission va plutôt mal. Les cotes d'écoute sont en baisse et on cherche par tous les moyens à attirer de nouveaux téléspectateurs.

— Et quel est le rapport avec notre mariage? me demande-t-il en nous resservant du vin avec toute la galanterie que je lui connais.

— Ben, ils veulent me filmer pendant les préparatifs.

— Te filmer? Pourquoi?

— En fait… ils veulent en faire un genre de téléréalité et me suivre pendant les prochaines semaines. Quand je vais préparer les invitations, acheter ma robe, choisir le gâteau, la salle, le menu, etc.

Maxou fronce les sourcils. Soucieux de son image comme il est, je savais bien qu'il émettrait des réserves sur ce projet qui, moi, m'emballe plus que tout. Jouer les princesses à la télé et être payée pour le faire… qui dit mieux?

Mais Maxou, lui, ne travaille pas dans le *show-business*. Il est diplomate. Une job certes payante, mais qui m'ennuierait à mourir. En plus, il est français. Parisien, de surcroît. D'ailleurs, d'ici quelques mois, après notre mariage, c'est là que nous allons vivre. À Paris. Un deuxième projet qui m'excite, lui aussi, au plus haut point.

— Charlotte, je n'ai pas très envie que tout le monde soit au courant de ce qu'on va manger le soir de notre mariage.

— Bah, tout le monde, tout le monde… faut pas exagérer. Y a presque plus personne qui regarde l'émission.

Bon, soyons honnêtes. Quatre cent mille téléspectatrices, ce n'est pas tout à fait *personne*. Mais à l'heure actuelle, toutes les stratégies sont bonnes pour le convaincre. Même un petit mensonge.

C'est que je n'ai pas le choix. J'ai déjà dit oui à l'équipe pour ce projet. En fait, là non plus, je n'avais pas le choix. C'était mon mariage en petites doses à l'écran tous les jours ou un transfert à l'émission de sports.

Ce qui équivaut, dans mon cas, à un véritable suicide professionnel, étant donné que je n'ai jamais regardé une partie du Canadien au complet. Je m'endors toujours à la fin de la première période. Et ce, même si je suis invitée dans une loge au Centre Bell ; tout de suite après le service des mini-*egg rolls* et des bâtonnets de fromage, je cogne des clous.

— Est-ce que ça voudrait dire qu'il y aura des caméras de la télé le soir de notre mariage ?

— Ben, on n'est pas rendus là. On n'a pas parlé de ça encore, mais j'imagine que oui. Ils filmeraient peut-être un peu la soirée, mais pas longtemps. Juste le début probablement.

— Ah là non ! Je ne suis pas d'accord. Je n'ai pas envie de me retrouver sur YouTube. Ni à ton émission d'ailleurs. Désolé, Charlotte, mais ils vont devoir trouver autre chose pour faire grimper leur auditoire.

Et Maxou fait comme il fait toujours quand le sujet est clos, il se replonge dans son assiette. Je fixe la mienne en silence, l'appétit tout à coup complètement coupé. Merde ! Comment vais-je faire pour me sortir de ce beau pétrin ?

***

— Ça fait que j'ai pas le choix. Je vais le faire, mais faut pas que Max le sache.

Voilà ce que j'explique à ma meilleure amie, en chemin vers la cafétéria du bureau. Aïsha travaille à la même émission que moi. Elle est la styliste personnelle de l'animatrice, ainsi que de chacun des chroniqueurs. Et c'est elle qui va s'occuper de moi pendant ma télé-réalité. Yahou ! Je vais avoir un look d'enfer, c'est certain.

— Ben voyons donc, Charlotte, c'est sûr qu'il va le savoir.

— Mais non, y a pas de danger, il écoute pas l'émission.

— Ouais, mais y a du monde qui vont te voir et qui vont lui en parler.

— Mais non, ses collègues écoutent juste TV5.

— Et s'il veut aller magasiner le traiteur avec toi ? Comment tu vas justifier la présence de Fred, hein ?

Fred, c'est le caméraman qu'on m'a attitré pour le tournage. Un gars super *cute* qui arrondit ses fins de mois en étant cascadeur dans des films. Et avec qui je ne me serais pas fait prier pour faire des pirouettes dans un lit *king*.

Mais ça, c'était avant que je m'engage avec Maxou. Aujourd'hui, je pourrais côtoyer Brad Pitt tous les jours que je ne le remarquerais même pas !

— Ben non, Aïsha, Max est ben trop occupé pour avoir le temps de magasiner. De toute façon, on a convenu que c'est moi qui m'occupe de tout.

— Et le jour du mariage, quand il va voir débarquer les kodaks… Tu vas inventer quoi ?

— J'y ai pensé. C'est sûr que je pourrai pas lui cacher ça. Mais je compte sur le fait qu'il va tellement être heureux ce jour-là qu'il va me pardonner et se prêter au jeu de bonne grâce.

— Tu fais du *wishful thinking*, Charlotte. Voyons donc ! Voir si ton chum va gober ça. Il va être furieux.

— Mais non… À moins que je lui dise que je ne le savais pas, que c'est une surprise, que tout a été organisé par vous autres dans mon dos. Là, il pourra pas m'en vouloir.

— T'as pas d'allure, Charlotte… En tout cas, je t'aurai prévenue. Ça va virer à la catastrophe, ton affaire.

— Tu t'inquiètes pour rien, ma pitoune. J'ai le contrôle total de la situation, dis-je, avant de nous commander deux cafés au lait.

En remontant à nos bureaux, j'en profite pour confier à Aïsha que je n'ai pas encore choisi le lieu de l'événement. C'est que j'hésite entre un mariage urbain ou champêtre. Ça, c'est un des grands drames de ma vie. L'indécision chronique. Le problème, c'est que je vois toujours autant d'avantages que d'inconvénients à chacune des situations.

— Moi, à ta place, je me marierais en ville, dans un hôtel chic. C'est plus *glamour*, plus *in*.

— Ouais, mais moins romantique que dans un manoir au bord de la rivière Richelieu. Et moins riche en histoire aussi.

— En histoire ? Mais on s'en fout, Charlotte.

— Mes invités français, eux, s'en foutront peut-être pas.

— Ah, c'est ça… Tu veux leur en mettre plein la vue, hein ? Mais, Charlotte, des châteaux et des manoirs, ils en ont plein là-bas ! Y a juste ça en France, des monuments historiques…

— Je le sais, figure-toi. J'y suis peut-être jamais allée, moi, mais je suis pas conne !

Piquée au vif par la remarque d'Aïsha, j'accélère le pas pour la semer. Bon, je vous le concède, c'est enfantin comme comportement, mais quand on parle de l'organisation de mon mariage, j'avoue que je suis un peu trop susceptible.

— Charlotte ! Prends-le pas comme ça ! J'ai pas dit que t'étais conne, voyons… Attends-moi !

Aïsha me rejoint, m'attrape par le bras, m'immobilise et m'oblige à la regarder dans les yeux. Tout ça en ne renversant aucune goutte de café. Impressionnant.

— Laisse faire les autres. C'est ton mariage. Qu'est-ce que tu veux, toi ?

— Je veux les deux.

— Comment ça, les deux ?

— Un mariage en ville avec tout le *glamour*, mais champêtre et romantique comme en campagne.

— Ben là, t'en demandes pas mal.

Devant son air découragé, je sens une crise d'angoisse qui commence à se manifester. Un sentiment que je me suis bien promis de contrôler à l'avenir. Mais, visiblement, ce ne sera pas le cas aujourd'hui.

— Jure-moi que tu vas me trouver ça, Aïsha. C'est mon mariage et je veux que tout soit parfait, parfait, parfait… Ça prend un lieu magique, pas comme les autres… Ah, mon Dieu ! Comment on va faire pour trouver ça ? C'est pas évident, on y arrivera jamais…

Si je n'étais pas encombrée d'un café, je serrerais les deux mains de mon amie dans les miennes pour la supplier encore plus fort.

Et si je n'avais vraiment aucune peur du ridicule, je m'agenouillerais carrément devant elle pour l'implorer de venir à mon secours. Là, tout de suite, en plein milieu du couloir, devant tous nos collègues qui circulent librement. Mais comme j'ai quand même un peu de fierté, je me contente de la prier du regard.

— Si on ne trouve pas, je vais être obligée de me marier dans un banal hôtel de Montréal. Ou de Laval. Avec des murs beiges et du tapis bourgogne. Mon mariage va être gâché… Le souper va être infect. Et j'aurai trop honte, je voudrai plus parler à personne !

— Eille, ça va faire !

Je prends une grande respiration pour tenter de me calmer. Depuis que je sais que je me marie dans quelques mois, les pires scénarios se forment dans ma tête : le traiteur qui se décommande à la dernière minute, la robe de mariée qui se déchire de haut en bas pendant la première danse, laissant voir mon string blanc avec de la dentelle rose.

Et le plus catastrophique : Maxou qui ne se présente pas, me laissant en plan avec mes invités et toutes les factures du mariage à régler.

— Charlotte, tu vas faire l'enfant comme ça quand tu vas être filmée pendant tes préparatifs ?

— Je ne fais pas l'enfant. Je suis juste un peu nerveuse, c'est tout.

— Un peu ? Si tu continues comme ça, tu te marieras pas pantoute, tu vas te taper une crise cardiaque avant.

— Bon, OK, c'est correct, je me calme… Mais on n'a pas plus de place pour faire la cérémonie.

Toutes les deux, on reprend notre marche vers nos bureaux, perdues chacune dans nos pensées. Aïsha veut se faire rassurante.

— On va la trouver, ta salle, tu vas voir. De toute façon, on a un peu de temps devant nous, hein ?

— Du temps ? Non, pas vraiment. On tourne demain après-midi ; je suis supposée aller visiter des salles.

— T'es pas sérieuse, là ?

— Euh… ben oui.

— Ah, Charlotte, tu m'exaspères, des fois ! Bon, appelle Ugo, dis-lui qu'on s'amène pour souper ce soir. À trois, on va ben finir par trouver… Mais là, dépêche-toi, on va être en retard à la réunion.

Ugo, c'est mon meilleur ami. Il habite le même duplex que moi et partage ma passion pour la bouffe. Normal, il est boucher. Malheureusement, il a eu la très mauvaise idée de tomber en amour avec mon collègue Justin. Le chroniqueur horticole de l'émission ; beau comme un dieu, mais égocentrique comme pas un. En plus, il n'a pas encore totalement assumé son homosexualité. Le voilà justement, assis avec nonchalance à la table de la salle de conférences, affichant son air fendant des grands jours.

Avec lui se trouvent Roxanne, notre animatrice qui, pour une fois, n'est pas en retard, et Dominique, la réalisatrice de l'émission. Cette dernière est amoureuse de notre patron, M. Samson, un homme marié et père de trois jeunes enfants. Pathétique.

Finalement, il y a P-O, pour Pierre-Olivier, chef réputé qui fait dans la bistronomie et qui présente une chronique culinaire à l'émission. Ah oui, c'est aussi l'amoureux d'Aïsha. Elle me jure qu'ils forment le couple le plus heureux du monde. Et que P-O ne mérite pas du tout la réputation de courailleux qu'on lui a attribuée. À écouter mon amie, P-O est fidèle comme un chien...

Pour ma part, j'ai le sentiment étrange qu'elle se fait carrément embobiner. Mais comme je n'ai pas de preuves – pas encore du moins –, je garde mes appréhensions pour moi. Il faut dire que le sujet P-O est un peu délicat entre Aïsha et moi.

Je crois qu'elle n'a jamais digéré mon aventure avec lui, même si c'était avant qu'ils commencent à se fréquenter. Un moment d'égarement total de ma part... Mais en observant bien P-O, assis devant moi en train de croquer dans un biscotti, je me rappelle pourquoi j'ai succombé à son charme de macho italien. Très intense, le mec.

— Bon, maintenant que tout le monde est là, on commence la réunion, lance Dominique. Vous savez que, demain, on tourne le premier segment de notre téléréalité avec Charlotte. Donc...

Justin se redresse sur sa chaise et interrompt Dominique.

— Comment tu veux qu'on le sache pas ? Elle arrête pas de nous casser les oreilles avec son mariage.

— C'est vrai, ça. C'est énervant, renchérit Roxanne.

Notre animatrice m'en veut à mort depuis que mon patron et Dominique ont décidé de me donner ma chance en ondes. Au début, ils avaient pensé me confier le rôle de coanimatrice, mais quand ils ont su que j'allais me marier, ils ont eu une bien meilleure idée.

— Donc, reprend Dominique, on va suivre Charlotte dans ses préparatifs, qu'elle va présenter en petites capsules tous les jours à l'émission.

— Non, Dominique, pas tous les jours, rectifie Roxanne. Tu te souviens, on a convenu qu'elle serait là aux deux jours, pas plus. Faut pas écœurer notre public, quand même !

J'ai fini par m'habituer à la méchanceté gratuite de notre animatrice, mais là, j'avoue que j'aurais bien envie de lui mettre mon poing en pleine figure.

— C'est vrai, Roxanne, aux deux jours…, poursuit Dominique. Et je te laisse continuer pour la suite, puisque c'est toi qui as eu l'idée.

— Oui, en effet. Je me suis dit que ce serait peut-être un peu long et plate comme segment. Voir une fille qui essaie des robes de mariée, c'est pas vraiment excitant.

— Ben là, ça dépend pour qui.

— Toi, Charlotte, tu trouves ça excitant, mais il faut penser aux téléspectatrices. Alors, j'ai eu l'idée de les faire participer à ton mariage.

— Participer ? Comment ça, participer ? dis-je, un brin d'inquiétude dans la voix.

S'il faut que je commence à inviter des téléspectatrices à ma cérémonie, je ne sais vraiment pas comment je vais m'en sortir avec Maxou.

— C'est simple. On va leur demander leur avis. Tu vas aller essayer plusieurs robes, mais ce sont nos téléspectatrices qui vont choisir celle que tu vas porter. Même chose avec le menu, la salle et la musique.

Au fur et à mesure que Roxanne fait son énumération, je me décompose sur ma chaise. Quoi ? Le jour le plus important de ma vie va être régenté par de totales inconnues qui n'ont rien d'autre à faire que vivre leur vie par procuration ?

— On va prendre leurs suggestions aussi, poursuit notre animatrice, un grand sourire hypocrite aux lèvres. Si elles veulent que tu fasses du karaoké, tu vas faire du karaoké.

Elle est folle, complètement folle! Moi, faire du karaoké à mon mariage? Chanter *T'es mon amour, t'es ma maîtresse* en duo avec Maxou? Elle s'imagine quoi, au juste? Que je me marie à la bonne franquette? Avec de la bière en fût, des arachides en écales et des nappes à carreaux?

Elle me connaît bien mal… Non, en fait, elle me connaît très bien. Elle sait que je rêve d'un mariage hyperclasse et elle essaie de tout bousiller… Mais je ne la laisserai pas faire!

— Le public va aussi choisir les jeux. Ça m'étonnerait pas qu'il te demande de faire celui de la jarretière. Tu sais, quand le marié doit descendre la jarretière de la mariée avec ses dents? Et celui où t'as dix gars qui se mettent torse nu et toi, un bandeau sur les yeux, tu dois deviner lequel est ton mari, en leur caressant la poitrine?

Jamais, au grand jamais! Je jette un regard vers Aïsha, qui semble aussi catastrophée que moi, vers Justin, qui se bidonne sans aucune retenue, et vers P-O, qui semble s'en foutre comme de l'an quarante. Finalement, je regarde Dominique, et là mon inquiétude monte d'un cran. Elle sourit d'une façon complice à notre animatrice, avant de clore la discussion.

— Merci, Roxanne, pour ton idée géniale. Donc, c'est réglé. Charlotte, tu vas être la première Québécoise à faire un mariage interactif avec ton public. On a tous bien hâte de voir ça!

Et moi, je veux aller me cacher au pôle Nord.

∗∗∗

— Ah, la *bitch*! La *f&¢$#ing bitch*!

Ugo n'en revient pas du comportement de Roxanne. Lui, Aïsha et moi, on est assis dans la cuisine de sa boucherie, fermée pour la soirée. Il termine la préparation de son curry d'agneau, pendant que je m'enfile verre de rouge par-dessus verre de rouge.

Aïsha a les yeux rivés sur son ordinateur, à la recherche d'une salle pour mon mariage. De plusieurs salles à visiter, devrais-je préciser.

— Merde! Qu'est-ce que je vais faire?

— La première chose, c'est de ne pas paniquer, m'avise Aïsha.

— Plus facile à dire qu'à faire. Ça paraît que c'est pas toi qui vas rater ton mariage.

— Tu vas rien rater du tout, Charlotte. On va tout faire pour garder le contrôle de la situation… Il faut être stratégique, c'est tout. Par exemple, tu vas essayer deux ou trois robes que tu aimes vraiment et le public choisira parmi celles-là.

— Oui, ça peut toujours se faire. Ce qui m'inquiète, ce sont les suggestions des téléspectatrices…

Roxanne semble bel et bien décidée à me faire subir les pires humiliations. Toute son attitude en témoigne. Elle qui, habituellement, ne lève pas le petit doigt pour aider l'équipe dans l'organisation du travail nous a annoncé qu'elle allait dorénavant s'impliquer.

C'est elle qui va lire les courriels des téléspectatrices et qui fera le tri parmi leurs suggestions d'idées pour mon mariage. Pour me « décharger », a-t-elle précisé. Mon œil! Elle veut simplement s'assurer de me faire faire les pires singeries devant mon mari, mes invités et… quatre cent mille téléspectatrices.

Ah, si seulement je pouvais encore compter sur le soutien de mon ex-collègue recherchiste, Martin. Mais il est passé chez le concurrent récemment, me laissant une double tâche et une animatrice de plus en plus insécure. Envieuse, en plus.

— En tout cas, y a une chose sur laquelle je ne ferai aucun compromis, c'est le menu. Y a pas une personne sur la Terre qui va me dire ce qu'on va manger le soir de mon mariage. C'est moi qui vais choisir chacun des ingrédients de mes neuf services.

— Neuf services? s'écrient mes deux amis. C'est pas un peu trop?

— Ben non… Hé, que vous voyez pas grand, des fois.

Aïsha lève les yeux au ciel, en signe d'exaspération. Elle commence à répliquer puis s'interrompt, l'air de penser que ça ne vaut pas la peine, finalement.

Il faut savoir que j'ai deux passions dans la vie. La bouffe et l'amour. Dans l'ordre ou dans le désordre, tout dépend du moment. Présentement, c'est l'amour qui prime. L'amour avec un grand A. Celui que vivent aussi mes deux amis. Et ça, je ne l'ai pas vu souvent.

— C'est-tu la première fois que, tous les trois, on est en couple en même temps?

Ugo et Aïsha réfléchissent à ma question en entamant le curry qui vient de nous être servi. Parfumé à souhait. J'adore la cuisine indienne et ses mélanges d'épices bien à elle.

— Ouais, je pense que t'as raison, Charlotte, répond Ugo. D'habitude, y en a au moins un qui est célibataire. Les trois en couple, c'est jamais arrivé.

J'ignore pourquoi exactement, mais il y a quelque chose qui ne me plaît pas dans cette affirmation. Une sorte de mauvais présage. Comme si ça ne pouvait pas vraiment être réel. Comme si ce n'était pas dans le cours normal des choses.

— Et vous pensez que ça peut durer, nos trois histoires d'amour?

— Pourquoi pas? Qu'est-ce qui fait que ça ne marcherait pas? demande Aïsha, remplie d'un optimisme débordant peu commun.

— Ben, je sais pas, moi, notre *background* amoureux. On peut pas dire qu'on a été très stables, hein?

— C'est juste parce qu'on avait pas trouvé le bon.

— Y a la loi de la moyenne aussi. Un mariage sur deux finit par un divorce.

— Un sur deux? Tant que ça?

— Au Québec, oui… Des fois, je me dis que je devrais me marier en France. Là-bas, c'est un sur trois seulement.

— Voyons, Charlotte, s'impatiente Ugo, c'est ben niaiseux, ton affaire ! Comme si ça changeait quelque chose que tu te maries ici, à Paris ou à Tombouctou. C'est la relation avec ton chum qui compte, pas ta situation géographique !

— Hummm, dis-je, le regard perdu dans mon assiette.

Devant mon air plutôt songeur, Ugo s'inquiète. Dans un geste plein de douceur, il écarte les cheveux qui me cachent le visage.

— Qu'est-ce qui se passe, chérie ? T'es plus certaine ou quoi ?

— C'est pas ça… Je suis sûre que Max, c'est le bon. Je trouve juste que ça va vite, tout ça. Ça fait bien des changements en même temps.

— C'est sûr que ce sont de gros changements, mais c'est excitant, non ? Penses-y, Charlotte, tu t'en vas vivre à Paris !

Je secoue la tête pour chasser mes pensées tristes.

— Ah, t'as raison. Ça doit être toute cette histoire de téléréalité, là, qui m'énerve.

— Ça, j'avoue que je te comprends. Ça n'a pas de bon sens.

— Ugo, intervient Aïsha, savais-tu qu'elle en a pas parlé à Max ?

— Pas vrai ?

— Ben oui.

— Charlotte, t'attends quoi pour lui dire ?

Mal à l'aise, je me lève pour débarrasser la table, n'osant pas lever les yeux de peur de rencontrer le regard inquisiteur d'Ugo. Tout à coup, il comprend et je l'entends pousser un soupir de découragement.

— Dis-moi que je me trompe… T'as décidé de pas lui dire ?

Et comme je ne réponds pas, Aïsha se charge de le faire à ma place.

— Ouin. Plutôt que d'y faire face maintenant, elle aime mieux balayer les problèmes sous le tapis et faire comme si ça n'existait pas.

— J'ai essayé de lui en parler, il ne veut rien savoir.

Ugo et Aïsha passent les minutes qui suivent à essayer de me convaincre de faire une femme de moi et de dire toute la vérité à mon futur mari. Pour les sécuriser, je leur promets de parler à Maxou, tout en sachant que je n'en ferai rien.

— Bon, vous êtes contents, là? On peut parler de la salle maintenant? Qu'est-ce que t'as trouvé, Aïsha?

— Je suis encore en train de chercher.

Je m'approche d'elle pour voir l'écran de son ordinateur et je tombe aussitôt en amour avec ce que je vois sur la photo. Une salle immense, avec un plafond cathédrale et une superbe structure en bois. Des toiles sur les murs. Non, bien plus que des toiles. Des tableaux historiques. Et de larges portes vitrées qui donnent sur un extérieur que je ne reconnais pas tout de suite.

— C'est où, ça?

— C'est le Chalet du parc du Mont-Royal.

Le Chalet du Mont-Royal! Pourquoi je n'y ai pas pensé avant? C'est ça, c'est exactement ça! Un monument historique et hyper prestigieux. La vue sur la ville avec un décor de campagne.

— Hiiiiii… Aïsha, t'es extraordinaire!

Je sautille sur place, cours embrasser Ugo, reviens aux côtés d'Aïsha et ébouriffe ses beaux cheveux noirs bouclés en la couvrant de bisous.

— C'est beau, c'est beau, ma pitoune… Regarde en plus ce que j'ai trouvé, me dit-elle en agrandissant la photo et en montrant du doigt des statuettes qui reposent sur la structure de bois du plafond.

— Noooon! C'est *too much*, c'est vraiment trop parfait. Les Français vont être très impressionnés!

— C'est sûr. Ils trippent tellement là-dessus. J'ai jamais compris pourquoi, c'est complètement dégueu.

Je regarde la photo et je n'en reviens toujours pas. Des statues de bois en forme d'écureuil décorent le plafond cathédrale. Des écureuils! Nos gros rats de ville que les Français trouvent tellement mignons, tellement adorables, tellement *cute*! Vous les avez déjà entendus au parc La Fontaine s'extasier devant ces petites bêtes, les nourrir, les photographier? Yark!

Aïsha et moi, on est aux anges. Suffit maintenant de convaincre nos téléspectatrices et le tour est joué. Je vais avoir le mariage de mes rêves! Yé!

— Les filles, avez-vous regardé le coût de la location?

— L'argent, l'argent... Mais on s'en fout, de ce que ça coûte! Ugo, t'es trop terre à terre.

— Ça doit pas être donné. Qui paie pour ce mariage-là?

Ça, j'avoue que je ne le sais pas trop. C'est un sujet que nous n'avons pas abordé, Maxou et moi. Parler de fric, je trouve ça d'un ennui mortel. Je préfère de loin me concentrer sur les choses essentielles. Comme ma robe, mes souliers, ma coiffure, le champagne qu'on servira au cocktail, les chocolats raffinés de fin de soirée et, bien entendu, mes neuf services.

Et je me dis que, puisque c'est lui qui m'a demandée en mariage, c'est lui qui devrait payer. Logique, non? C'est comme lorsqu'un gars invite une fille au resto... À moins que Maxou croie en cette vieille tradition qui veut que les parents de la mariée assument tous les frais. Si c'est le cas, nous avons un problème.

Non pas que maman n'en ait pas les moyens. Avec tous les condos de luxe qu'elle vend à Laval, elle a de quoi me payer dix mariages. Non, le problème, c'est qu'elle est pingre. Plus pingre que ça, tu meurs. En tout cas, envers moi.

Je la soupçonne toutefois d'agir autrement avec ses amants, qui sont tous plus jeunes qu'elle. Celui du moment, Christian, un pseudo-écolo, semble vivre aux frais de la princesse.

Mais quand vient le temps d'aider sa fille à s'équiper dans la vie, au lieu de lui acheter des meubles, une auto ou des accessoires de cuisine essentiels tels une centrifugeuse, une machine à pain ou un siphon pour faire de la cuisine moléculaire, Mado sort son discours sur l'indépendance.

« Comment vas-tu faire pour devenir une femme libre et indépendante si je t'offre tout ce que tu veux ? » clame-t-elle. Alors maman ne prend aucun risque. Elle ne m'offre rien du tout. Sauf à mon anniversaire et à Noël. De la pacotille.

Papa, lui, ne peut pas m'être d'un grand secours. Il a englouti tout l'argent de sa retraite dans un projet à l'étranger, où il se trouve d'ailleurs toujours. Tout ça explique pourquoi, à trente-quatre ans, je me retrouve avec plus de dettes que d'avoirs.

Ce n'est pas ma faute, c'est la leur : un manque d'éducation, de générosité et de prévoyance de leur part. C'est pour ça que je ne me culpabilise pas de ne pas savoir gérer mon argent. Enfin… pas trop.

— Payez-vous moitié-moitié ? me relance Ugo.

— Avez-vous fait un budget ? insiste Aïsha.

— Un budget ? Pour faire quoi ? On le fera une fois qu'on saura combien ça coûte.

— Charlotte, faudrait que t'éclaircisses ça avec Max, voyons. On peut pas magasiner une salle si on connaît pas le budget… De toute façon, celle du Mont-Royal est trop chère, je pense.

— Combien ?

— Six mille cinq cents dollars.

— Hein ? Pour une soirée ?

— En fait, pour douze heures. Mais c'est le minimum qu'il faut réserver.

Oups ! Ça fait beaucoup, beaucoup d'argent pour un seul des nombreux éléments de ma liste. Mais le lieu, c'est ce qu'il y a de plus important, non ? *Location, location, location…* comme le répètent les agents d'immeubles.

Non, impossible de négliger cet aspect. Je n'aurai qu'à faire des sacrifices sur autre chose. Pas sur le menu, par contre. Ni sur la robe et les souliers. Encore moins sur les alliances. Sur l'orchestre, peut-être? Et prendre la chance de se faire jouer la *Macarena*? Non, mauvaise idée.

Ah, je sais! Je vais économiser sur les faire-part. Nous sommes à l'ère de l'électronique, je vais donc envoyer mes invitations par courriel. Ou par Facebook, encore plus simple. Même chose pour mes remerciements. Bon, voilà qui est réglé.

— Aïsha, essaie d'appeler au Chalet du Mont-Royal, on va prendre rendez-vous pour demain.

— T'es certaine?

— Ben oui. Pis on va trouver deux autres salles très ordinaires, mal éclairées, avec des vieux tapis. On va soumettre les trois à notre public. Comme ça, c'est certain qu'il va choisir ce que je veux.

— C'est pas un peu risqué, ça? Si jamais les téléspectatrices aiment pas ça, le Chalet du Mont-Royal? On ferait mieux de mettre trois salles que tu aimes.

— Mais non, ça va marcher. Mon choix est fait. Je vais me marier au Chalet du Mont-Royal et y a personne qui va m'en empêcher!

Et là-dessus, je quitte mes amis pour aller rejoindre mon chum dans sa maison de Saint-Lambert.

***

Étendue toute nue sur le grand lit de Maxou, je pitonne sur mon iPhone. Mon amoureux prend sa douche, comme il le fait toujours après l'amour. Une habitude que je déplore un peu.

Moi, au contraire, j'aime bien profiter de l'odeur du sexe en restant vautrée dans les draps de longues minutes. Mais comme je crains qu'il pense que je suis malpropre, je prends ma douche moi aussi. Mais toujours après lui.

J'ouvre la nouvelle application que je viens d'acheter sur Apple Store. Une petite merveille qui va m'aider à éviter que mon couple tombe dans la routine sexuelle.

Avec cet outil, je vais pouvoir calculer la fréquence de nos relations et m'assurer qu'on ne baise pas toujours dans le même cadre, ni de la même façon.

Je m'assois à l'indienne pour y inscrire mes données.

Lieu : lit de Maxou.
Moment : fin de soirée.
Durée : vingt-cinq minutes.
Orgasmes : trois.
Positions : j'inscris les trois dont je me souviens.
Fellation : oui.
Cunnilingus : non.
Votre performance : neuf sur dix.
Performance de votre amant : huit sur dix.

— Tu veux bien m'expliquer ce que tu fous là ?

Je sursaute en entendant Maxou, qui se tient debout derrière moi, les yeux rivés sur mon petit écran. Je ferme mon application à toute vitesse.

— Euh… rien, rien.

— Tu m'attribues des notes. Non, mais j'aurai tout vu, lance-t-il d'un ton irrité.

— Fâche-toi pas. C'est pas toi que je note. C'est plus comme un registre de notre vie sexuelle.

— J'ai bien vu, Charlotte : « Performance de votre amant : huit sur dix. » C'est moi, ça, non ? En plus, tu as mis seulement huit.

— C'est bon, huit. C'est très bon, même. Mes autres amants, ils avaient rarement plus que six ou sept.

— Ah… Et j'ai toujours huit ? me demande-t-il, soudainement intrigué.

Prévisibles, les hommes. On n'a qu'à flatter leur ego pour qu'ils se radoucissent.

— Non, la plupart du temps, tu as neuf.

— Et… en quoi c'était différent, cette fois-ci ?

J'ouvre mon application et lui montre la fiche que je viens de remplir, en pointant le mot « non » écrit à côté de « cunnilingus ». Il attrape mon iPhone, change le « non » pour un « oui » et le « huit » pour un « neuf ».

— Si c'est tout ce qu'il te faut…

Maxou me renverse sur le lit et commence à m'embrasser tendrement sur le ventre en descendant un peu plus bas à chaque baiser. Je pense que ce n'est vraiment pas ce soir que je vais aborder la fichue question du budget pour le mariage… Ni des 6 500 dollars dont j'ai besoin pour louer la salle de mes rêves.

2

Première crise de vedette : ☑

— *F*red, est-ce que tu vas être prêt bientôt?
Je regarde mon collègue vérifier son équipement, bien rangé à l'arrière de la minifourgonnette blanche de l'émission. Nous sommes tous les deux dans le garage souterrain de la station, sur le point de partir en tournage.

— Ce sera pas long, Charlotte. Faut que t'attendes un peu quand tu travailles avec le caméraman le plus *hot* de la station.

Fred ne fait pas partie de ces gens qui ont des problèmes d'estime de soi. C'est vrai qu'il est le meilleur caméraman de la station. Et le plus beau en plus. Quelque chose qu'il ne sait que trop bien.

Les caméramans de terrain que je connais sont une classe à part. Un sous-groupe mystérieux qu'il n'est pas facile de percer. Autant ils peuvent être solidaires quand vient le temps de réclamer de meilleures caméras HD, autant ils peuvent se poignarder dans le dos quand ils veulent être celui qui sera choisi pour un tournage à l'étranger. De préférence au soleil, en plein mois de février.

Notre *pool* de caméramans, que nous partageons avec d'autres émissions, est donc majoritairement composé de gars jeunes, dynamiques et très en forme. Et Fred ne fait pas exception à la règle.

Trente et un ans, le regard noir profond, les cheveux bruns frisés, qu'il porte attachés. Le *body* d'athlète cascadeur en prime. Un vrai régal pour les yeux, surtout l'été, quand il porte des shorts et des t-shirts sans manches. Mais là, c'est l'hiver et il est malheureusement emmitouflé dans un énorme Kanuk.

Entre lui et moi, il y a eu des étincelles dans le passé. Je sais qu'il me trouve à son goût et c'est réciproque. Sauf que je n'ai jamais cédé à ses avances, même s'il a insisté plus d'une fois. Soit parce que j'étais déjà en amour à ce moment-là, soit parce qu'il avait une blonde. Ce qui, pour lui, n'était pas vraiment un obstacle. Mais pour moi, c'était une autre histoire. Malgré mes gentils refus, Fred ne semble pas se décourager. Il ne cesse de me dire sur le ton de la plaisanterie : « Tu sais pas ce que tu manques. » Ça devient un peu achalant, mais je l'endure, puisqu'il est le meilleur caméraman de la station et que j'ai confiance en lui. Pendant un tournage, il est toujours de bon conseil.

Fred est aussi ce qu'on pourrait appeler un gars *cool*. Sur la coche, même. Ça, c'est vraiment, vraiment *hot*, mais il est tellement relax que, parfois, ça m'énerve. Je n'arrive pas à comprendre comment il fait pour ne jamais se laisser ébranler par les imprévus des tournages extérieurs, comme ce qui est arrivé la semaine dernière alors que nous allions filmer le concours de la meilleure sauce à spaghetti du Cercle des Fermières d'Anjou.

Ne vous inquiétez pas, ce tournage n'avait rien à voir avec mon mariage. Nous voulions simplement inviter la gagnante de ce concours à l'émission pour qu'elle cuisine avec P-O. Ce qui m'a valu des provisions de sauce à spaghetti pour l'année.

Une crevaison en chemin et trente minutes de retard à notre rendez-vous? Bof, ils nous attendront. Une caméra qui fait des caprices et refuse de fonctionner? Re-bof! On retourne en chercher une autre et on perd une heure de travail.

Grrr… C'est tellement pas moi, cette attitude de laisser-aller total. Ou de détachement, selon le point de vue qu'on adopte. Je suis plutôt du genre à m'excuser mille fois auprès des gens qui nous attendent et à me ronger les sangs pendant que lui prend tout son temps pour régler les problèmes.

Ce n'est pas que je n'essaie pas d'être zen. Au contraire. Je fais beaucoup d'efforts. J'ai même collé des petits *reminders* un peu partout au bureau. Des petites notes pour me rappeler que, dans mon métier, il n'est jamais question de vie ou de mort.

Ainsi, sur ma lampe de bureau, le *post-it* indique: «C'est juste un *show* de tivi!» Celui qui est collé sur la première page de mon cahier de notes peut se lire comme suit: «Tu n'es pas une chirurgienne cardiaque qui sauve des vies sur une table d'opération.»

Et le dernier, caché dans ma boîte de thé vert, mentionne: «Tu ne t'appelles pas Charlotte Obama et tu ne diriges pas un pays en pleine débâcle alimentaire.»

Tous ces petits mots m'aident à mieux respirer. Grâce à eux, je suis capable de relativiser et d'accorder moins d'importance aux pépins qui surviennent régulièrement au boulot. Le problème, c'est que ça ne dure pas très longtemps et que le naturel revient vite au galop.

Malgré tout, je devrais peut-être appliquer la même stratégie à mon mariage. Parce que, dans ce dossier-là aussi, j'ai tendance à dramatiser. Tiens, je vais commencer tout de suite pendant que Fred finit de faire je ne sais quoi, ce qui lui prend un temps fou.

Je m'assois dans le camion de tournage pour être plus à l'aise pour écrire. Je commence à griffonner sur mon *post-it* turquoise Tiffany : « Il n'y a rien de parfait dans la vie et ton mariage n'est pas obligé de l'être. »

Ah ! Déjà, je me sens mieux. J'essaie de visualiser les imperfections avec lesquelles je suis prête à *dealer*. Euh… Bizarre… Pour l'instant, rien ne me vient à l'esprit. Voyons, force-toi un peu, Charlotte. Non… Rien. J'arrache le *post-it* et en fais une petite boule que j'envoie promener sur le siège arrière.

Soyons plus réaliste. Allons-y avec des arguments qui me rejoignent un peu plus. Hum… Ah, je l'ai ! « Tu te maries seulement une fois dans ta vie. Est-ce que tu vas commencer à t'emmerder avec des détails anodins comme le prix que ça coûte ? »

Parfait ! Voilà un argument bien senti. Je colle cette note sur le tableau de bord de la minifourgonnette. Allez, Fred, dépêche-toi qu'on aille dépenser 6 500 dollars pour la location d'une salle.

∗∗∗

— C'est que nous ne louons pas le Chalet pour les mariages. On ne vous l'a pas dit au téléphone ? C'est réservé à des soirées de gala ou des événements corporatifs.

L'homme qui me reçoit au Chalet du Mont-Royal semble surpris de voir que je n'étais pas au courant de ces restrictions. Et encore plus surpris par la présence d'un caméraman en action. Vers qui je me tourne aussitôt.

— Fred, arrête de filmer tout de suite.

Mon caméraman fait glisser la caméra de son épaule, en me jetant un regard d'approbation. Nous sommes tous les deux debout face à l'employé de la Ville, qui, lui, se tient derrière un large comptoir en bois massif.

— Comment ça, vous louez pas votre salle pour les mariages ?

— Madame, le Chalet du Mont-Royal n'est pas un lieu comme les autres.

Il sort une brochure d'un tiroir avant de poursuivre, en me montrant du doigt un paragraphe.

— Regardez, c'est écrit ici : « Tout événement qui s'y déroule doit, par son envergure, apporter un rayonnement provincial, national ou international à Montréal. » Vous voyez maintenant ?

Non, en fait, je ne vois pas du tout. Le Chalet du Mont-Royal est un édifice public et je suis une citoyenne de Montréal qui paie des taxes. Enfin, pas vraiment puisque je suis locataire, mais mon proprio en paie, lui.

De toute façon, je remplis les poches de la Ville de bien d'autres façons. Ne serait-ce qu'avec les horodateurs et les contraventions que je récolte quand j'oublie de les nourrir.

Mais je refuse de céder à la colère. Ce n'est peut-être pas la meilleure solution, si je me fie à l'allure de mon interlocuteur. La cinquantaine bien avancée, le crâne dégarni, les lunettes attachées à une chaînette en or, le regard austère et méprisant.

Je réfléchis à la meilleure façon de le convaincre. J'opte pour une bonne dose de charme, doublée d'une histoire qui lui permettra de croire que mon mariage est un événement d'envergure internationale.

— Ouf, il fait chaud ici, vous permettez que j'enlève mon manteau ? dis-je en commençant à me déboutonner et à ôter mon écharpe.

Je dépose le tout sur une des deux chaises pendant que Fred s'assoit sur l'autre, la caméra sur les genoux. Je me penche au-dessus du comptoir pour me rapprocher de mon interlocuteur.

— Vous êtes monsieur… ?

— Thompson. William Thompson.

— Charlotte Lavigne. Enchantée.

— Oui, vous me l'avez déjà dit en entrant, répond-il en me serrant néanmoins la main.

Je prolonge la poignée de main plus longtemps que nécessaire, en le regardant directement dans les yeux. Ce que lui semble avoir de la difficulté à faire, son regard étant plutôt attiré vers le décolleté de mon chemisier en satin fuchsia. Un excellent choix de ma styliste et amie, Aïsha.

— Vous savez, monsieur Thompson, mon mariage n'est pas un mariage comme les autres.

M. Thompson ne dit rien et fait maintenant mine de consulter des documents. Bon, la partie est loin d'être gagnée. Mais pas question de se laisser démonter par un peu de froideur.

— Comme je le disais, c'est un mariage spécial, avec beaucoup d'invités de marque...

Toujours aucune réaction.

— Des invités qui viennent de la France et qui vont donner un caractère international à l'événement. Exactement comme vous le demandez, c'est chouette, non ?

— Madame Lavigne, je vous le répète, la salle ne peut pas servir à célébrer des mariages.

— Et si je vous disais que nous avons même invité des célébrités internationales ?

J'entends mon caméraman étouffer un rire. Je me tourne vers lui et, à mon regard, il comprend immédiatement qu'il a intérêt à se taire. Je reviens à mon employé de la Ville.

Mais il y a un petit quelque chose qui me dérange dans l'image que je viens de voir. Celle de Fred, assis à côté de moi. Qu'est-ce qui cloche au juste ? Bon, je verrai ça plus tard. Pas le temps maintenant.

— Alors, monsieur Thompson, vous voyez bien que mon mariage respecte vos critères.

— Mais de qui parlez-vous exactement ? Quelles célébrités ?

— Bon, je vous explique. Je marie un diplomate français qui a des liens très étroits avec le président lui-même.

— Vous n'êtes quand même pas en train de me dire que Nicolas Sarkozy va assister à votre mariage?

— Voyez-vous, on ne le sait pas encore. C'est pour ça que je suis très discrète à ce sujet-là. Et je vous demanderais de garder ça pour vous. Mais une chose est certaine, s'il n'est pas présent lui-même, il se fera représenter par un de ses bras droits, ça, c'est sûr.

M. Thompson lève les yeux au ciel. Je fais comme si je n'avais rien vu et continue d'essayer de le convaincre, en faisant du *name dropping*. J'ajoute à notre liste d'invités un homme d'affaires français dont Maxou lisait la biographie hier, le chanteur Patrick Fiori et, tiens, pourquoi pas Lynda Lemay tant qu'à y être? Autant profiter de son rayonnement en France.

— Vous savez, elle a même composé une chanson juste pour nous. Elle m'en a envoyé un extrait hier. C'est super beau, ça parle d'une fille comme moi qui quitte tout pour…

— Madame Lavigne, j'en ai assez entendu. Je vous demanderais de partir maintenant.

Je me fige sur place. C'est raté, il ne me croit pas du tout. Je vois disparaître une à une les images de mon mariage parfait. Celle de nous tous à table, savourant un délicieux tartare d'omble chevalier dans la grande salle lumineuse. Celle de moi et Maxou dansant sous le regard ébloui de nos invités. Celle des amis français s'extasiant devant les statuettes en forme d'écureuil.

Pouf! Fini! Disparu, le mariage de mes rêves. Je vais devoir me contenter d'une quelconque salle banale de Laval. La mort dans l'âme, je me tourne vers Fred pour lui signifier que nous partons. Il ne bouge pas et me fait plutôt signe de m'approcher de lui.

— Insiste encore, dit-il tout bas.

Je jette un coup d'œil à M. Thompson pour m'assurer qu'il ne nous entend pas. Il semble bien absorbé par son travail de rangement. Je me penche à l'oreille de Fred.

— Comment?

— Je sais pas. Fais une crise de vedette. Comme Roxanne.

Mon regard s'illumine tout à coup. Quelle bonne idée! Notre animatrice obtient toujours ce qu'elle veut quand elle décide de se fâcher. Essayons pour voir. Je retourne devant le comptoir.

— Monsieur Thompson, je pense que vous ne savez pas à qui vous avez affaire!

Je viens d'élever ma voix d'un cran, ce qui ne semble pas du tout intimider l'employé de la Ville, les yeux toujours rivés sur sa paperasse. Allons-y avec un ton carrément colérique et un petit mensonge inoffensif.

— Je suis l'animatrice d'une émission super populaire, j'ai des contacts partout dans le *showbiz* et je n'aime pas qu'on me dise non. Est-ce que vous me comprenez bien?

Je ponctue ma réponse d'un coup de poing que j'assène sur le comptoir. Ce qui fait finalement réagir M. Thompson. Il lève les yeux de ses papiers pour me jeter un regard choqué. Est-ce qu'il me lance un avertissement? Est-ce que je vais trop loin avec mes menaces? Je me tourne vers Fred et je constate par son regard que ce n'est pas le cas. Il semble très fier de moi et il m'encourage à poursuivre d'un signe de tête. Je continue donc dans la même voie. C'est tellement excitant de jouer à l'animatrice diva! Et ça me vient tout naturellement, comme si j'avais fait ça toute ma vie!

— Moi, à votre place, je reconsidérerais ma décision. Parce que, voyez-vous, la semaine prochaine, je reçois le maire de Montréal à mon émission. Et si je ne peux pas me marier ici, il va entendre parler d'un certain M. Thompson.

Oh, que je suis fière de cette dernière trouvaille! Le maire de Montréal, rien de moins! Jouer à la diva me procure un sentiment de pouvoir comme je n'en ai jamais connu. Vivement l'adoption d'un tel comportement dans les situations d'urgence! Sans dire un seul mot, M. Thompson soulève le combiné du téléphone derrière le comptoir et commence à composer un numéro.

— Et même si vous appelez votre patron, ça ne servira à rien! Il ne pourra plus rien faire pour vous une fois que j'aurai parlé à la ville entière.

Je regarde M. Thompson avec un air de défi et j'attends qu'il raccroche. À ma grande surprise, il n'en fait rien. Je n'ai pas dû être assez convaincante. Je l'écoute s'adresser à son interlocuteur d'une voix hautaine.

— Voulez-vous m'envoyer la sécurité, s'il vous plaît? Oui, tout de suite.

Hein? La sécurité? Mais qu'est-ce qu'il lui prend? Ce n'était pas prévu dans le plan, ça. Il veut… me faire jeter dehors? Comme une vulgaire soûlonne qui ne veut pas quitter un bar à 4 heures du matin? Pas question, j'ai ma fierté!

— Je vais partir d'ici quand j'aurai un contrat signé, pas avant. C'est un édifice public et je suis chez moi ici! Vous ne pouvez pas m'évincer comme ça.

L'employé de la Ville raccroche et me regarde droit dans les yeux.

— Ne bougez pas et arrêtez de crier si vous ne voulez pas que je porte plainte à la police…

La police? Non, mais pour qui il se prend? On ne peut pas déposer une plainte contre quelqu'un qui s'énerve un peu, non?

— … pour avoir troublé l'ordre public et pour menaces à mon endroit.

— Vous exagérez, je ne vous ai jamais menacé!

M. Thompson ne répond pas, ce qui me fait douter de la véritable tournure qu'a prise notre conversation. Et si jamais il disait vrai? Et s'il décidait de s'adresser à la police… Oh là là, c'est pas bon, ça! Ça pourrait même compromettre mon déménagement en France! Oublions le rôle de diva: je dois vite redevenir la Charlotte qui peut tout se faire pardonner. Je prends donc un ton beaucoup plus doux et, rapidement, les larmes me montent aux yeux.

— Non, non, non, non… On s'est mal compris, voyons… C'est un malentendu… Désolée, c'est mon SPM. Dans ce temps-là, j'ai des comportements bizarres. C'est pas ma faute, vous comprenez ça, monsieur Thompson? Même si vous n'êtes pas une femme, j'imagine que vous en avez une dans votre vie. Ça lui arrive à elle aussi, hein?

Je travaille de plus en plus fort pour tenter d'amadouer mon interlocuteur, mais rien n'y fait. Il reste de glace. Merde! J'ai épuisé tous mes arguments, toutes mes stratégies. J'entends tout à coup des pas derrière moi. Ça y est, la sécurité qui arrive! Je dois capituler, rendre les armes et me faire sage pour éviter que cet événement prenne des proportions démesurées. J'attrape mon manteau sur la chaise et je m'apprête à sortir de la bâtisse par moi-même.

— Monsieur Thompson, vous voulez bien me laisser m'occuper de madame?

Non, mais attendez… Cette voix de femme, je la connais. Très bien même. Je me retourne, pleine d'espoir, et je croise le regard de Marianne Lapointe. Ma meilleure amie d'enfance! J'ouvre la bouche pour exprimer ma joie de la revoir, mais elle me fait signe de la jouer discrète.

Elle renvoie cavalièrement M. Thompson à son bureau, ce qui me réjouit profondément. Elle fait la même chose avec le gardien de sécurité qui se pointe le nez dans la salle. Visiblement, c'est elle, la patronne.

— Marianne, je savais pas que tu travaillais ici, dis-je en lui sautant dans les bras. Merci! Tu me sauves la vie! Mais parle-moi de toi, ça fait tellement longtemps que je t'ai vue. T'es toujours aussi belle.

Marianne me remercie et me raconte tout le chemin qu'elle a fait depuis qu'on s'est perdues de vue il y a six ans. Chef de division à la Ville de Montréal, conjointe d'un entrepreneur, maman de jumelles de quatre ans

et copropriétaire d'une maison à Outremont. Wow!
Impressionnant!

On fait du rattrapage pendant quelques minutes,
se promettant de ne plus jamais se négliger comme
on l'a fait ces dernières années. Fred, toujours assis
à ma droite, déshabille Marianne des yeux. Il faut
dire qu'elle est vraiment superbe avec son look de
directrice.

Des cheveux châtain clair remontés en chignon
souple, de grands yeux gris-bleu et le sourire d'une
gagnante. Son tailleur-pantalon Anne Klein, de la
même couleur que ses yeux, met en valeur sa taille de
guêpe. Et son chemisier ivoire, légèrement transparent, laisse entrevoir une poitrine généreuse.

— Comme ça, Charlotte, tu te maries?

— Oui. J'ai finalement trouvé le mien. Il était
temps… Tu te souviens à quel point mes chums
étaient poches?

— Mets-en! T'en faisais une véritable collection.

Collection, collection. Non, mais il ne faudrait pas
exagérer, quand même! Un peu vexante, la dernière
remarque de Marianne.

— En tout cas, LUI, il est super. Et imagine-toi donc
que je m'en vais vivre à Paris après notre mariage.
Mon chum, c'est un Français.

— Ben oui, un Français. Je t'ai entendue dire ça.

— Hein, comment ça?

— J'ai écouté votre conversation sur ma caméra de
surveillance dans mon bureau… C'est incroyable ce
qui t'arrive… Sarkozy, Lynda Lemay.

Devant le sourire en coin de mon amie, je comprends que j'ai été percée à jour.

— Bah, tu sais, j'en ai peut-être mis un peu…

— Un peu? Beaucoup, tu veux dire. T'as pas
changé, Charlotte Lavigne. Tu faisais ça quand on
était petites. Inventer des histoires pour arriver à tes
fins.

— Ben, j'ai pas tout inventé, quand même.

— Et tu pensais vraiment que le vieux chnoque avalerait ça ?

— Pourquoi pas ? J'avais rien à perdre.

— Sauf que ça a failli déraper, par exemple. T'es rendue avec un méchant caractère !

— Bof, pas tout le temps, là. C'est juste que je tiens beaucoup à me marier ici. C'est tellement beau.

— J'ai vu ça. Pis je savais pas que t'étais animatrice maintenant. C'est quoi le nom de ton émission ?

— Euh…

— C'est pas vrai, ça non plus ?

— Pas vraiment, mais je suis chroniqueuse, par exemple.

— T'as pas d'allure !

— Je sais.

— Bon, ton chum, c'est vrai que c'est un diplomate français ? Ou c'est encore un exemple de ton imagination débordante ?

— Quand même, t'es un peu insultante. Ben oui, c'est vrai. Il travaille au consulat.

Marianne me fait un sourire complice avant de sortir des documents d'un tiroir. Je regarde le titre du formulaire : *Contrat de location*. Et je sens mon cœur commencer à s'emballer. Elle me tend les documents et un stylo.

— Je pense que je peux t'arranger quelque chose. Tiens, remplis ça.

— Pour vrai ?

— Humm… humm.

— *Yesssss !* Marianne, t'es la meilleure amie du monde entier ! Tu vas venir à mon mariage, hein ?

Le cœur léger, je commence à remplir le contrat de location. Marianne et moi, on règle tous les détails, pendant que Fred reprend du service. Il filme la transaction et des images de la salle.

Je quitte le Chalet du Mont-Royal en songeant que je n'aurai aucun problème à convaincre les téléspectatrices de choisir cet endroit. C'est tellement féerique, tellement romantique, tellement parfait. Avant de remonter dans la minifourgonnette, Fred me remet la cassette du tournage.

— Et l'autre cassette, je la garde pour moi, m'indique-t-il.

— Quelle autre cassette?

Il me regarde avec l'air de quelqu'un qui a fait un mauvais coup et qui en est tout fier.

— Celle où tu dis que Sarkozy et Lynda Lemay vont assister à ton mariage. Pis où tu fais ta crise de vedette!

— T'as tourné ça?

Pour toute réponse, Fred brandit une cassette qu'il met ensuite dans la poche intérieure de son Kanuk. Il remonte la fermeture éclair de son manteau, dans un geste de défi.

C'était donc ça qui me chicotait quand je me suis tournée vers lui. La caméra sur ses genoux, le voyant rouge allumé… Il a tout filmé. Eh, merde! Je dois absolument récupérer cette cassette.

— Fred, qu'est-ce que t'as l'intention de faire avec ça?

— Je sais pas… Qu'est-ce que t'en penses?

— Tu vas pas montrer ça au bureau? J'aimerais mieux que ça reste entre nous deux, OK?

— Au bureau? Non, je pensais plutôt à mettre ça sur YouTube.

— Sur YouTube? Tu me niaises?

— *Nope.*

J'essaie de savoir si Fred est sérieux ou pas, s'il veut juste me faire marcher ou s'il a vraiment l'intention de passer à l'action. Impossible de déchiffrer son expression. Mieux vaut ne pas courir le risque.

S'il met ses menaces à exécution et que tout ça vient aux oreilles de Maxou, mon chum va annuler le mariage, c'est certain. Et puis, je vais passer pour la pire hystérique de la planète. Je m'approche de lui et tente de dézipper son manteau. Il arrête mon geste en agrippant fermement mon poignet.

— *Come on*, Fred. Donne-moi la cassette. C'est pas drôle.

— Pas tout de suite, dit-il en relâchant mon poignet légèrement endolori par la pression de sa main.

— Eille, tu vas me niaiser longtemps comme ça?

— Je vais te la donner, mais il va falloir que tu viennes la chercher.

— La chercher? Où ça?

— Chez moi, demain soir.

— Comment ça, chez toi?

— Devine…

Fred frôle ma joue avec le dos de sa main, en me regardant droit dans les yeux. Son message est clair: il pense avoir finalement trouvé un moyen de m'amener dans son lit.

My God! Il me fait du chantage! Eh bien, ça ne se passera pas comme ça!

— Fred, voyons…

— Je t'ai toujours trouvée ben de mon goût, Charlotte. Et toi aussi, je le sais. C'est écrit dans ta face.

— Peut-être… Mais là, je vais me marier.

— Pis? Ça nous empêche pas d'avoir un peu de *fun* ensemble…

— Ben, certain que ça nous en empêche! Tu le sais que je suis une fille fidèle. Pis à part ça, je suis tannée de tes sous-entendus. Ça fait je sais pas combien de fois que je te dis que le *timing* est pas bon entre nous deux. Passe à autre chose, c'est tout!

— Juste un p'tit souper, dit-il avec une voix mielleuse, ça t'engagera à rien.

— Non, ça me tente pas! Et je suis certaine en plus que t'as fait exprès pour me faire fâcher. C'est quoi, t'as tout calculé ça, là?

— Ben non, j'ai rien fait, moi.

— Me semble, t'as pas arrêté de m'encourager. Bon, donne-moi la cassette, tout de suite.

— Non, j'ai dit demain.

— Ah, que t'es fatigant. Si j'y vais, c'est juste pour récupérer la cassette.

— Ben voyons, Charlotte, je te forcerais jamais à faire des choses que tu ne voudrais pas… De toute manière, j'aurais même pas besoin.

— Ouin, tu penses ça ! Regarde, je vais prendre l'apéro, tu me donnes la cassette, pis ça finit là !

— Comme tu veux, beauté ! Bon, est-ce qu'on retourne à la station, là ?

Comme si de rien n'était, avec son air *cool* qui le caractérise, Fred monte à bord de la camionnette. Pendant le trajet qui se déroule dans le silence total, dans ma tête je décide que je dois me débarrasser de mon caméraman. Je ne peux plus travailler avec lui dans de telles conditions, mais je dois absolument récupérer la cassette.

***

À mon réveil, ma colère envers Fred n'a toujours pas disparu. Hier soir, après ma journée de travail, je suis rentrée directement à mon appartement. J'ai préféré être seule pour bien réfléchir et éviter les questions de Maxou. Malgré un bon bain chaud et trois verres de rouge, je n'ai pratiquement pas fermé l'œil de la nuit. J'ai même pleuré de rage à quelques reprises. Je me sens piégée et je déteste ça ! Et je n'ai pas cessé d'imaginer les pires scénarios qui pourraient se produire si la cassette était diffusée ! Maxou qui me quitte, mon renvoi de l'émission pour comportement inapproprié, ma réputation entachée et aucune possibilité de me faire réengager en télévision. Quel cauchemar !

Je me lève péniblement. J'essaie d'avaler une toast au beurre d'amandes, mais ça ne passe pas. Il faut vraiment que je sois troublée pour avoir l'appétit coupé.

S'il y a une chose dont je suis certaine dans ma vie, c'est que j'adore manger. La bouffe – et l'alcool – m'a toujours été d'un grand secours dans les périodes de crise. Mais pas ce matin.

Et quand ça va mal, ça va mal. J'ouvre la porte du garde-manger pour découvrir que je n'ai plus une once de café. Rien pour me réveiller, mieux vaut aller me recoucher. Je replonge dans un demi-sommeil quand j'entends la porte d'entrée s'ouvrir. Je remonte les couvertures jusqu'à mon menton, angoissée à l'idée que Max me découvre dans cet état. Les yeux bouffis et rougis par les larmes, les cheveux en broussaille et vêtue d'un vieux pyjama à pattes bleu ciel mottonneux.

Habituellement, une camisole et un boxer constituent ma tenue de nuit. Mais, hier soir, allez savoir pourquoi, j'ai eu besoin de m'emmitoufler dans des souvenirs d'adolescence.

— Charlotte, t'es réveillée?

Ouf! La voix d'Ugo. Beaucoup plus rassurante que celle de mon chum en moment de crise. Ugo, mon ange gardien, se tient sur le seuil de la porte de ma chambre, deux cafés à la main. À croire qu'il a installé une caméra cachée dans ma cuisine et qu'il m'espionne depuis son appartement, juste en dessous.

— J'ai vu ton auto dans la rue en allant me chercher un café. Je t'en ai pris un. Comment ça se fait que t'as dormi ici? T'habites plus chez Max? Dis-moi pas que vous vous êtes chicanés?

— Non, non, c'est pas ça.

— C'est quoi alors?

Ugo dépose ses cafés et s'approche de mon lit. Je lui raconte le chantage que me fait subir Fred. Plus mon récit avance, plus Ugo est furieux.

— Charlotte, c'est bien plus que du chantage, ça. C'est du harcèlement sexuel. Carrément.

— Tu crois?

— Ben oui! Et y a juste une chose à faire dans ce cas-là: le dénoncer.

— Le dénoncer à qui?

— Ben, à tes patrons.

— Eux autres? Ils me croiront jamais. Tout le monde trippe sur Fred au bureau. Il est beau, il est fin et il fait donc de belles images.

— Ça veut pas dire qu'il ne peut pas avoir des comportements abusifs.

— Non, mais ça va être sa version contre la mienne. Il va falloir qu'ils fassent enquête. Penses-tu que j'ai le goût, moi, de me lancer là-dedans à quelques semaines de mon mariage? Pantoute!

— Ouin, mais tu vas pas le laisser faire, quand même?

— Non, c'est pas mon intention. Il faut juste que je m'arrange pour récupérer la cassette. J'ai pas le choix d'aller à son souper! Faut ensuite que je trouve une façon de ne plus travailler avec lui. J'ai cherché toute la nuit, pis j'ai rien trouvé.

J'écarte les draps pour me lever, maintenant décidée à trouver une solution à ce problème. Ugo m'observe de la tête aux pieds avec un air dédaigneux.

— C'est quoi cette horreur-là? s'indigne-t-il, en désignant mon pyjama à pattes.

— Ah… laisse tomber, Ugo.

— C'est tout sale en plus. Enlève-moi ça tout de suite. Si tu veux être une *winner*…

— Je sais, tu me l'as déjà dit… Habille-toi en *winner*.

Et pour faire plaisir à mon ami, je change de tenue *subito presto*. J'enfile mon jeans le plus sexy et un t-shirt rouge pompier. Après tout, j'ai un adversaire à neutraliser. Et je viens tout juste de trouver comment le faire. Facile. Je vais lui faire goûter à sa propre médecine.

***

L'animateur de l'émission *F.D.*, pour *Fraudeurs démasqués*, m'explique comment fonctionne leur caméra cachée. Caméra que je vais porter ce soir en me présentant chez Fred. Le but, c'est qu'il avoue me faire du chantage afin que je puisse l'enregistrer et me servir de la cassette pour l'obliger à demander un transfert à un autre *show*.

Que je suis contente aujourd'hui de connaître l'équipe de *F.D.*, qui travaille au même étage que moi! Un clan tissé serré que j'ai réussi à pénétrer l'année dernière en offrant à chacun de ses membres un morceau de gâteau moelleux aux framboises. Le tout accompagné d'un verre de cidre chaud à la cannelle.

J'avais fait fureur avec les restes de l'émission que nous venions d'enregistrer et je savais bien qu'un jour ça me servirait. Mais je ne pensais pas que ce serait pour piéger un collègue.

Je suis fascinée par les explications de Guillaume, qui a si gentiment accepté de me recevoir. Tout en l'écoutant, je me dis que ma vie professionnelle aurait été bien différente si j'avais travaillé pour un gars comme lui plutôt que pour cette chipie envieuse de Roxanne.

Guillaume a tout du journaliste d'enquête sérieux. Il inspire immédiatement la confiance avec ses grands yeux bleus et son regard curieux. En plus, il est d'une modestie peu commune. Une qualité plutôt rare chez cette race que sont les animateurs.

Avec sa voix grave et crédible, il me montre un à un les objets dans lesquels on peut dissimuler la lentille: un téléphone cellulaire, un porte-clés, des écouteurs de iPod, une veste de jeans, un nounours en peluche, des lunettes fumées, une cravate, un tube de mascara et un Zippo.

Wow! Je me sens comme une James Bond *girl*, le *body* de mannequin en moins. Heureusement, Fred n'a jamais travaillé pour *F.D.* Il ne connaît donc pas leurs outils de camouflage.

Bon, lequel choisir maintenant? Celui qui n'attirera pas l'attention. Le téléphone cellulaire peut-être?

Hummm… Un téléphone gris et terne détonne avec ma personnalité, il risque de se douter de quelque chose. Même s'il fonctionne comme un vrai. Incroyable, la technologie!

Je repars finalement avec le porte-clés… et une offre de job. Guillaume m'a dit qu'il y avait toujours de la place pour une fille comme moi dans leur équipe. Je suis flattée. Si, dans quelques semaines, je n'entamais pas une nouvelle vie sur un autre continent, j'aurais certainement considéré cette proposition alléchante. Être payée pour jouer les espionnes, ça fait chic, non?

Mais pour le moment, j'ai une enquête perso à mener, sur laquelle je dois me concentrer. Je prends mon iPhone, compose le numéro de Fred et lui demande à quelle heure il m'attend.

***

— J'y arriverai jamais, Ugo. Je suis pas capable.

Je suis dans l'auto de mon meilleur ami, stationnée à un coin de rue de l'appartement de Fred. On vient de tester la caméra cachée et le dispositif qui permettra à Ugo de tout entendre depuis sa voiture. Le tout fonctionne à merveille. Et maintenant que le moment fatidique approche, je sens la panique qui commence à me gagner.

— Mais non, ça va bien aller. S'il arrive quelque chose, je vais débarquer, c'est tout.

— Pis si ça vire vraiment, vraiment mal, t'appelles la police, OK?

— Ben oui. Tiens-toi-z'en à notre plan et y aura pas de problème. Fais-le parler, c'est tout.

Ma peur, c'est que Fred découvre le pot aux roses et qu'il me le fasse payer cher. Après tout, je ne le connais pas intimement, ce gars-là. Je ne suis même jamais allée prendre un verre avec lui. Je ne sais pas réellement de quoi il est capable. Mais je ne peux plus reculer maintenant. J'ai un mariage à sauver.

Je me colle contre Ugo une dernière fois avant de sortir de la voiture et de claquer la portière tellement fort que je sursaute.

Je sonne à la porte de mon adversaire. Rien. Deuxième essai. Toujours aucune réponse. Si Fred m'a posé un lapin, c'est simple : je l'étrangle. Pas question de jouer les espionnes une deuxième fois. Trop de stress.

Je cogne maintenant vigoureusement sur la porte de bois peinte en bleu roi. Une fois, deux fois, trois fois.

— Wô ! Wô ! Wô ! On se calme, lance Fred en ouvrant la porte, une bouteille de bière à la main.

— Je me demandais si t'étais là.

— Ben oui, je suis là, ma pitoune. J'étais en train de nous faire un riz frit aux crevettes.

Je grince des dents en l'entendant m'appeler « ma pitoune ». Un surnom qu'on se réserve entre filles et qui sonne faux dans la bouche d'un gars qui se croit tout permis. Je sors le porte-clés de la poche de ma veste et je le suis dans le long couloir qui mène à la cuisine.

— Fred, je t'ai dit que je venais pour l'apéro seulement. J'ai un souper plus tard.

— Bon, bon. Tu vas quand même me faire l'honneur d'y goûter.

Il peut bien rêver s'il veut. Pas question que je touche à ce qu'il cuisine. Même pas à une miette. Et il me connaît bien mal pour penser que je pourrais me satisfaire de riz Uncle Ben's, de crevettes en conserve et de petits pois congelés.

Je le regarde verser de la sauce soya sur sa « création culinaire » et je me croirais revenue quinze ans en arrière, à l'époque où je terminais mes études au cégep. J'habitais alors avec deux autres filles dans un grand appartement du Centre-Sud de Montréal.

Mes deux colocs ne connaissaient rien à la cuisine et ajoutaient de la sauce soya dans à peu près tous les plats qu'elles préparaient. Tout ce qu'elles avalaient était brun : le macaroni, le steak haché, les côtelettes de porc, la vinaigrette sur la laitue iceberg, les champignons. Depuis, j'ai développé une véritable aversion pour la sauce soya. Seule exception : j'en sers avec les sushis.

Décidément, ce sera une soirée sous le signe de l'antipathie. Envers la sauce soya. Envers Fred et son t-shirt noir moulant. Envers la bière qu'il m'offre à même la bouteille. Et qui n'est même pas brassée au Québec.

Vite, que je sorte d'ici le plus rapidement possible avec l'arme du crime en main ! Je dépose nonchalamment mon porte-clés sur le comptoir, la lentille de la caméra cachée face à Fred.

— T'as pas eu de misère à trouver la place ?

— Eille, Fred, veux-tu, on va couper ça, le *small talk*... J'en ai rien à foutre. Ce que je veux savoir, c'est si t'étais sérieux hier.

— Sérieux sur quoi ? Je t'ai juste invitée à prendre un verre. Et je me suis dit que ce serait encore plus gentil de te préparer un petit quelque chose à manger. Je suis fin, hein ?

J'observe Fred me faire un large sourire hypocrite, un clin d'œil tout aussi insidieux, avant de le voir avaler une immense gorgée de bière infecte. Comment ai-je pu me tromper à ce point-là sur lui et penser qu'il était un gars *cool* ?

Je constate, une fois de plus, que mon jugement n'est pas toujours certain en ce qui concerne les mecs. Si j'ai toujours trouvé Fred sexy – bien avant sa proposition indécente, bien entendu –, c'est probablement parce qu'il me faisait sentir belle et désirable.

Je me connais. Dès que je sens qu'un gars s'intéresse à moi, qu'il me complimente, qu'il me regarde les yeux remplis de désir, je perds tous mes repères. Bon, entendons-nous : si c'est un pichou, je ne flanche pas. Mais si le gars est le moindrement sexy et qu'il m'attire physiquement, je baisse la garde assez vite.

Pouf! Disparue, ma vigilance! Envolé, mon instinct! Mises au rancart, toutes mes appréhensions! Je deviens alors une Charlotte sans discernement qui obéit à son corps, à ses émotions, mais qui n'écoute plus du tout sa raison…

Je l'haïs, cette fille-là. Le problème, c'est que j'ai beau essayer de la neutraliser, elle revient toujours au galop. Et elle n'apprend pas souvent de ses erreurs. Par contre, cette fois-ci, espérons qu'elle aura appris la leçon.

— Veux-tu un *egg roll* avec ton riz? me demande Fred en sortant du four une assiette remplie de gras trans.

— Non, c'est beau, juste un peu de riz.

L'amadouer, c'est ce que j'ai promis à Ugo de faire. Alors, je vais manger un peu. Puis, je vais le faire parler, pour qu'il se compromette. Pourvu que ça marche! Pour me rassurer, je jette un coup d'œil sur le porte-clés. Il est encore en place et tout semble bien fonctionner.

Fred sert les assiettes à même le comptoir. Nous prenons place l'un en face de l'autre, sur des tabourets de bois hyper inconfortables. Je pioche dans mon assiette, en faisant semblant de manger un peu.

Le silence est pesant dans la petite cuisine mal aérée. Heureusement que je sais que mon ange gardien veille sur moi, à quelques dizaines de mètres.

— T'aimes-tu ça?

— Hum, hum… C'est juste que j'ai pas beaucoup faim.

— T'as pas l'air de manger beaucoup… J'imagine que c'est parce que tu veux pas engraisser?

«Imbécile! C'est toi qui me coupes l'appétit!» aurais-je envie de lui crier par la tête.

Bip! Ah, mon iPhone qui sonne. Un texto d'Ugo, que je consulte discrètement: «Dépêche-toi.»

Dépêche-toi, dépêche-toi… Plus facile à dire qu'à faire! Fred est peut-être plus ratoureux qu'il en a l'air.

— Bon, Fred, est-ce que je peux récupérer la cassette maintenant?

— Quelle cassette? demande-t-il, innocemment.

— Ah, arrête ce petit jeu-là… Tu m'énerves.

— Ben voyons, Charlotte, mets-toi pas dans tous tes états. Ça vaut pas la peine. Tu vas l'avoir, la cassette, attends juste après le souper.

Je ne le crois pas une minute. Je n'ai plus une once de confiance en lui. Et je n'ai surtout pas envie d'attendre qu'il ait terminé sa gargantuesque assiette qui semble sortie tout droit d'un buffet chinois du boulevard Taschereau.

— Tu veux rien d'autre? Tu vas juste me donner la cassette, comme ça? Tu veux rien en retour?

Silence. Je dois le faire avouer au plus vite. Je poursuis.

— En tout cas, c'est pas ce que j'ai compris hier…

— As-tu vu le dernier *James Bond*? Je l'ai loué. On pourrait le regarder ensemble après le souper? Y paraît qu'il est super bon.

— Fred, j'ai pas envie pantoute de regarder un *James Bond*.

— Ouin, je me suis dit aussi que j'aurais peut-être dû louer un film de filles. T'aurais aimé mieux ça, hein?

— C'est pas ça, la question. Je veux pas rester. Je veux juste la cassette… C'est pas compliqué, ça, non?

Fred continue de manger en silence. Bip! Nouveau texto d'Ugo: «VITE! La pile baisse.» Comment ça, la pile baisse? L'équipement de *F.D.* n'est-il pas supposé être du dernier cri? «De la technologie de haut niveau», m'a-t-on assuré. Non, mais si on ne peut plus faire confiance aux justiciers de la télé, à qui peut-on se fier de nos jours?

— Ouin, t'es populaire, Charlotte. Les textos, ça arrête pas.

— Ah, c'est pas important.

Craintive, je range mon cellulaire dans mon sac à main. S'il fallait qu'il lui vienne l'idée de lire mes messages… Mon plan ne fonctionne pas du tout comme je l'avais prévu. Impossible de faire parler cet abruti. De plus en plus angoissée, je sens que je vais éclater. Je ne tiendrai pas en place deux secondes de plus. C'est l'heure du plan B.

— Où sont les toilettes?

— Au fond, dernière porte à gauche.

Emportant mon sac à main avec moi et mon porte-clés, je m'enfuis de la cuisine et me trompe volontairement de porte. J'ouvre celle du salon double, qui sert également de chambre à coucher. S'il a planqué la cassette quelque part, ça doit bien être ici. Je commence à fouiller sur une étagère remplie de livres, de DVD, de CD et de vieilles cassettes VHS. Le tout pêle-mêle et sous une bonne couche de poussière.

Merde! Aucune trace de l'objet convoité. Je parcours du regard la chambre de Fred. Plus admirateur de Quentin Tarantino que ça, tu meurs! Ses murs sont couverts des affiches de ses œuvres: *Pulp Fiction*, *Kill Bill* et même *Reservoir Dogs*. Tous des films que j'ai détestés. Trop violents, trop graphiques. Mais qu'est-ce que je fous dans ce bordel? Ce n'est pas ma place, ici, et ça ne le sera jamais.

Je continue mes recherches en ouvrant un à un les tiroirs de son chiffonnier. Je soulève les piles de t-shirts, j'écarte les bas golf et je dois prendre tout mon courage pour fouiller dans ses sous-vêtements. Rien là non plus! Elle ne peut pas s'être volatilisée, la maudite cassette! Réfléchis, Charlotte, réfléchis!

Je me penche pour regarder sous le lit. Et c'est là qu'un sac de gym déposé sur le sol attire mon attention. Je m'agenouille et je l'ouvre tranquillement, en faisant le moins de bruit possible. Pouf! Une odeur de transpiration me parvient aux narines et j'étouffe un haut-le-cœur. Je plonge ma main à l'intérieur et je touche ce que je crois être de vieilles bobettes pleines de sueur. Ouache!

Je continue mon exploration jusqu'à ce que mes mains rencontrent le plastique d'un objet rectangulaire.

Un objet qui a exactement la forme d'une petite cassette. Yé!

Je sors la cassette du sac de gym, quand j'entends des pas derrière moi. J'ai juste le temps de la cacher dans mon jeans avant que Fred m'interpelle. Je me redresse subitement, lui tournant le dos.

— Bon, tu cherches ta cassette, là?

Je n'ose pas me retourner de peur qu'il découvre la bosse sur mon ventre. Oui, j'ai la cassette, mais je n'ai encore aucune preuve du chantage qu'il me fait. Je regarde le «porte-clés caméra cachée» que je tiens toujours dans ma main. Il est encore temps de le faire parler.

— Écoute Fred, dis-je d'une voix plus douce, si j'accepte de coucher avec toi…

— Ouin…

— Est-ce que tu vas me la donner, la cassette?

— Je vais te donner tout ce que tu veux, beauté, dit-il en se rapprochant.

— Tu vas arrêter de me faire du chantage avec ça.

— Je te fais pas de chantage, Charlotte, t'en as aussi envie que moi.

C'est là que tu te trompes, mon homme! À mon grand désarroi, il s'approche de moi. Est-ce que ma preuve est suffisante? Je n'en suis pas certaine, mais ma mission s'arrête ici. Mon cœur se met à battre rapidement, mon estomac se serre. Je retiens mon souffle et je sens le sien dans mon cou.

Sa main frôle mon épaule, puis se fait ensuite plus insistante en descendant tranquillement vers ma poitrine. Je la prends doucement dans la mienne et je l'amène vers ma bouche. Je l'embrasse tendrement… et, soudainement, je la mords violemment. Jusqu'au sang.

— Ayoye! T'es folle! lance Fred, plié en deux à cause de la douleur.

— Ça t'apprendra! Tu me referas plus jamais ça!

Je prends mes jambes à mon cou, traverse le long couloir, dévale l'escalier extérieur et saute dans l'auto d'Ugo.

— Vite, démarre !

Je raconte à mon ami ce qui s'est passé.

— Je suis pas certain que ta preuve est solide, par exemple. C'est pas des aveux ben forts.

— C'est pas grave, j'ai la cassette.

Tous les deux, on pousse un soupir de soulagement. La menace est derrière nous. En m'éloignant du quartier où vit Fred, je constate que mes mains tremblent. Quelle expérience désagréable ! Je ne veux plus jamais revivre ça de toute ma vie !

— Ugo, comment ça se fait que ça arrive toujours à moi, des histoires de même ?

— Je sais pas, Charlotte. C'est peut-être ton karma. Ou c'est juste pas de ta faute. Des cons, y en a partout. Faut juste savoir les reconnaître.

— Ouin, ben, ça m'a tout l'air que j'ai encore bien des choses à apprendre dans ce domaine-là.

J'appuie mon visage contre la fenêtre, je regarde défiler les lumières de la rue Saint-Denis et je garde le silence jusqu'à notre arrivée à l'appartement.

3

Une *chick* dans le poulailler.

Ça n'a pas été facile, mais j'ai réussi à convaincre Fred de demander un changement d'affectation. Il va maintenant travailler pour l'émission la plus assommante de la boîte : *Le Forum des citoyens*. Pendant les dix prochains mois, il va filmer des gens autour d'une table en train de débattre d'un sujet dont tout le monde se fout carrément. Bien fait pour lui.

Dans notre échange de courriels, je lui ai raconté que je l'avais filmé à son insu. Au début, il ne m'a pas crue, mais quand je lui ai envoyé un extrait vidéo de notre soirée, il a compris qu'il était préférable pour lui de m'obéir. Même si ma preuve n'est pas béton, elle est assez incriminante pour attirer des soupçons et faire courir des rumeurs.

L'autre bonne nouvelle, c'est que les téléspectatrices de *Totalement Roxanne* ont approuvé mon choix de salle pour mon mariage. Je vais donc célébrer mon union avec Maxou au Chalet du Mont-Royal. Tout ça devrait me rendre heureuse, non? En principe, oui. Sauf que ce n'est pas le cas.

L'épisode avec Fred a jeté une ombre sur mon bonheur. Il m'a rendue plus méfiante envers l'être humain. Il m'a enlevé un peu de cette confiance naturelle que j'ai toujours accordée à mes semblables.

Il m'a aussi fait douter de moi-même. De mon propre jugement tout d'abord, mais aussi de l'image que je projette. Je n'ai jamais été «barrée à quarante» quand vient le temps de laisser savoir à un homme que je le trouve attirant, que je veuille aller plus loin avec lui ou simplement flatter son ego. Un petit compliment sur sa nouvelle paire de jeans, un sourire insistant pendant un cinq à sept, un regard admiratif devant ses nouveaux muscles fabriqués au gym…

C'est ce que j'appelle le jeu de la séduction. Pour faire plaisir, autant à moi qu'aux hommes. Un jeu que je n'ai jamais considéré comme dangereux jusqu'à ce que survienne cette histoire avec Fred.

Est-ce qu'un comportement comme le mien est plus accepté chez l'homme que chez la femme? Il s'agit de deux attitudes identiques, mais de deux perceptions différentes. Un homme qui ne se gêne pas pour *cruiser* les filles sera vu, à la limite, comme un macho. Drôle, amusant et parfois un peu pathétique. Une femme qui drague les gars aussi ouvertement pourrait, elle aussi, être amusante et drôle. Mais il y a beaucoup plus de risques qu'on la perçoive comme une dévergondée en mal d'amour. Est-ce que c'est l'image que je dégage?

Voilà une question qui me tourmente depuis quelques jours. Et quand l'angoisse m'empêche de dormir, il est temps pour moi de prendre du recul. La meilleure façon de le faire, c'est de me jeter corps et âme dans mes chaudrons.

C'est pourquoi, hier, j'ai convoqué tout mon monde à un brunch du dimanche. Qui a lieu aujourd'hui. Me voilà donc en route pour la région de Lanaudière, à 5 h 30 du matin.

J'ai une visite à faire chez un producteur de volailles biologiques. Je veux y acheter deux poulets de grain et une douzaine d'œufs bio extra-gros. Si je suis partie aux aurores, c'est que j'ai l'intention d'aller choisir moi-même les œufs dans le poulailler.

Je les veux le plus frais possible, tout droit sortis du cul de la poule. Ouin, dit comme ça, c'est un peu moins appétissant. Enfin… tout juste pondus. Voilà, c'est plus élégant.

En roulant sur l'autoroute, je repense à la soirée d'hier. Particulièrement au moment où Maxou, inquiet de constater que nous n'avions pas fait l'amour depuis une semaine, m'a demandé si tout allait bien. Pour le rassurer, j'ai prétexté des menstruations hyper douloureuses. Et il m'a crue. D'ailleurs, je ne connais aucun homme qui oserait remettre en question cette explication. L'excuse des maux de tête, ça fait long-temps qu'elle est périmée. Mais celle de la souffrance féminine, ça marche à tout coup.

Une chose est certaine, il faut que j'oublie l'histoire avec Fred. Je ne laisserai pas la Charlotte craintive et tourmentée prendre le dessus sur celle qui mord dans la vie. Et c'est aujourd'hui que je commence ma thé-rapie. Thérapie culinaire, on s'entend.

Si j'ai choisi de recevoir pour le brunch, c'est que ça me permet d'être drôlement créative dans l'élabo-ration de mon menu. On peut cuisiner tout ce qu'on veut. Pas d'entrée, pas de plat principal. Seulement des mets – une dizaine en fait – que je vais présenter deux ou trois à la fois. Dans quel ordre ? Encore là, place à l'improvisation. Sans hérésie toutefois.

Crème de brie servie avec une duxelles de cham-pignons, œufs farcis aux fines herbes, frittata aux épinards, rouleaux d'asperges et de saumon fumé, casserole de poulet à l'alsacienne et trois salades. La première : endives, noix de Grenoble et fromage bleu. La deuxième : orge mondé, pommes et cheddar. Et la troisième, ma préférée : crevettes, avocats et mangues.

Pour les desserts, je me suis limitée à deux. Une salade de fruits à la liqueur de chicoutai et des crêpes Suzette.

Et le plus agréable dans tout ça, c'est qu'on va passer tout l'après-midi à table. Avec plein de bouteilles de mousseux, de riesling et de porto. J'adore ! Quelle merveilleuse journée ce sera à Saint-Lambert.

Les premières notes de la marche nuptiale se font soudainement entendre dans la voiture. Mon téléphone cellulaire sonne et c'est Maxou qui m'appelle.

— Allô, mon amour ! J'espère que c'est pas moi qui t'ai réveillé avant de partir.

— Qu'est-ce que tu fous, Charlotte ? T'es où, là ? demande-t-il avec sa belle voix ensommeillée, mais un tantinet fâchée.

— Je m'en vais dans Lanaudière.

— Hein ? Qu'est-ce que tu vas faire là, à 5 heures du mat' ?

— C'est pour le brunch. Je m'en vais dans une ferme chercher des poulets.

— Le brunch ! Quel brunch ?

— Ben, celui d'aujourd'hui, avec nos amis.

— Où ça ?

— Ben… chez toi. Voyons, je te l'ai dit hier.

Silence au bout de la ligne pendant quelques secondes. Oups ! Je me souviens maintenant. J'ai fait toutes mes invitations pour le brunch pendant qu'il regardait une stupide partie de foot à la télé, me disant que je lui en parlerais plus tard. Mais après le match, il était tellement furieux contre son « équipe de merde » qu'il a passé deux heures sur Skype avec ses amis français à déblatérer contre le Paris-Saint-Germain.

Et moi, « flabergastée » par autant de violence verbale envers de pauvres joueurs de foot pourtant très sexy, j'ai complètement oublié de lui mentionner que je venais d'inviter six adultes et deux enfants à notre table pour le lendemain midi.

— Euh, ça te dérange pas, j'espère?

— Putain… Quel jour on est, là, Charlotte? me demande Maxou, avec le ton d'un père qui gronde sa fille.

Un ton que je déteste et qui me place tout de suite en mode défensif.

— Ben, dimanche. Pourquoi?

— Et qui je dois aller chercher à l'aéroport aujourd'hui? Tu te souviens?

Ah, non! Merde! Sa mère! La reine Victoria débarque aujourd'hui! Je l'avais complètement oubliée, celle-là. Pas question qu'elle m'empêche de commencer ma thérapie par la cuisine. D'autant plus que je vais vraiment en avoir besoin si je dois me taper cette chipie toute la semaine.

— Ah oui, c'est vrai. Ta mère. À quelle heure elle arrive?

— Seize heures.

— Ah ben, super! Ça va être fini à cette heure-là, c'est sûr.

— Je ne suis pas certain que ce soit une bonne idée, Charlotte. Si jamais ça s'éternise…

— Mais non, t'en fais pas. Je vais avoir tout rangé. Promis, promis.

Maxou soupire au bout de la ligne, avant de finalement me donner son accord. Il me demande ensuite qui j'ai invité et je lui récite la liste. Il y aura trois couples, dont les deux que je convie toujours: Ugo et Justin, ainsi qu'Aïsha et P-O.

Et pour la remercier de son intervention dans le dossier du Chalet du Mont-Royal, j'ai aussi invité Marianne et son mari. Avec ses jumelles, que j'ai très hâte de connaître. « Elles seront sages comme des images », m'a-t-elle promis.

Je termine la conversation en disant à mon chum de se rendormir. En fait, je souhaite qu'il reste couché jusqu'à mon retour afin qu'il ne découvre pas que j'ai emprunté sa BMW. Une voiture dix fois plus sécuritaire que la mienne. Et tellement plus confortable !

***

— Désolée, mademoiselle, le poulailler n'est pas accessible aux clients.

La sympathique fermière, qui se tient dans le cadre de porte de sa résidence, semble plutôt surprise par ma demande. J'ai dû sonner chez elle puisque sa boutique, à la porte voisine, était fermée.

— Ouais, mais c'est pour une occasion spéciale. Regardez, j'ai même apporté une combinaison pour ne pas attraper de maladies de poules.

Et je lui montre un vieil uniforme de boucher qu'Ugo m'avait jadis prêté un soir d'Halloween. Sa réaction d'indifférence n'est pas tout à fait ce que j'avais souhaité. Je pensais vraiment que ça l'impressionnerait. Après tout, ce n'est pas tous les jours que ses clientes prennent autant de précautions. Enfin, j'imagine.

La fermière a une patience d'ange. Avec beaucoup de diplomatie, elle me fait comprendre que je dois acheter mes œufs à la boutique, qui ouvrira quand il fera jour. C'est-à-dire dans une heure. Non, mais est-ce que j'ai l'air d'une fille qui a une heure à perdre ? Déjà, à cause de cette discussion, je suis en retard sur mon horaire.

— Écoutez, je suis partie de Montréal à la noirceur exprès pour venir ici. J'étais certaine que vous ouvriez à l'heure des poules… Ha ! Ha ! Ha !

Je suis la seule à rire de mon stupide jeu de mots. Bon, essayons une approche qui a généralement la cote auprès des jeunes femmes. Celle dans le genre : « Je fais pitié. »

— Vous pouvez pas faire une petite exception pour moi ? S'il vous plaît. C'est que j'ai pas le temps d'attendre une heure. Je dois être de retour quand mon mari va se réveiller. Si je ne suis pas là pour lui faire ses œufs-bacon, il ne sera vraiment pas content. Et comme ça fait quelques semaines qu'il parle de divorcer, je ne veux surtout pas jeter de l'huile sur le feu. Vous comprenez?

Inondée par ce flot d'informations non nécessaires, mon interlocutrice hoche la tête, perplexe. Ce qui m'encourage à poursuivre.

— Divorcer de lui, ça ne me dérangerait pas tant que ça. Mais j'ai peur qu'il me prenne ma fille de trois ans. Il a parlé de demander la garde si on se quitte. La garde complète. Moi, je pourrais la voir seulement les fins de semaine. Vous pensez qu'une mère peut survivre en voyant sa fille seulement les week-ends? Vous avez des enfants, vous?

Décontenancée par toutes ces confidences, dont elle n'a certainement pas besoin un dimanche matin, la fermière finit par céder. Elle me rejoint quelques minutes plus tard à la boutique. Avec une belle surprise: deux cafés à la main. J'ai dû toucher sa corde sensible de maman.

Tout en buvant mon excellent café, je choisis deux poulets biologiques et mes œufs. Voilà, je n'ai besoin de rien d'autre. Je dépose le tout sur le comptoir. La fermière commence à entrer les données dans sa caisse enregistreuse hyper sophistiquée. Je patiente en regardant autour de moi.

— Oh! J'avais pas vu que vous aviez des plats cuisinés. Attendez, je reviens.

Wow! Tout ça semble alléchant! Et si je faisais des provisions pour la semaine? Ça me sauverait du temps. Allons-y. Une tourte de canard au vin rouge, un cassoulet, des cuisses de pintade confites, des burgers au poulet, des cretons de canard. On va vraiment se régaler. C'est la reine Victoria qui va être impressionnée!

— Alors, ça vous fait 123,32 dollars.

Ouh là là! Pas mal plus que je prévoyais. Bon, voyons ça comme un investissement dans ma relation avec ma belle-mère.

— Et vos œufs, ils ont été cueillis quand? demandé-je à la fermière en lui remettant ma carte Visa.

— Cueillis?

— Ben oui, cueillis dans le poulailler. Ils sont frais?

— Oui, oui, ne vous inquiétez pas. Peuvent pas être plus frais.

— Ben, quand même pas aussi frais que si y avaient été pondus aujourd'hui, hein?

La fermière se contente de me regarder d'un drôle air. Je n'arrive pas du tout à déchiffrer l'expression de son visage. Est-ce qu'elle me cacherait quelque chose?

En déposant mes sacs dans la voiture de Maxou, je me demande encore ce que je dois comprendre du langage non verbal de la fermière. J'ai la vague impression que quelque chose m'échappe. J'ouvre délicatement le contenant de la douzaine d'œufs. Ils sont blancs, très propres, assez gros mais pas trop. Non, tout semble en ordre.

Je referme le couvercle, satisfaite. Hummm... Pas tout à fait. Il y a encore quelque chose qui me chicote. C'est trop parfait. Trop en ordre justement. Je me serais attendue à ce que des œufs qui viennent directement de la ferme ne soient pas aussi *clean*, qu'ils soient un peu plus sales, avec des brindilles de foin collés sur la coquille. C'est suspect tout ça.

Et si j'allais vérifier moi-même directement dans le poulailler? Je pourrais, en prime, faire un échange d'œufs. Comme ça, je serai certaine qu'ils sont le plus frais possible. Vous pensez que je fais des caprices, hein? Croyez-moi, il y a un monde de différence de saveur entre un œuf nouveau-né et un œuf qui se repose au frigo depuis quelque temps.

Bon, il est où, ce fichu poulailler? Profitant des premières lueurs du jour, je scrute l'horizon à la recherche d'un bâtiment qui pourrait ressembler à un abri pour les poules. Le terrain est immense et j'y compte au moins cinq bâtisses qui se ressemblent toutes. Pour une citadine comme moi, du moins.

Je commence à marcher vers l'une d'elles, au hasard, ma douzaine d'œufs sous le bras. En ce froid matin d'hiver, le silence est total. On n'entend que le bruit de la neige qui craque sous mes pieds. J'avance tranquillement et, ô espoir, je crois entendre des gloussements. Ça caquette là-dedans.

J'ouvre la porte du bâtiment et une douce chaleur m'envahit. Le poulailler est plongé dans la pénombre matinale et je distingue mal l'intérieur des lieux. Par contre, je les entends, ces braves pondeuses. Et elles semblent être très, très nombreuses. Je cherche à faire un peu d'éclairage, mais je n'arrive pas à trouver les interrupteurs. Tant pis, avançons à tâtons.

De l'extérieur, le caquètement des poules était agréable à l'oreille et avait quelque chose de rassurant. Mais maintenant que je suis à l'intérieur, tous ces bruits peu communs pour moi sont un peu inquiétants. Et plus j'avance, plus ils se font insistants.

Moi qui croyais trouver les cocottes assises bien tranquillement dans leurs nids, couvant leurs œufs… Ça, c'est dans les contes pour enfants. Ici, ça caquette de partout. Elles semblent particulièrement agitées. Je les entrevois au sol courir dans tous les sens comme si j'étais un renard dans le poulailler.

— On se calme, les filles.

C'est pire! Elles recommencent de plus belle. Cot cot cot! Cot cot cot! Cocorico! Tiens, il y a aussi un coq dans la basse-cour. Heureux mâle.

— Taisez-vous, innocentes!

Je continue d'avancer tranquillement jusqu'aux nids. Mes yeux perçoivent maintenant mieux les environs. Le sol est jonché de ripe qui colle à mes bottes de suède mauves. Grrr… Un jour, je vais acheter des bottes pratiques que je pourrai salir sans problème.

Mais pas avant que j'en aie acquis des paires sexy de toutes les couleurs.

Les poules s'écartent sur mon passage et j'arrive finalement à la hauteur de leurs nids. Wahou! Y a plein d'œufs fraîchement pondus sur la paille. Je commence à faire l'échange entre les œufs que je viens d'acheter et ceux qui sont dans le nid. Génial!

Les lumières du poulailler s'allument tout à coup. Je me retourne vivement. Ouf! Personne. Bon, ça doit être un de ces systèmes automatiques… ou activés à distance. Ouh là là, je ferais mieux de me dépêcher avant de me faire prendre!

Je termine ma cueillette d'œufs rapidement et je me rue vers la sortie. Un peu trop rapidement. Je glisse sur le sol et m'étends de tout mon long, face première, dans la ripe. J'entends ma douzaine d'œufs atterrir sur le plancher. Hé, merde! Pourvu qu'ils ne soient pas tous cassés.

La porte du poulailler s'ouvre, laissant entrer un courant d'air froid. Je me retrouve face à face avec la fermière, qui me regarde, incrédule.

— Mais qu'est-ce que vous faites là?

— Euh, rien, rien.

Très embarrassée, je fuis le regard de la fermière. Je me relève péniblement, en essayant d'enlever les copeaux de bois qui collent à mon manteau.

— Vous êtes-vous fait mal?

— Non, non, ça va.

— À quoi vous avez pensé? Vous auriez pu vous blesser sérieusement. Vous me semblez pas une personne ben ben raisonnable, vous.

Là, elle vient de dire quelque chose qui a plein de sens. Je sais bien que je ne suis pas raisonnable. Et pourquoi le serais-je, d'ailleurs? Ma vie serait bien moins excitante si j'écoutais toujours ma raison. Et puis, j'aurai tout mon temps pour être raisonnable quand j'aurai des enfants. Un jour, j'espère.

Pendant que la fermière continue de me sermonner gentiment sur mon manque de jugeote, je ramasse ma douzaine d'œufs sans vérifier leur état. Advienne que pourra ! Je lui présente mille excuses et je sors rapidement du poulailler. Comme la voleuse que je suis.

Dehors, le froid m'incite à me dépêcher et je cours jusqu'à la voiture de Maxou, mon précieux magot contre ma poitrine.

Je pénètre dans l'auto à la vitesse de l'éclair. Je dépose mes œufs sur le banc du passager. Je laisse tomber ma tête entre mes mains et je m'appuie contre le volant, le temps de reprendre mon souffle. Ouf ! Je suis déjà complètement crevée !

De grandes coulées jaunes attirent soudainement mon attention. Il y en a partout ! Sur mon manteau de laine noir, sur mes bottes, sur les sièges de l'auto et même sur le volant. De la ripe recouvre le sol. Un vrai désastre !

Et tout ça dans la luxueuse voiture de mon chum. Dans la mienne, on n'en aurait pas fait de cas, mais dans la belle BMW de Maxou, équipée de sièges chauffants en cuir, d'un système de navigation parlant et de caméras de recul, c'est une autre histoire. Il va me tuer, c'est certain. Ou demander le divorce avant même de m'avoir mariée !

Bon, pas de panique, je n'ai qu'à trouver un lave-auto où on nettoie l'intérieur des voitures. Ouvert très tôt le dimanche matin, en pleine campagne. Avec un petit effort, ça doit bien se trouver. Vite, avant que tout colle !

***

Prendre un verre de mousseux le midi, c'est le summum de la *dolce vita*. Surtout quand les plats qui l'accompagnent sont savoureux. Et que nos invités les apprécient.

J'ai décidé de commencer le service même si Ugo et Justin ne sont pas arrivés. Une heure de retard ! Juste assez longtemps pour que l'étiquette me permette d'inviter mes amis à passer à table. N'empêche que le manque de ponctualité d'Ugo m'inquiète un peu. Ce n'est vraiment pas dans ses habitudes. D'autant plus qu'il n'a même pas pris la peine de m'appeler.

Je savoure les œufs farcis que j'ai cuisinés avec une nouvelle douzaine d'œufs achetés en catastrophe au dépanneur du coin. Et finalement, grâce à la tonne de mayo au safran que j'ai ajoutée dans la farce, ce n'est pas si mal.

L'atmosphère est très animée dans la grande salle à manger. Aïsha et P-O sont en grande conversation avec Maxou. De quoi peuvent-ils bien parler? Je tends l'oreille discrètement, mais je ne veux pas être impolie avec Marianne, qui me raconte son dernier voyage de ski dans les Alpes suisses.

Je m'en veux d'avoir assis P-O tout près de Maxou. Et s'il lui venait l'idée de parler de mon mariage en téléréalité… Ou de profiter du passage d'Aïsha aux toilettes pour faire des allusions à la seule nuit que nous avons passé ensemble du temps où je n'étais plus avec Maxou et où il ne sortait pas encore avec Aïsha.

Don Juan comme il est, ça ne m'étonnerait pas du tout. En le regardant poser sa main sur la cuisse d'Aïsha, un peu comme si elle lui appartenait, le cœur me serre. Je doute depuis toujours de la fidélité de P-O. Et ce que j'ai entendu cette semaine au bureau ne me rassure pas du tout. Une rumeur que je dois vérifier au plus vite. Si elle est vraie, il faudra que mon amie ouvre les yeux.

Heureusement, j'ai pleinement confiance en Maxou. Aucune inquiétude. Enfin… presque aucune. Il m'arrive parfois de douter de ses sentiments envers son ex, la Française Béatrice Bachelot-Narquin. Mais elle, ce n'est pas pareil. C'est une agace finie.

Surtout quand ils se parlent sur Skype pour, soi-disant, régler les derniers détails d'une affaire. Je déteste le ton langoureux qu'elle se donne: «Ah! Maxou, t'as toujours su me faire rire, toi… Tu reviens quand à Paris ? Qu'on aille prendre l'apéro tous les deux. » Compte sur moi, chère Béatrice, pour aller prendre l'apéro à trois ! Et surtout pas à deux !

Il y a peut-être aussi l'adjointe de Maxou au consulat qui m'énerve un peu. Ce n'est pas normal, cette façon qu'elle a de filtrer ses appels : « Vous êtes madame… ? Ah non, désolée, M. Lhermitte est en réunion. » Réunion, mon œil !

Je suis convaincue qu'elle est follement amoureuse de son patron. Le problème, c'est que je ne sais pas de quoi elle a l'air. Je l'ai cherchée sur Google, Facebook, LinkedIn et Twitter. Rien. Pas une trace de cette Camille Valentin.

J'ai aussi essayé d'en savoir plus en questionnant Maxou, mais il m'a répondu qu'il en avait un peu marre de ma jalousie maladive. Pff… Maladive, maladive… Je ne fais que surveiller mes intérêts, moi ! Je dois trouver un moyen d'aller vérifier sur place et de débarquer au consulat, l'air de rien. Et ça presse !

Je retourne en cuisine pour réchauffer ma crème de brie que je servirai en *shooter* avec la duxelles de champignons sur croûtons. Tellement plus *hot* que dans un banal bol à soupe !

De retour dans la salle à manger avec mon plateau, mes invités me complimentent sur la présentation de mon entrée. Exactement l'objectif que je recherchais.

Même les jumelles de Marianne s'extasient devant ce que je leur explique être un « verre de soupe ». Ces petites sont vraiment adorables. Et tellement bien élevées. Les voilà qui s'amusent à faire des tchin-tchin avec leurs œufs farcis, qu'elles entrechoquent énergiquement.

— Regarde, maman, on fait comme toi et papa quand vous buvez du vin. Tchin-tchin.

J'observe Marianne qui se penche doucement vers ses jumelles pour leur souffler quelques mots à l'oreille et caresser leurs cheveux. Attendrissant. Je croise le regard d'Aïsha et j'y lis la même émotion.

Toutes les deux, récemment, on a ajouté l'expression «horloge biologique» à nos conversations de filles. Tic tac, tic tac. Aïsha a tenté gentiment de me rappeler que j'allais épouser un homme qui m'avait clairement dit qu'il ne voulait plus d'enfant. Mais y a que les fous qui ne changent pas d'idée, non?

— Elles sont tellement *cute*, tes filles, Marianne, dis-je, encore en admiration.

— Merci. On est en effet très fiers d'elles, hein, Benoît? répond-elle, s'adressant ainsi à son lourdaud de mari.

Pour toute réponse, il hoche la tête.

Lui, j'avoue que je ne comprends pas ce qu'il fait dans la vie de mon amie. Quand Marianne me l'a présenté en arrivant, j'ai eu un choc. Autant Marianne est belle et raffinée, autant Benoît a l'air d'un primate. Un primate fortuné, certes, mais un primate quand même.

Benoît est petit et trapu, avec le crâne dégarni, les yeux éteints et la démarche de Yogi l'ours. Il n'a rien, mais rien, pour exciter une femme. En plus, son parfum me rappelle l'horrible *Brut 33* que papa portait quand j'étais enfant. Ouache!

Un mec a beau avoir de l'argent, c'est quand même avec lui que tu couches. Rien qu'à l'imaginer au lit... Heureusement, P-O m'interpelle, faisant fuir les images dégoûtantes de ma tête.

— En tout cas, vous vous payez pas n'importe quoi pour votre mariage. Le Chalet du Mont-Royal. C'est pas donné comme salle, hein?

— Ben, c'est correct. C'est dans nos prix.

Inquiète, je jette un coup d'œil du côté de Maxou, qui foudroie P-O du regard. Mon amoureux a horreur des gens qui parlent d'argent en public. Et moi, j'ai horreur des rustres comme P-O qui font tout pour me mettre dans l'embarras.

— Eille, vous avez un méchant budget... L'Association des chefs a déjà voulu louer ce chalet pour un souper-bénéfice, mais c'était bien trop cher. Ils nous chargeaient 10 000 piasses.

— Quoi! Dix mille balles? Dix mille putains de balles!

Ouille! Maxou doit être vraiment furieux pour réagir comme ça en public. Lui qui est habituellement si réservé quand il est question d'argent.

— Quoi? Charlotte te l'a pas dit? Surveille tes affaires, *dude*. Tu la connais, ta blonde... Est ben capable de dépenser ton salaire annuel pour votre mariage.

— Eille, c'est pas vrai! T'exagères. La salle nous coûte pas 10 000 piasses, voyons. C'est bien moins cher que ça.

— Combien? insiste P-O.

— C'est pas de tes affaires.

— Bon, ben, j'ai juste à demander à la belle Marianne. Elle va me le dire, elle.

P-O se tourne vers mon amie en lui offrant son plus beau sourire de séducteur. Sourire qui n'échappe pas à Aïsha. Je la vois ruminer sa colère intérieurement.

— Ah, tu penses ça, toi? Tu te trompes, Pierre-Olivier. Je ne dirai rien. La solidarité féminine, ça te dit quelque chose?

Et vlan! Un à zéro pour Marianne. Le silence se fait quelques instants dans la salle à manger. J'en profite pour débarrasser la table et aller chercher le service suivant à la cuisine. Maxou me suit discrètement. Aussitôt les portes françaises de la cuisine refermées, il attaque.

— Combien?

— Combien quoi, mon chéri?

— Combien coûte la location de la salle?

— Euh, je ne me souviens plus exactement.

— Ma question est pourtant claire, Charlotte. Combien?

Je marmonne la réponse en lui tournant le dos:

— Six mille cinq cents dollars.

J'entends Maxou soupirer et je sens qu'il fait de gros efforts pour ne pas se fâcher. Si nous étions seuls, il éclaterait, c'est certain. Je me retourne, il s'appuie contre le mur et me tend la main.

— Viens là.

Je me colle contre lui et j'enfouis ma tête dans le creux de son épaule.

— Charlotte, tu te rends compte que c'est beaucoup d'argent?

— Je m'excuse. Je vais en payer la moitié.

— Sans vouloir t'offenser, je ne crois pas que tu en aies les moyens. Mais tu vas être plus prudente à l'avenir, d'accord?

— Hum, hum. Promis.

— Et puis, ma mère va t'aider cette semaine. Vous allez faire le budget ensemble. Et ensuite, je vais l'approuver.

Je me raidis soudainement. La perspective de devoir rendre des comptes à ma belle-mère ne m'enchante pas du tout. Ni même celle de rendre des comptes à Maxou. Je veux mener ma barque toute seule.

— C'est pas nécessaire.

— Oh que si. C'est nécessaire.

— Tu me fais pas confiance?

Il m'écarte doucement de sa poitrine et me regarde droit dans les yeux.

— Non.

Quelle insulte! J'ai toujours su que parler d'argent dans un couple était une très mauvaise idée. Des plans pour qu'on se dispute et qu'on s'éloigne. Il me faut à tout prix éviter ce sujet à l'avenir.

***

Ugo est arrivé tout juste pour le service du poulet à l'alsacienne. Seul et les yeux rougis. Qu'est-ce que je peux détester Justin, parfois! Je sers un verre de riesling à mon ami, que j'entraîne ensuite dans la cuisine, prétextant que j'ai besoin d'un conseil culinaire.

J'essaie de me contenir et d'aborder le sujet le plus diplomatiquement possible. Et sans idée préconçue. Ce qui est particulièrement difficile puisque, dans ma tête, j'ai finalement statué que Justin faisait partie des salauds de ce monde. Même si parfois, il peut être très chou.

— Comment ça se fait que Justin n'est pas avec toi?

— Bah, il filait pas. La grippe.

— *Come on*, Ugo. Qu'est-ce qui s'est passé?

— Rien, rien, je te dis… Eille, ta nouvelle amie a l'air super, hein? Et ses jumelles, elles sont…

— Qu'est-ce qu'il t'a fait? dis-je en l'interrompant.

— Laisse tomber, Charlotte, c'est pas important.

Je prends mon iPhone et commence à composer un numéro. Ugo me regarde, soudainement inquiet.

— Qu'est-ce que tu fais?

— Je l'appelle. Il va peut-être me le dire, lui.

Ugo m'arrache le téléphone des mains, prend une grande gorgée de blanc et commence finalement à tout me raconter. De toute façon, il n'a pas le choix. Sinon il s'expose à un harcèlement en bonne et due forme.

— On est sortis hier dans le village.

— Pis?

— Ben, on a rencontré des gars de New York. Des *Blacks*. Pas mal *hot*.

Je ferme les yeux un instant. Je connais déjà la suite. Ils ont commencé à boire des *shooters* de téquila-pamplemousse et à danser au rythme de la *house music*. Les pilules d'ecstasy ont circulé en abondance. Plus la soirée avançait, plus les inhibitions s'effaçaient et plus les corps se touchaient.

— À la fin de soirée, les gars nous ont invités dans leur suite au W, où ils avaient débarqué.

— Dis-moi pas qu'il y est allé!

— Regarde, Charlotte, il m'a demandé la permission.

— Tu le défends en plus !

— Je le défends pas, j'essaie juste de t'expliquer le contexte.

— Toi, pourquoi t'es pas allé ?

— Parce que j'ai senti que c'était quelque chose qu'il voulait faire sans moi.

J'inspire profondément pour éviter d'éclater et de dire des choses que je regretterais plus tard. J'expire bruyamment, mais ça ne me calme pas du tout. Je suis toujours aussi enragée. Je ne peux pas m'empêcher de hausser le ton.

— Coudonc, ça va être quoi, la prochaine affaire ? Il va ramener des gars chez toi et baiser dans ta chambre pendant que tu vas l'attendre dans le couloir, assis sur une chaise droite en les écoutant ?

— Ah… Tu comprends pas.

— Non, je comprends pas. Je comprends pas que tu laisses quelqu'un te faire du mal comme ça.

— Justin est plus jeune que moi. On a presque dix ans de différence. Il est moins bien dans sa peau. Il a besoin de vivre des expériences. Moi, je l'ai fait, ce *trip*-là.

— Ben, qu'il les vive sans toi ! Tu mérites mieux que ça, Ugo. Pis j'ai pas envie que tu pognes le sida.

— T'en fais pas, il se protège.

— Ah ! Parce que ça lui arrive souvent ?

Ugo détourne le regard et me tourne le dos. Il attrape le couteau à pain sur le comptoir, s'empare d'une planche de bois et commence à trancher le reste de la baguette.

— Ça fait combien de fois ?

— Ah, c'est pas important, ça, Charlotte.

— Il est revenu à quelle heure ?

Silence dans la cuisine. Le seul bruit qu'on entend, c'est celui du couteau qui heurte la planche alors qu'Ugo s'entête à couper le pain.

— Ah… Il est pas revenu. Est-ce qu'il t'a appelé au moins ?

— Pas encore.

— Ugo, ça peut pas continuer comme ça. Tu l'aimes donc ben, ce gars-là, pour endurer tout ça?

— Lui aussi, il m'aime. Faut juste que je sois patient. C'est tout.

— Ouin, mais en attendant, lui, il a du *fun* et toi, tu pleures. Méchante relation *fuckée*!

Les portes de la cuisine s'ouvrent soudainement avec fracas sur un Maxou de très mauvaise humeur.

— Non, mais qu'est-ce que vous foutez? Charlotte, on t'entend gueuler jusque dans la salle à manger.

— Excuse-moi, on arrive.

— Faut pas tarder. J'ai ma mère à aller chercher.

Ugo me lance un regard de biais et attend que Maxou ait quitté la cuisine avant d'ouvrir la bouche.

— Qu'est-ce qu'elle vient faire à Montréal, la reine Victoria?

Ugo a adopté le surnom que j'ai donné à ma belle-mère. Même si je ne l'ai jamais vue de ma vie, je sais que « reine Victoria » lui va à ravir.

— Elle s'imagine qu'elle va m'apprendre à compter. J'ai des petites nouvelles pour elle.

4

« We were on a break ! »
Ross (David Schwimmer) à Rachel (Jennifer Aniston)
dans *Friends*, quatrième saison.

— Putain de bordel de merde ! Charlotte, appelle les flics. Ma voiture a été vandalisée, jure Maxou en rentrant dans la maison.

— Qu'est-ce qui s'est passé ?

— Je ne sais pas, elle est toute sale à l'intérieur. De la paille, je pense. Et des coulures jaunes, comme de l'œuf. C'est dégueulasse.

Je sens mon estomac se nouer. J'ai complètement oublié d'aller faire laver l'auto de Maxou après mon passage dans le poulailler ce matin. Et le voilà, sur le seuil de la porte, attendant que je me dénonce à la police.

Tous les invités, sauf Ugo, ont quitté la maison le ventre bien rempli après mon brunch, qui fut un grand succès. Et c'est l'heure d'aller chercher ma belle-mère. Ce qui semble rendre mon chum particulièrement nerveux, comme en témoignent ses jurons français.

— Et appelle-moi un taxi pour aller à l'aéroport.

— Tu peux prendre mon auto, si tu veux.

— Ta vieille bagnole toute délabrée? Non merci. Allez, dépêche-toi, s'il te plaît.

— Prends la mienne, offre Ugo à Maxou en lui lançant ses clés.

— Qu'est-ce que tu conduis?

— Une Volvo presque neuve.

— Ah, très bien. Merci, Ugo. Charlotte, t'oublies pas d'appeler les flics, hein? C'est bizarre, cette histoire. Ils n'ont rien volé.

— Inquiète-toi pas, je le fais tout de suite. Vas-y, là.

Je l'embrasse rapidement. Avant d'ouvrir la porte, il m'examine rapidement de haut en bas.

— Et tu vas te changer aussi.

Je m'observe à mon tour et je ne vois rien qui cloche. J'ai mon jeans Buffalo noir et mes bottes d'intérieur grises, qui s'harmonisent avec mon chandail de la même couleur : un superbe t-shirt en fin tricot que je porte très ajusté et qui laisse voir mon dos, avec une encolure drapée et des manches courtes en dentelle.

— Comment ça, me changer? Je suis très bien comme ça.

— Trop sexy. Mets un truc plus classique. Ton tailleur marine, tiens.

— En tailleur à la maison un dimanche après-midi? Franchement, Maxou!

— Non, c'est parfait, je t'assure…

— Ah, ça me tente pas. Je suis toute pognée dans ce tailleur-là.

— Allez, fais ça pour moi, me prie-t-il d'un ton plus doux, plus langoureux.

Il me fait un grand sourire et pousse la manipulation jusqu'à m'attirer vers lui et à caresser mon dos nu.

— OK, t'as gagné.

— Et enlève ton rouge à lèvres. Trop voyant.

Je commence à protester, mais il m'interrompt en me disant qu'il est très en retard. Aussitôt que la porte se referme, Ugo éclate de rire.

— Y a pas juste moi, hein, qui fais les quatre volontés de mon chum?

— Ahhhhh, ta gueule! Ouvre donc une autre bouteille à la place.

***

Deux heures plus tard se tient devant moi la reine Victoria. Une femme toute petite, mince, ou plutôt maigre, avec les lèvres pincées et le chignon à peine décoiffé malgré les longues heures en avion et le décalage horaire.

Elle a la peau du visage lisse comme celle d'une femme qui n'a jamais lésiné sur l'achat de crèmes de jour, les cheveux châtain foncé et, pour tout maquillage, une touche de mascara. L'austérité même.

— Maman, je te présente Charlotte. Et son ami Ugo.

La poignée de main de ma belle-mère est froide et sèche. Son regard est hautain et son sourire… hypocrite. Si j'étais à jeun, je serais totalement angoissée. Mais comme je suis volontairement un peu *feeling*, je prends les choses avec plus de détachement et je continue à jouer mon rôle d'hôtesse comme si de rien n'était.

— Vous voulez du thé?

— Je ne bois pas de thé. Maximilien, tu veux bien me préparer un café?

Bon, ça commence. L'ignorance et le mépris. Exactement comme je l'avais prévu. Il faut casser ça immédiatement, lui montrer que j'existe et que je ne disparaîtrai pas d'un coup de baguette magique.

— Non, c'est beau, je m'en occupe. J'en fais pour tout le monde. Allez vous asseoir au salon.

Je me dirige vers la cuisine pendant que j'entends Victoria se plaindre de la rudesse des douaniers à l'aéroport. Pff… Moi, je les trouve plutôt sympas, nos douaniers. Elle n'est certainement jamais allée aux États-Unis pour parler comme ça.

Quelques instants plus tard, je dépose sur la table à café du salon mon plateau avec quatre *espressos* bien tassés et une assiette remplie de macarons.

— Et les flics, ils sont venus? me demande Maxou.

— Ben non, ils se déplacent pas pour un petit dégât dans une auto. On va aller la faire laver demain matin, c'est tout.

— Quel dégât? Quelle auto? demande Victoria en se tournant vers Maxou, qui commence à lui raconter toute l'histoire.

Enfin, ce qu'il croit être la vraie histoire. Pendant son récit, ma belle-mère affiche un air horrifié.

— Est-ce que je comprends que le Canada n'est pas sécuritaire? s'indigne-t-elle en me regardant comme si j'étais la grande responsable d'un supposé manque de sécurité dans mon pays.

— Mais non, c'est probablement juste des ados qui voulaient s'amuser. Et puis, le Québec est un endroit très sécuritaire, ne vous en faites pas.

Victoria ignore complètement ma réponse et se tourne vers son fils.

— Heureusement que tu reviens au pays, mon lapin.

Mon lapin? Mon lapin? Je baisse les yeux sur ma tasse de café et j'étouffe un fou rire. Ugo aussi.

— Maman, je t'ai déjà demandé de ne pas m'appeler comme ça… S'il te plaît.

— D'accord, mon poussin.

Mon poussin? Ma foi, c'est qu'elle affectionne particulièrement les surnoms d'animaux de Pâques. Ça va être quoi, le prochain? Mon coco?

— Maman… s'impatiente Maxou.

— Très bien, très bien, j'ai compris.

Et la voilà qui prend un air de victime des grands jours, allant jusqu'à sortir un mouchoir de sa manche pour faire semblant de s'essuyer les yeux. Quelle manipulatrice! Du même calibre que Roxanne. Rien de moins.

La conversation se poursuit avec des banalités. J'essaie tant bien que mal d'y participer, mais Victoria semble s'être fait un devoir de m'en exclure. Même Ugo a droit à plus de considération.

Et Maxou qui ne dit rien, absolument rien, pour me faire une place! Il est en train de perdre tous ses points de meilleur chum de la Terre. J'enrage intérieurement et j'aurais bien besoin d'un verre de porto. Mais je n'ose pas en prendre un, de peur de passer pour l'alcoolo que je vais peut-être devenir si je dois côtoyer cette femme régulièrement.

Mais comme je suis une fille conciliante, je prends sur moi. J'essaie de sourire et de me décoincer, malgré mon fichu tailleur qui m'étouffe.

Si, moi, je n'ai pas réussi à gagner le cœur de ma belle-mère, ce n'est pas le cas de mon meilleur ami. La reine est carrément sous le charme d'Ugo, qui lui raconte avoir déjà fait partie d'un club littéraire. Il lui en met plein la vue, lui citant des passages de ses œuvres préférées; celles de Stendhal, de Zola et de Kafka. Même moi, je suis épatée.

Ce qu'il omet de dire, toutefois, c'est que la littérature classique n'est pas celle qu'il préfère. Tout comme moi, Ugo est un grand adepte de la littérature érotique. Sauf que, lui et moi, on ne choisit pas tout à fait le même genre d'histoires.

Ugo aime les livres qui mettent en scène des hommes musclés et… bien équipés. Il recherche des scènes plus crues, plus explicites. Pour lui, les sentiments comptent peu.

Tandis que, moi, j'utilise la littérature érotique pour réveiller ma sensualité. Beaucoup plus efficace que la porno, trop souvent dégradante. J'adore les récits romantiques, les histoires charnelles et passionnées entre deux êtres.

Je m'inspire souvent de la littérature érotique pour éviter que ma vie sexuelle devienne monotone. Ou qu'elle soit au point mort, comme c'est le cas actuellement. Ce qui, je l'avoue, ne m'arrive pas souvent. Heureusement.

Peut-être que je devrais en profiter, ces jours-ci, pour relire un de mes coups de cœur ? *Le Boucher* d'Alina Reyes, par exemple. J'avais dévoré ce livre qui parle de mes deux passions dans la vie : la bouffe et l'amour. Ugo, lui, n'a jamais voulu le lire, prétextant qu'il ne verrait plus jamais son métier du même œil.

Je regarde Victoria et je l'imagine inspecter le contenu de la table de chevet d'Ugo et tomber sur ses revues pornos gaies. Aurait-elle la même admiration pour mon ami ? Hum… Permettez-moi d'en douter.

— Jeune homme, vous n'aimeriez pas vivre en France, vous qui êtes si cultivé ?

— Non, pas vraiment. J'aime beaucoup le Québec.

— Dommage.

— Vous me flattez, madame Lhermitte. Mais vous allez voir qu'avec ma grande amie Charlotte vous allez être choyée.

Ugo me jette un coup d'œil complice. Ah ! Enfin quelqu'un qui est de mon côté ! Dans une situation normale, on se serait attendu à ce que ça vienne de mon chum. Mais il faut croire qu'il est trop paralysé par sa snobinarde de mère.

Victoria daigne soudainement m'adresser la parole et me demande comment j'ai l'intention d'occuper mon temps, une fois installée dans la Ville lumière.

— Je vais trouver du travail.

— Ah oui. Vous travaillez dans quel domaine, déjà ?

— En télévision.

— Oh, c'est un milieu difficile à percer en France. Ce ne sera pas facile de vous y faire une place.

— Ça me fait pas peur, dis-je en prenant un ton un peu trop assuré. D'ailleurs, j'ai déjà pris contact avec des producteurs français.

J'ajoute cette dernière information – pure invention de ma part – pour montrer à ma belle-mère que je suis débrouillarde. Maxou sort de sa bulle et me regarde, soudainement surpris.

— Ah oui? Tu ne m'en as pas parlé. Quelles maisons as-tu approchées?

— Euh… Je me souviens pas des noms exacts. J'ai tout ça dans mon ordi. Mais j'ai senti qu'ils avaient un intérêt. Il y en a même un qui veut me rencontrer dès mon arrivée. Il veut me consulter pour monter un projet de téléréalité. Et puis, il y en a un deuxième qui m'a dit que je tombais bien parce qu'il voulait américaniser ses émissions. Alors, on a convenu de…

Conscient que j'invente n'importe quoi, Ugo détourne le regard pour éviter de me trahir. Maxou affiche un air perplexe, quand Victoria interrompt soudainement mon monologue.

— Tout ça peut être très long, vous savez. Peut-être que Maximilien pourrait vous aider.

Waouh! Une première parole gentille. Bon, on avance.

— Mais bien entendu que je vais t'aider, ma chérie.

Maxou dépose sa main sur la mienne et commence doucement à la caresser. Je regarde Victoria d'un air triomphant. Elle a beau afficher un regard glacial, je sais que je viens de marquer un point.

— Maximilien, pourquoi tu ne lui présenterais pas ton amie? Tu sais, celle qui est à la tête de plusieurs compagnies. Elle pourrait peut-être trouver du travail à Charlène.

— Charlotte. Je m'appelle Charlotte.

— Bien sûr, bien sûr.

— De quelle amie vous parlez?

— Mais de la grande amie de Maximilien. Voyons, c'est bête, j'oublie son nom. Elle est venue nous rejoindre pendant nos vacances à Honfleur, l'été dernier.

Je me tourne vers Maxou, qui ne souffle mot. J'attends. « C'est qui, cette pétasse? » ai-je envie de lui crier par la tête. Pas celle que je pense, j'espère. Ugo fixe à son tour Max, craignant lui aussi que la réponse soit celle que je ne veux pas entendre.

— Maman, tu parles de Béatrice.

— C'est ça. Béatrice Bachelot-Narquin. Quelle femme remarquable !

Je retire ma main de celle de Maxou et je sens le regard de Victoria se poser sur moi. Une première victoire pour la reine.

***

Voilà une heure que je marine dans mon bain de mousse pour tenter d'oublier cette soirée épuisante. Après l'allusion à Béatrice, je n'ai pratiquement plus ouvert la bouche, ruminant intérieurement ma rage et ma frustration. Sentiments que j'ai toutefois réussi à cacher derrière un sourire forcé pendant ces longues heures.

Maxou entre dans la pièce avec, pour tout vêtement, un boxer en nylon noir hyper ajusté. Il commence à se brosser les dents et j'en profite pour l'observer.

À quarante ans, mon chum n'a pas une once de graisse. Pas un bourrelet. Même pas quand il se penche pour cracher son dentifrice dans le lavabo. Il est mince et légèrement musclé. Tout juste comme j'aime.

Le boxer qu'il a choisi est celui que je préfère. Et il le sait très bien. Je le soupçonne d'ailleurs de l'avoir enfilé juste avant d'entrer dans la salle de bain. Ce matin, il portait un caleçon en coton blanc, beaucoup moins sexy.

S'il pense qu'il peut me séduire seulement parce qu'il met en évidence ses atouts masculins, il se trompe. Je ne suis pas d'humeur à batifoler. Je ne digère toujours pas ce qui s'est passé ce soir.

— Je suis content, Charlotte. Tout s'est bien passé, finalement, dit Maxou en déposant sa brosse à dents sur le comptoir.

— Ah oui, vraiment ? Tu trouves que ça s'est bien passé ? Des fois, je me demande sur quelle planète tu vis, Maximilien Lhermitte !

Surpris par ma réaction, Maxou s'empresse de fermer la porte de la salle de bain.

— T'arrêtes de gueuler, s'il te plaît.

Il s'assoit sur le bord du bain et me regarde comme s'il tombait des nues.

— Bon, je sais que tu n'as pas aimé qu'on parle de Béatrice, mais…

Je l'interromps en gesticulant tellement qu'il reçoit de la mousse partout sur les cuisses, la poitrine et les bras.

— Tu m'avais jamais dit ça, que tu avais passé tes vacances avec elle.

— Tout d'abord, je n'ai pas passé mes vacances avec elle, comme tu le laisses sous-entendre. Elle était de passage à Honfleur quand j'y étais avec maman. Nous avons dîné ensemble, c'est tout.

— Je te crois pas. Je suis sûre qu'elle est allée te rejoindre à ton hôtel après.

Maxou se lève, s'empare d'une débarbouillette et commence à essuyer la mousse qui dégouline sur sa poitrine. Il se concentre sur sa tâche et évite de me regarder. Je le savais. Il a couché avec elle.

— C'est ça, hein ? Dis-le-moi.

— Je te rappelle que nous n'étions plus ensemble, l'été dernier.

— Et alors ? Moi, je t'ai attendu. J'ai couché avec personne pendant sept mois et trois jours.

Il lève un regard surpris vers moi. Je baisse les yeux, consciente que je viens de dire une énormité pour une fille qui aime le sexe comme moi. Le pire, c'est que c'est presque vrai. Il n'y a eu que P-O pendant tous ces longs mois. Et une seule fois. Mais mieux vaut passer ça sous silence.

— Écoute, Charlotte, ce qu'on a vécu pendant notre séparation ne regarde pas l'autre. Je ne crois pas qu'on devrait s'aventurer sur ce terrain-là.

— Quel terrain? Celui de l'infidélité?

— Hé! Oh! C'est quoi ce délire? Ce n'était pas de l'infidélité, on n'était plus ensemble, s'impatiente-t-il.

— En tout cas, tu m'as toujours dit que tu touchais pas aux femmes mariées, que c'était trop compliqué. Et là, j'apprends que t'as eu une liaison avec Béatrice, qui vient tout juste de se marier?

— Une liaison? Franchement, Charlotte. Cesse de dramatiser en utilisant le mauvais vocabulaire.

— N'empêche que t'as contrevenu à une de tes règles de vie. Comment tu veux que j'aie confiance maintenant?

— Béatrice venait de quitter son mari, laisse tomber Maxou après un long silence.

Alors là, ça change tout. Il n'y a maintenant plus aucun obstacle pour empêcher Maxou de retomber, encore une fois, dans les bras de la maudite Française. C'est ce qu'il a fait pendant notre pause, il peut tout aussi bien le refaire maintenant que nous sommes revenus ensemble. Et surtout que nous allons bientôt habiter la même ville qu'elle.

— Tu m'avais caché ça, qu'elle était séparée!

— Je ne t'ai rien caché du tout. J'ai préféré éviter les sujets de discorde, voilà tout.

— Je veux que tu me racontes tout ce qui s'est passé avec elle l'été dernier.

— Ah, Charlotte, laisse tomber. C'est terminé, cette histoire.

— Max, c'est non négociable.

Quand je l'appelle Max ou Maximilien, et non Maxou, il comprend que je suis sérieuse. Il pousse un long soupir, se rassoit sur le bord du bain et commence à tout me dire.

J'apprends que Béatrice, le premier amour de sa vie, a voulu remettre ça avec lui l'été dernier. Et si je sais lire entre les lignes, je comprends même qu'elle s'est séparée après avoir revu Max une première fois, ici même à Montréal. Il est évident qu'elle est retombée follement amoureuse de mon chum. Et lui?

— On s'est vus trois ou quatre fois. Mais ça ne collait pas. Et tu sais pourquoi?

— Pourquoi?

Maxou s'approche de moi et commence à caresser ma joue, maintenant tout humide à cause des vapeurs du bain.

— Parce que c'est à toi que je pensais.

Je baisse les yeux, soudain honteuse. Maxou continue de me parler doucement, cette fois-ci en flattant mes cheveux.

— Pourquoi tu ne veux pas comprendre, Charlotte, que tu es la femme de ma vie? Et que si tu n'avais pas voulu m'épouser et venir vivre à Paris avec moi, j'aurais été l'homme le plus malheureux du monde?

— Vraiment? dis-je, les yeux toujours baissés et maintenant baignés de larmes.

— Vraiment.

J'essuie discrètement mes larmes avant de sortir de la baignoire. Il m'enveloppe dans une serviette et je le laisse m'entraîner tranquillement vers la chambre.

***

L'amour a été très doux cette nuit-là. Très tendre. Nous avons beaucoup parlé. Avant, pendant et après. Je crois que c'est ce qu'il me fallait pour que mon corps se laisse aller à nouveau, pour qu'il oublie enfin le malaise ressenti à cause de Fred.

Maxou a compris que j'avais besoin de son soutien face à sa mère. Il m'a promis d'être plus attentif à l'avenir. La seule chose qui m'a distraite pendant ces deux heures de réconciliation avec mon chum, c'est le bip de mon iPhone, qui s'est fait entendre à quelques reprises. Qui peut bien m'envoyer des textos à une heure aussi tardive?

Maintenant que Maxou s'est endormi, je consulte mon cellulaire. Ugo! Mon Dieu, qu'est-ce qui se passe? Je m'empresse de lire mes quatre messages.

23 h 34 : « Aucune nouvelle de Justin. Il ne répond pas à son cell. Suis inquiet. »

23 h 56 : « Il vient de me texter. Il est à New York avec les gars qu'il a rencontrés. Tabar… »

00 h 28 : « Je viens de lui parler au téléphone. Lui ai dit que c'était fini. Trop, c'est trop ! »

Yesssss… Je suis tellement contente et fière de lui. Il était temps. Mon ami mérite beaucoup mieux qu'un gars qui s'envoie en l'air avec n'importe qui. Je lis le dernier message, en espérant qu'il ne m'annonce pas qu'ils se sont réconciliés.

00 h 46 : « Pourquoi tu réponds pas? *Need you.* »

Hon ! Mauvaise amie, Charlotte. Je me dépêche de lui répondre.

00 h 59 : « J'arrive. »

Je quitte la chambre sur la pointe des pieds. J'écris un message à Maxou, que je laisse sur le comptoir de la cuisine, et je sors dans la neige pour aller soigner la peine d'amour de mon ami.

J'entre dans l'appartement d'Ugo vingt minutes plus tard. Je me faufile dans son lit et je l'enlace tendrement.

— Sacrament, Charlotte, t'aurais pu te laver. Tu sens le sexe à plein nez.

5

« – Mais pourquoi elles veulent toutes se marier ?
– Pour la robe… »
BENJAMIN (ALEXIS LORET) à ALEX (JEAN DUJARDIN)
dans le film *Mariages !*

L'équipe de *Totalement Roxanne* est réunie pour un lunch de travail. Autour de la table, il y a Dominique, P-O, Aïsha, notre animatrice et moi. On profite du repas du midi pour tester une nouvelle recette de notre chef : *Involtini di vitello con prosciutto e rucola.* Un pur délice ! Ne manque que la bouteille de chianti. Mais bon, calmons-nous. Il n'est que 11 h 45 et on est seulement lundi.

Il n'y a que Roxanne qui n'a pas voulu goûter aux rouleaux de veau de P-O, sous prétexte qu'il lui fallait utiliser un couteau pour manger ce plat.

— C'est à cause de mon nouveau régime, nous explique-t-elle. J'ai seulement droit à des mets qui se mangent avec une fourchette.

— Bon, encore une nouvelle affaire qui a pas d'allure, commente P-O.

Notre chef est le seul de la gang à parler à notre animatrice de façon aussi crue. On fait plutôt dans la diplomatie avec Roxanne. Question de préserver nos jobs. P-O, lui, sait qu'à la minute où il quittera l'émission le concurrent lui offrira sa propre émission sur un plateau d'argent.

— Mais non, c'est plein de bon sens. Ça s'appelle le *forking*. Tous les aliments qui ne se mangent pas uniquement avec une fourchette sont interdits. Comme la viande, parce que ça prend un couteau pour la couper.

À première vue, ça semble totalement farfelu, mais je suis tout de même intriguée.

— Rien avec une cuillère non plus?

— Non. Pas de soupe, pas de dessert.

— Ça veut dire que tu manges quoi, surtout?

— Des salades, des légumes sautés.

— Ça vient long, j'imagine… Puis, ça a pas de sens, Roxanne. T'as pas le droit de manger de la soupe aux légumes, mais les hamburgers et les frites, c'est permis?

— Non, c'est pas permis non plus. T'as pas le droit de manger avec tes mains.

— Hein? Ça fait que tu manges jamais de sandwich?

— Non plus.

— Mais où tu prends tes protéines si tu manges juste des légumes?

— C'est facile, voyons, Charlotte. Je mets du tofu dans ma salade. Ou des noix, répond Roxanne, qui commence à s'impatienter.

— Tu pourrais mettre du poulet aussi. Ou du thon.

— Ben non, je suis végétalienne, tu te rappelles?

— Ah oui, c'est vrai.

P-O fait une moue de dégoût, en continuant de s'empiffrer et de nous écouter.

— Et ça marche, ton truc?

— Oui, j'ai déjà deux kilos en moins. Et ça fait seulement une semaine.

— Bravo! Mais là, t'en as assez perdu, Roxanne. Je pense que tu peux arrêter, dis-je.

Ce n'est pas comme si notre animatrice était une grosse toutoune joufflue. Elle a certes un petit bourrelet, mais à quarante-six ans, c'est plutôt normal, non?

— Ah non, faut que je continue. J'ai encore quatre kilos à perdre.

— Ben non, Rox. T'as pas besoin de ça, intervient P-O en se reservant des pâtes au pesto, qu'il a aussi cuisinées pour accompagner ses escalopes.

— T'es trop *sweet*, P-O, mais je continue pareil. Le problème, c'est que j'ai toujours faim. Et quand j'ai faim, je deviens impatiente et je ne me contrôle plus.

Roxanne se tourne vers moi et me fait un large sourire. Ah! La belle excuse qu'elle vient d'inventer pour pouvoir me faire subir les affres de sa colère sans aucune culpabilité! Je l'entends déjà me dire: «C'est la faute de mon estomac qui crie famine.»

Clap, clap, clap. Dominique frappe dans ses mains pour attirer notre attention.

— On va commencer la réunion, tout le monde. Même si Justin n'est pas là. Il est grippé, il sera là demain.

Grippé dans les bras de beaux New-Yorkais, oui! Depuis que je suis arrivée au bureau ce matin et que j'ai vu qu'il n'y était pas, je suis partagée sur la conduite à tenir. Je pèse le pour et le contre de la dénonciation. Un comportement que j'ai l'habitude de condamner, mais qui exerce aujourd'hui un dangereux pouvoir d'attraction sur moi.

— Bon, Charlotte, maintenant que le choix de la salle pour ton mariage est validé, tu t'attaques à quoi? La robe, le menu?

— Ouais, un peu tout ça. Cet après-midi, on tourne une dégustation de gâteaux. Ensuite, Aïsha et moi, on va essayer des robes.

— Tu sais ce qui est très tendance pour les desserts? me lance Roxanne.

— Non, quoi donc?

— Une pièce montée de *cupcakes*.

Ouache! J'ai toujours détesté les *cupcakes*. Même quand ils étaient à la mode. Pour moi, ces petits gâteaux n'ont jamais été rien de plus que des muffins sucrés, surmontés d'un horrible glaçage fluo. De quoi vous donner mal au cœur pendant deux heures.

— Je ne suis pas certaine, Roxanne, que ça me plaît comme idée.

Rien ne sert de partager le véritable fond de ma pensée. Avec Roxanne, la diplomatie est ma meilleure alliée.

— C'est pas important de savoir si ça te plaît ou non. C'est pas toi qui décides.

Je bous intérieurement, mais je n'en laisse rien paraître. Enfin, j'espère. Plus elle me sentira rébarbative à une idée, plus elle me l'imposera par le biais de nos téléspectatrices.

— Il me semble que c'est un peu dépassé, non?

— C'est pas ce que pense notre public. Regarde, j'ai reçu plein de suggestions à ce sujet-là. Y a même une photo.

Roxanne me remet une quinzaine de courriels, dont celui d'une certaine Mme Tremblay de Mascouche. Elle nous envoie la photo d'une pièce montée de *cupcakes*. Franchement dégoûtant! Le glaçage rose et turquoise coule sur le côté.

— C'est trop *cute*! Toi qui aimes le rose en plus, renchérit notre machiavélique animatrice. L'autre suggestion, elle est tout aussi chouette: c'est la fontaine à chocolat.

Quoi! Une quétainerie des années 1990? Non, mais ça va pas, la tête?

— Tu connais ça, hein, Charlotte? Le chocolat fondu tombe en cascade dans une petite fontaine de métal et toi, tu sauces tes fruits dedans avec une fourchette à fondue.

— Je sais parfaitement ce que c'est, Roxanne, mais je n'ai pas très envie de ça non plus.

Toujours très discrète pendant les réunions, Aïsha lève la main pour intervenir. Enfin, quelqu'un qui vient à mon secours.

— En tant que styliste de l'émission et du mariage de Charlotte, je me dois de vous dire qu'une fontaine à chocolat, ce n'est pas une bonne idée à cause de la robe. Des taches de chocolat sur une robe blanche, ce n'est pas très élégant.

— Oui, c'est vrai, acquiesce Roxanne en fouillant dans une autre pile de papier, mais y a une téléspectatrice qui y a pensé. Elle nous propose quelque chose de super sympathique. Attendez que je trouve la photo.

Elle tire soudainement la photocopie d'une image où on voit ce qui semble être une immense bavette blanche en plastique. Un peu comme celle qu'on porte dans un *shack* à homards au bord de la plage, mais en taille géante.

— Voyez-vous, c'est la nouvelle mode. Pour le dessert, la mariée porte une bavette qui part du cou et qui va jusqu'aux genoux. Et pour être vraiment *hot*, on fait imprimer une photo qui recouvre toute la bavette. Ça peut être celle du mari en gros plan, ou des deux mariés ensemble.

J'en ai assez entendu. Je ne porterai certainement pas une bavette avec la photo de Maxou le jour de mon mariage.

— Écoutez, c'est très original, mais je préfère les desserts plus traditionnels. En fait, j'avais pensé à un gâteau blanc, avec des…

Dominique me coupe soudainement la parole, en ne lâchant pas ses notes des yeux.

— Charlotte, tu sais très bien que les trucs traditionnels, c'est plate à la télé… Bon, c'est décidé, nos téléspectatrices vont choisir entre la pièce montée de *cupcakes* ou la fontaine à chocolat.

Ah, mon Dieu! Comment vais-je faire pour justifier un choix aussi peu *classy* à mon chum? Et à sa mère? Et à tous nos invités, en fait. Je suis dans la grosse merde.

***

— Ma petite fille qui va se marier. J'arrive pas à y croire.

Maman a insisté pour venir nous rejoindre pendant l'essayage de robes de mariées, Aïsha et moi. Depuis qu'elle a assisté en direct à ma demande en mariage, son comportement est devenu suspect avec moi. Elle ramollit, je pense. Elle est plus gentille, plus attentive, plus admirative.

Si seulement elle pouvait aussi fléchir dans le domaine de l'argent et décider de m'aider à payer, ne serait-ce que les fleurs, ça me donnerait un sacré coup de main.

Présentement, elle est assise sur le canapé blanc d'une boutique de robes de mariées du centre-ville, une flûte de champagne à la main. Une vraie scène de film de filles. Sauf que le champagne, c'est moi qui l'ai fourni, et non la boutique. Question de faire un meilleur *show* de télé!

Jean-Pierre, mon nouveau caméraman, semble plus occupé à boire des bulles qu'à tourner de bonnes images. Mais bon, avec lui, je ne me sens pas menacée.

Je m'admire devant l'immense glace. C'est la troisième robe que j'essaie et celle-ci est vraiment ma préférée: un bustier décolleté en cœur, une taille très ajustée et une jupe légère et vaporeuse qui tombe juste au-dessus du genou. Oui, je la veux courte, ma robe de mariée. Et pas blanche, mais ivoire.

Aïsha me regarde, elle aussi, avec ravissement. On échange un sourire complice et les larmes me montent aux yeux.

Il y a quelque chose de magique dans l'air. Je ne pensais jamais que le seul geste d'enfiler une robe me rendrait aussi émotive. Mais, à la réflexion, ça ne pouvait pas se passer autrement. Il y a tellement long-temps que je rêve de ce moment, que je me le décris dans ma tête.

Et l'instant est aussi parfait que je me l'imaginais. Encore plus, si l'on tient compte du fait que je le vis avec les deux femmes les plus importantes de ma vie. Même si elles ne semblent pas du même avis au sujet de la robe, y allant chacune de ses arguments. C'est Aïsha qui commence.

— Tu es magnifique, Charlotte. Avec les jambes que tu as, une robe courte, ça te va à ravir.

— Moi, je préfère celle que tu as essayée avant, avec la longue traîne. C'est plus conventionnel. Et plus romantique.

— Oui, mais celle-ci est plus sexy. C'est plus la per-sonnalité de Charlotte.

Je virevolte sur place pendant que maman et Aïsha discutent des souliers qu'on choisira, des bijoux qui mettront en valeur ma robe et du rouge à lèvres rose tendre de ma collection préférée, qui s'harmonisera bien avec la couleur ivoire de ma tenue.

Bon, il me faut régler le problème du choix des téléspectatrices. Comment faire pour être certaine qu'elles me laisseront porter celle-ci ?

— En avez-vous de toutes les couleurs ?

La vendeuse me regarde avec une pointe de curiosité.

— Quoi, vous n'aimez plus l'ivoire ?

— Oui, oui, c'est juste pour voir, au cas où.

Elle me montre les autres robes du même modèle. Elles sont blanches, roses et rouges. Bingo ! Je vais limiter le choix du public à la couleur. Je suis convaincue que les téléspectatrices voudront me voir en blanc ou en ivoire. Et le blanc étant mon deuxième choix, ce serait un moindre mal. Bon, on passe à l'ac-tion. Je m'adresse à mon caméraman.

— Voilà ce qu'on va faire, je vais essayer chaque robe et tu vas me filmer pendant…

Le carillon de la porte se fait entendre. Je tourne les yeux vers l'entrée, tout au fond de la pièce. Qui vois-je pénétrer dans la boutique? Victoria… suivie de Maxou! L'horreur!

Qu'est-ce qu'ils font là, eux? D'ici deux secondes, Maxou va m'apercevoir et tout sera gâché! Sept ans de malheur! Non, ça, c'est plutôt quand on casse un miroir. Peu importe. Il ne doit pas me voir dans ma robe, tout le monde sait que c'est un signe annonciateur de malheur.

La panique s'empare de moi. Aïsha, qui a suivi mon regard, affiche, elle aussi, un air catastrophé. Heureusement, elle n'est pas paralysée comme moi et se permet de hurler à la tête de mon chum.

— Max, ferme tes yeux. Tout de suite!

Il obéit aussitôt et je peux enfin respirer. Je fais un signe de tête à Victoria, qui me rend la politesse avec un sourire forcé. Elle regarde ensuite Aïsha avec autant de considération qu'elle en aurait pour une conserve de petits pois.

— Qu'est-ce que tu fais ici, mon chéri? dis-je en me précipitant derrière le rideau crème pour me changer.

— Je suis venu reconduire maman… C'est bon, là? Je peux ouvrir les yeux?

— Ouin.

Ma bonne humeur s'est soudainement envolée. C'est la dernière fois que je tiens Maxou au courant de mes allées et venues. Des plans pour qu'il rapplique chaque fois avec ma belle-mère. J'entends maintenant celle-ci qui fait connaissance avec maman et Aïsha.

Victoria ne s'intéresse aucunement à elles, préférant plutôt se lamenter sur le café qu'on lui a servi ce midi au restaurant. «Insipide et froid», prétend-elle.

— Vous savez, madame Lhermitte, ici aussi on a des *espressos*. Suffit de le demander. On est pas des ignorants, tout de même!

Il y a des moments dans la vie où j'aime maman plus que tout au monde. Ils sont rares, mais celui-ci en fait partie. Des moments où je suis fière d'avoir une mère qui ne s'en laisse pas imposer.

Derrière mon rideau, j'imagine le visage outré de Victoria et l'air de triomphe de maman. Si seulement je pouvais avoir, moi aussi, un peu de cette belle assurance quand vient le temps de river son clou à cette Française prétentieuse.

— Qu'est-ce que vous filmez?

Ça, c'est la voix de mon chum, qui vient de poser une question à laquelle mon caméraman ne doit absolument pas répondre. Sauf qu'il ne le sait pas. Hé, merde! Si seulement mon chemisier pouvait se boutonner plus vite.

— Ben, c'est pour l'émission. C'est toi, le marié?

— L'émission?

Non, non, non! Jean-Pierre, ne réponds pas!

— Ben oui, la téléréalité avec Charlotte.

Tant pis pour le chemisier tout ouvert. Dans un geste presque violent, j'écarte le rideau et me précipite vers les deux hommes.

— Ji-Pi, Ji-Pi, Ji-Pi, qu'est-ce que tu racontes là?

Mon caméraman ne répond pas, trop occupé à regarder mon chemisier ouvert sur mon soutien-gorge en dentelle blanche.

— C'est quoi, cette histoire de téléréalité? C'est cette connerie dont tu m'as déjà parlé? me demande Maxou en me faisant signe de me rhabiller convenablement. Ce que je fais aussitôt.

Le silence se fait dans la pièce et je sens tous les yeux braqués sur moi. Maxou, Jean-Pierre, Victoria, maman, Aïsha et même la vendeuse me fixent, en attente d'une réponse. Qu'est-ce que je vais bien pouvoir inventer? J'entends Aïsha qui pousse un grand soupir, avant de se lancer dans des explications.

— Y en a pas, de téléréalité, Max. C'est Jean-Pierre qui vient d'inventer ça parce qu'il ne savait plus quoi dire.

Hein? Où est-ce qu'elle s'en va comme ça? Et voilà Jean-Pierre qui s'apprête à contester. Heureusement, elle lui coupe la parole juste à temps.

— Charlotte voulait te faire une surprise, mais là, c'est gâché. On voulait filmer tous les préparatifs et en faire un DVD pour te le remettre au mariage.

Mon amie est fantastique. Non seulement elle vient de me sortir du pétrin, mais en plus elle a trouvé une façon pour faire en sorte que Maxou se sente coupable. Et un chum qui se sent coupable, c'est bien pratique quand vient le temps d'acheter une robe à… combien déjà? Bof, peu importe maintenant.

Je tente un coup d'œil du côté de mon amoureux. Il a cet air piteux des chiens qu'on laisse dehors sous la pluie. C'est gagné. Merci, Aïsha!

— Je suis désolé. Si j'avais su… s'excuse-t-il avant de me prendre dans ses bras et de m'embrasser sur le front.

Son cellulaire sonne dans sa poche, il s'écarte pour en consulter l'afficheur.

— Bon, allez. J'y vais. Charlotte, tu t'en remets à maman pour ce dont on s'est parlé. Elle est là pour ça.

Ah oui, le fameux budget du mariage. Pff… Je ne la laisserai pas se mêler de ça, croyez-moi. Je croise les regards perplexes d'Aïsha et de maman, qui se tournent ensuite vers Victoria.

— Ne t'inquiète pas, Maximilien. Je vais veiller à ce qu'elle respecte nos consignes.

— Merci, maman.

Et le voilà qui sort de la boutique en répondant à son appel d'un ton cassant. Je l'entends dire « Lhermitte ». Mauvaise journée au boulot, je présume.

— De quelles consignes parlez-vous, madame Lhermitte? s'informe maman.

— Rien, rien, dis-je, soudainement angoissée à l'idée que tout le monde sache que j'ai besoin d'un chaperon financier. Non, rectification : que mon chum pense que j'ai besoin d'un chaperon financier.

— Voyons, Charlotte, votre mère est en droit de savoir.

— Qu'est-ce que je dois savoir, au juste ?

Victoria se lance alors dans une longue explication sur la nécessité de me fournir un encadrement budgétaire. « Sinon, ce sera la ruine de la famille Lhermitte », dramatise-t-elle.

Maman et Aïsha ne semblent pas en croire leurs oreilles. Ce qui n'empêche pas Victoria de continuer. Elle laisse même sous-entendre que mes problèmes de gestion financière sont attribuables à un manque d'éducation.

C'est en trop pour maman, qui fulmine depuis que Victoria a mis les pieds dans la boutique. Son visage est maintenant écarlate. Ça y est. Elle explose.

— Non, mais pour qui vous prenez-vous ? Il n'est pas question que ma fille se rapporte à vous !

La scène est presque surréaliste. D'un côté, il y a maman : cheveux blond platine attachés en queue de cheval, rouge à lèvres flamboyant, chemisier décolleté en soie bleu nuit et leggings noirs. De l'autre côté, la reine Victoria : cheveux ternes noués en un chignon hyper serré, aucun maquillage et long manteau de cachemire noir.

Pendant un court instant, je me plais à les imaginer toutes deux en maillot de lutteuses, s'affrontant dans un bain de boue. La scène se termine quand maman pose le pied sur le ventre de Victoria, étendue dans la gadoue. Victoire pour Mado ! Quel beau fantasme !

— Ce sont les instructions de mon garçon. Et les miennes. Comme il en va de l'argent de notre famille, c'est nous qui décidons.

Comment ça, l'argent de « notre famille » ? De quoi parle-t-elle ? On paie le mariage avec nos salaires, un point c'est tout.

— Eh bien, plus maintenant. Ce n'est plus vous qui décidez, lance maman à Victoria, avant de se tourner vers moi. Charlotte, ma chouette, tu achètes ce que tu veux. C'est moi qui assumerai toutes tes dépenses pour le mariage à l'avenir.

Est-ce que j'ai bien entendu ? Maman va payer pour moi ! Je pense que je vais m'évanouir. Si j'avais su qu'il suffisait de la piquer au vif pour qu'elle délie les cordons de la bourse, j'aurais orchestré une stratégie de ce genre bien avant !

— On va leur montrer, aux Français, qu'on est capables de faire un mariage qui a de l'allure. Et qu'on a pas besoin d'eux !

Pour appuyer ses paroles bien senties, maman regarde Victoria avec un air de défi. Moi, je lui saute au cou, soulagée du revirement de situation, mais surtout tellement heureuse d'obtenir finalement un peu de considération de sa part. Ma petite maman qui sera la seule à représenter ma famille immédiate quand viendra le plus grand jour de ma vie.

6

« Attache ta tuque avec d'la broche.
Ton père est un croche. »
MES AÏEUX, 2006.

Ugo est tellement touché par ma demande qu'il vient d'échapper son *maki* dans son petit plat de sauce soya.

— Pour vrai ? Tu veux que je te conduise à l'autel ?

— Ben oui. Regarde, c'est clair que mon père ne pourra pas être là. Ça fait que c'est toi que je veux.

On est assis tous les deux à la table de notre resto de sushis préféré. Le meilleur *deal* en ville, côté cuisine japonaise : sushis à volonté pour 20 dollars. Et quand on se limite à une seule bouteille de saké, ça nous fait une facture très raisonnable.

Le seul hic, c'est qu'on doit commander le nombre de sushis que l'on veut au tout début du repas. Ensuite, on ne peut pas en reprendre. Et gare à vous si vous ne les mangez pas tous : vous devrez payer pour les restes ! C'est donc dire qu'on doit bien calculer son appétit. Et comme vous le savez, je suis nulle en calcul.

— Charlotte, c'est tout un honneur que tu me fais là.

— Ça s'imposait. Je voyais pas qui d'autre pouvait remplacer mon père.

Papa... Il me manque terriblement! Le cœur me serre chaque fois que je pense à lui. Pour cacher ma peine, j'avale une énorme gorgée de saké.

Ça fait maintenant quelques années que je n'ai pas vu papa. Pourquoi? À cause de cette arnaque dans laquelle il s'est laissé entraîner et qui lui a valu cinq ans de prison en Afrique.

— Tu lui en veux encore beaucoup?

— Bof... Pas comme au début... Tu te rappelles la crise que j'ai faite quand j'ai appris ça dans les journaux?

— Mets-en que je me rappelle. T'avais pas dormi pendant trois jours.

— C'était à la une du journal: « Un ex-col bleu de Laval arrêté en Côte-d'Ivoire pour fraude. » Avec sa photo en plus.

Quel choc j'avais eu! Mon papa. Celui qui m'a toujours traitée comme sa petite princesse. Celui pour qui j'ai toujours été la huitième merveille du monde. Celui qui a failli casser la gueule à mon premier chum quand ce dernier m'a laissée tomber. Cet homme-là était devenu un fraudeur? À la tête d'un réseau de revente d'ordinateurs volés?

Je me suis sentie trahie pendant de longs mois. Jusqu'à ce que papa commence à m'écrire pour m'expliquer ce qui s'était réellement passé. Il m'a raconté s'être fait embobiner par son associé africain. D'aplomb. Il m'a juré qu'il ne savait pas que les ordinateurs qu'il expédiait au Canada avaient été volés. Je l'ai cru. Et je le crois toujours.

Mon père a été victime de sa naïveté légendaire et c'est pour ça que j'ai finalement réussi à lui pardonner. N'empêche que j'aurais souhaité qu'il soit là pour mon mariage. C'est tout ce qui manquera à mon bonheur, ce jour-là. Je soupire longuement, avant de me ressaisir et de revenir sur terre.

— Ugo, je t'ai pris un rendez-vous chez Philippe Dubuc, c'est lui qui va t'habiller pour le mariage.

J'adore le style de ce designer québécois. Raffiné, élégant et audacieux à la fois. J'ai bien essayé d'envoyer Maxou à sa boutique pour qu'il y choisisse ses habits de mariage, mais il m'a répondu qu'il n'avait pas besoin de mes conseils. Alors, je me reprends avec Ugo.

— Bon, ça a l'air que j'ai pas le choix.

— Non, t'as pas le choix. Tu vas être tellement beau en Philippe Dubuc. Et n'oublie pas, tu vas passer à l'émission, on va peut-être te trouver un nouveau chum.

— Comment ça, passer à l'émission ?

— Ben oui, pour la téléréalité.

— Ils vont filmer la cérémonie aussi ?

— Ben oui, qu'est-ce que tu crois ?

— Ouin, ça fait pas ben ben mon affaire. Moi, les caméras, je suis pas trop fort là-dessus.

Un doux silence s'installe. Inutile d'insister. Il devra s'y faire, qu'il aime les caméras ou non.

— De toute façon, je pense pas que je vais me trouver un chum en passant à ton émission. C'est juste des « petites madames » qui la regardent.

— Ouais, mais ces « petites madames »-là, comme tu dis, elles ont des fils. T'avais pas pensé à ça, hein ?

Ugo avale en une seule bouchée un *sashimi* de saumon.

— De toute façon, j'en veux pas, de chum.

Une ombre passe sur le visage de mon ami. Depuis sa rupture avec Justin, il y a quelques jours, Ugo est à la fois triste, résigné et désabusé. Un peu comme je l'étais avant de trouver l'homme de ma vie. C'est épuisant à la fin, cette course à l'amour.

— Peut-être pas tout de suite, mais dans pas long, tu vas penser différemment. Tu vas voir. C'est la première semaine qui est la plus difficile.

— Ah bon, parce que tu fais dans la psycho-pop maintenant ? La première semaine… C'est n'importe quoi, ça.

— Ahhhh… Sois pas cynique. J'essaie juste de t'aider.

— Laisse tomber, tu veux. Je suis capable de m'arranger tout seul.

— Hum, hum…

Je me racle la gorge avant d'engloutir un immense *nigiri* crevette. Devant mon assiette encore à moitié pleine, je sens mon appétit diminuer de minute en minute. Ugo dépose ses baguettes et me fixe du regard.

— Quoi ? Tu vas pas me faire le coup du : « Je te l'avais dit, Ugo » ?

— Non, non, mais…

— Y a pas de « mais », Charlotte. Justin, c'est pas le salaud que tu penses. Il méritait juste une leçon, c'est tout.

Je dévisage mon ami avec stupéfaction. Je comprends à l'instant qu'il s'accroche encore à cet amour difficile, qu'il espère voir Justin revenir dans son lit. Et surtout dans sa vie. Ce qui est bien pire.

— Ben voyons donc, Ugo ! Dis-moi pas que t'espères qu'il reviendra ? Tu vois bien que c'est pas sérieux pour lui.

Ugo ne dit pas un mot et continue de vider son assiette de sushis.

— Il faut que tu l'oublies, que tu passes à autre chose.

— Charlotte, laisse-moi gérer ça tout seul, OK ?

Pas question ! Comme si j'allais le laisser s'enfoncer dans une relation sans lendemain en restant les bras croisés.

— Je veux pas te faire de peine, Ugo, mais hier, au bureau, il avait pas l'air d'un gars malheureux. Il faisait semblant d'avoir la grippe. Mais sinon il avait pas l'air en peine d'amour pantoute.

— Qu'est-ce que t'en sais ? C'est pas tout le monde qui est un livre ouvert comme toi, Charlotte ! Et qui raconte ses états d'âme à tout un chacun, même si ça les intéresse pas.

— Là, t'es méchant.

Je dépose mes baguettes, me recule sur ma chaise, croise mes bras sur ma poitrine et prends un air piteux. Les mots d'Ugo me blessent.

— C'est même pas vrai ! Je raconte pas ma vie à tout le monde ! Regarde, l'histoire de Fred, t'es le seul à la savoir.

L'évocation de ce désagréable souvenir ramène Ugo à de meilleurs sentiments. Il se rend compte qu'il est allé trop loin.

— Ahhh… Excuse-moi, chérie. Je voulais pas dire ça, je le pense pas vraiment. Mes paroles ont dépassé ma pensée.

— Moi, je t'emmène manger des sushis pour te faire une super belle demande. Je veux juste qu'on passe un bon moment, tous les deux. Et toi, tout ce que tu trouves à faire, c'est me blesser !

J'essuie une larme du revers de ma main. Un geste sincère, mais tellement calculé.

— Bon, bon, bon… Excuse-moi, encore une fois… Pleure pas, là… On change de sujet, OK ? Parle-moi donc de la reine Victoria. Est-ce qu'elle s'adapte à la vie québécoise ?

À l'évocation de ma belle-mère, un sourire revient sur mes lèvres.

— Pas plus qu'il faut. Mais je peux te dire qu'elle a pris son trou depuis sa rencontre avec maman.

Je raconte à Ugo la suite des événements depuis la séance de magasinage à la boutique de robes de mariées. Victoria s'est plainte à Maxou qu'elle se sentait mise de côté, mais, à ma grande surprise, il a été intraitable.

« Si Mme Champagne veut assumer les frais du mariage, c'est elle et Charlotte qui géreront le budget.

Un point c'est tout », a dit Maxou à sa mère. Tout ça devant moi, particulièrement heureuse de constater que la petite conversation que j'avais eue avec mon chum avait porté ses fruits.

Ça ne les empêche toutefois pas de vouloir se mêler des préparatifs. Surtout Victoria. Ce qui complique passablement les choses.

— Je peux pas faire plaisir à tout le monde. Mon chum, sa mère, maman… Pis là, je te parle même pas des téléspectatrices. Des fois, j'ai l'impression que c'est plus mon mariage, que ça ne m'appartient plus.

— Je te comprends. C'est compliqué, ton affaire.

— En plus, ça a l'air qu'il va falloir que je me tape de la vieille musique française quétaine.

— Hein, comment ça ?

— Ben oui. Je t'ai jamais dit ça, que mon chum trippait sur les vieux *hits* français ? Adamo, Claude François, Dalida… Ce genre de trucs-là.

— Ah ouin ? J'ai de la misère à l'imaginer en train d'écouter ça.

— Il fait pas juste l'écouter. C'est là-dessus qu'il aime danser. Il dit que c'est son côté nostalgique.

Ugo s'esclaffe d'un grand rire bruyant qui résonne dans le petit resto.

— C'est pas drôle, Ugo. Moi, ça me branche pas pantoute. Je veux danser sur du Lady Gaga, du Black Eyed Peas, du Marie-Mai. Pas sur du Joe Dassin.

— T'en fais pas, ça va aller. La soirée va être assez longue pour que tu mettes un peu de tout.

— Ouin, peut-être.

— C'est sûr, voyons. Tu vas même avoir le temps de faire jouer les tounes de tes téléspectatrices.

— Ah, elles en plus. Je m'en serais bien passée… N'empêche que j'aurais aimé ça que Max soit un peu plus nord-américain dans ses goûts musicaux.

Je bois tranquillement une gorgée de saké en silence. Je me demande bien pourquoi je fais tout un drame avec des peccadilles pareilles. Après tout, c'est seulement de la musique. La voix d'Ugo me tire de mes pensées.

— Ça te fait peur, hein, la différence de culture ?

J'ai parfois l'impression qu'Ugo me connaît mieux que moi-même. Qu'il arrive à mettre des mots sur mes émotions alors que moi, je suis dans le brouillard.

— Oui, ça m'inquiète… D'autant plus que je m'en vais vivre dans la sienne. Ils ont beau nous appeler leurs « p'tits cousins canadiens », des fois, je suis pas si sûre que les Français et nous, on fait partie de la même famille.

— Ben, ils sont pas si différents que ça.

— Non, mais ils sont pas si pareils, non plus. Plus ça va, plus je m'aperçois que Max, il est très, très français.

— Oui. Et toi, t'es très, très québécoise.

— Exactement.

— Ça veut pas dire que ça peut pas marcher.

— Je sais bien.

— Charlotte, si t'es pas heureuse là-bas, tu reviens, c'est tout. Je vais être là, moi.

— Ah, t'es fin.

Je me force à manger un dernier *maki*. Le problème, c'est qu'il en reste six dans mon assiette et que je ne suis plus capable de rien avaler. Mais si je ne les mange pas, la pénalité s'impose. Et j'ai horreur de payer pour rien. D'autant plus que le restaurateur ne nous permet même pas de les emporter en *doggy bag*. Quelle tactique malhonnête !

Mon ami, en bon entrepreneur qu'il est, a fait un calcul juste et équitable. Son assiette est vide. Il est temps d'utiliser ma voix roucoulante.

— Ugoooooooooo ?

Il se redresse sur sa chaise, maintenant aux aguets.

— Qu'est-ce qu'il y a ?

— Je t'offre mes derniers sushis, dis-je en poussant mon plat vers lui.

— Ah non, pas encore! Tu me fais le coup chaque fois.

— J'ai vraiment plus faim. Je vais exploser. Allez, s'il te plaît.

— Non. Je suis plus capable de rien avaler.

— Ah, merde!

Je contemple les six petits rouleaux. Un effort, Charlotte. C'est tout petit. Six bouchées et c'est fini. Non… Vraiment pas capable. Plus rien ne rentre. Puisque la première stratégie a échoué, passons à la deuxième. Celle du dernier recours.

J'observe les alentours. C'est tranquille dans le resto. Quelques couples hétéros égarés dans le village gai. Deux jeunes hommes qu'on devine être des amants passionnés, assis un peu plus loin, à l'abri des regards. Le serveur, debout derrière le comptoir, absorbé dans ce qui semble être une tâche administrative. Et Ugo, qui vient de partir aux toilettes. C'est le moment, allons-y!

Je prends deux *makis* dans le creux de ma main. Hop! Dans mon nouveau sac à bandoulière en cuir orange. Je les vois tomber sur ma brosse à cheveux. Ouache! Mauvaise idée, finalement. Je les reprends et les remets dans mon assiette. Bon, je ne suis pas plus avancée.

Où vais-je bien pouvoir les cacher? L'idéal, ce serait aux toilettes. Mais pour ça, je dois passer devant le serveur sans me faire démasquer. Pas évident. Non. Pensons plutôt à aller vers le fond de la salle, où c'est presque vide. Je suis convaincue que les deux amants, trop occupés à se regarder dans le blanc des yeux, ne remarqueront même pas ma présence.

J'enveloppe mes six *makis* dans ma serviette de table et j'obtiens quelque chose qui ressemble à un mini-baluchon. Je me lève et me dirige tranquillement vers l'arrière. Tel un Petit Poucet, je sème mes *makis* un peu partout.

J'en dépose deux dans une fausse plante tropicale en plastique. J'en envoie valser deux autres derrière un paravent. Facile ! Je n'ai qu'à faire la même chose avec les deux derniers. Je prends mon élan quand tout à coup, un des deux amants se lève de son siège. Mauvais *timing*. Je redescends rapidement mon bras.

Le jeune homme passe devant moi en me regardant d'un drôle d'air. Je lui fais un sourire qu'il ne me rend pas. C'est vrai que mon comportement peut sembler louche. Je suis plantée comme un piquet devant un paravent, le poing fermé sur une serviette de table qui commence à être poisseuse. J'ai plus l'air d'une fêlée que d'une fille qui veut éviter de payer des frais supplémentaires.

Ah, et puis j'en ai marre ! Je m'avance vers le grand aquarium de poissons exotiques et, dans un grand « flouc », je laisse tomber mes deux derniers *makis*.

De retour à ma table, je presse Ugo de finir son saké pour qu'on puisse quitter le restaurant rapidement. Quelques minutes plus tard, on se dirige vers le comptoir, où la facture nous attend.

— C'est pour moi, dis-je en m'en emparant.

Je commence à la détailler attentivement. Oups ! J'aurais dû la laisser à mon ami, finalement, elle est beaucoup plus salée que je pensais. Est-ce qu'on aurait pris deux bouteilles de saké sans que je m'en aperçoive ? Est-ce que je suis rendue alcoolo à ce point-là ?

Impossible ! Je serais complètement soûle, alors que là, je suis juste un peu pompette. J'essaie de comprendre d'où vient ce montant additionnel, mais la facture est un gribouillis inimaginable. Je la mets sous le nez du serveur.

— Je crois qu'il y a une erreur sur l'addition. C'est quoi, ce montant-là ? dis-je en montrant les mystérieux 57 dollars.

— Ah, ça, madame, c'est pour les sushis que vous avez cachés à l'arrière du restaurant.

Il tend le doigt vers le plafond et j'y aperçois l'écran d'une caméra de surveillance. Merde ! C'est nouveau, ça. Depuis quand les restos s'équipent-ils d'un système pour espionner les clients ? Je rougis à vue d'œil pendant qu'Ugo me dévisage, l'air outré.

— T'as pas d'allure !

Trop gênée pour le regarder, je sors ma carte Visa sans dire un mot et je la dépose sur le comptoir. Une seconde plus tard, je la retire prestement.

— Attendez un peu, là ! Cinquante-sept dollars pour six *makis*, c'est du vrai vol ! Désolée, je paie pas ça.

Je remets ma carte dans mon sac à main.

— Ah non, les *makis*, je vous les charge même pas. Cinquante-sept dollars, c'est le coût du nettoyage de l'aquarium.

Je baisse à nouveau les yeux et j'entends Ugo pousser un soupir d'exaspération. À contrecœur, je ressors ma Visa et j'attends en silence pendant que le serveur procède à la transaction. Ce qui me semble prendre des heures.

— Désolé, votre carte est refusée, dit-il en me la remettant.

— Hein ? Ça se peut pas ! Y a sûrement une erreur. Réessayez.

D'un geste assuré, je tends ma carte au serveur, mais il ne la prend pas.

— Madame, le message est clair : fonds insuffisants.

— Ah oui ? Vraiment ? dis-je maintenant sur un ton un peu moins confiant et revoyant dans ma tête les nombreux achats faits ces dernières semaines…

Quelle situation embarrassante !

— Ugooooooooooo ?

Sans un mot et sans un regard pour moi, mon ami sort son portefeuille de sa veste et paie la facture. Il ne semble pas très content.

On quitte tous les deux le resto en remerciant vaguement le serveur. Sur le trottoir, j'attrape le bras d'Ugo pour marcher avec lui jusqu'à sa voiture.

— Excuse-moi, chéri. Je vais te le remettre. Promis.

Il ne répond pas et continue de marcher d'un pas rapide en regardant droit devant lui. Visiblement, mes excuses ne suffisent pas. Je tire sur son bras pour qu'il ralentisse le rythme, mais il n'en fait rien.

— En tout cas, merci. Une chance que t'étais là.

Il s'arrête, se tourne vers moi et me regarde dans les yeux.

— Le problème, Charlotte, c'est qu'en France je ne serai plus là pour te sortir du pétrin chaque fois.

Je ne soutiens pas son regard et je me remets à marcher en laissant tomber son bras. Je m'éloigne et je murmure pour moi-même : « Je sais, chéri, je sais. »

7

« Elle me rend folle. »
CHARLIE (JENNIFER LOPEZ) dans
Ma belle-mère est un monstre.

— Alors, Charlotte, nos téléspectatrices ont décidé que votre robe de mariée sera…

Dans un geste théâtral, Roxanne ouvre l'enveloppe qui contient la réponse en souriant à la caméra. Toutes les deux, nous sommes assises dans les confortables fauteuils turquoise de l'émission. Les projecteurs éclairent nos visages trop maquillés, trois caméramans sont à l'œuvre et le bruit d'un roulement de tambour résonne sur le plateau.

On est en direct et, dans quelques secondes, je vais savoir ce que je porterai le jour de mon mariage. Les quatre robes sont accrochées derrière moi avec une étiquette pour les identifier. Pour chacune, j'ai choisi un qualificatif. La blanche virginale, l'ivoire lumineuse, la rose romantique et la rouge sexy. Je prie en silence dans ma tête : « Ivoire, ivoire, ivoire. »

— … rouge !

Je sens mon visage se décomposer peu à peu pendant qu'Aïsha surgit sur le plateau, décroche la robe rouge et la remet entre mes mains. Je rencontre son regard et j'y lis le message clair de me ressaisir.

Machinalement, je fais un grand sourire et commence à balbutier des remerciements aux téléspectatrices. La voix de Roxanne, dans laquelle je décèle une pointe de satisfaction malsaine, enterre mes remerciements.

— Les téléspectatrices ont convenu que la rouge s'harmonise très bien avec le blond de vos cheveux. C'est celle aussi qui se rapproche le plus de votre personnalité, Charlotte. Selon elles, vous n'êtes ni traditionnelle, ni pure, ni romantique. Êtes-vous d'accord avec leur verdict ?

« NON ! » aurais-je envie de crier. Je ne suis pas d'accord. Oui, je suis traditionnelle, pure et romantique. Et oui, je suis aussi sexy. Mais pas le jour de mon mariage ! C'est clair ?

— J'avoue, Roxanne, que je suis un peu surprise par l'audace de nos téléspectatrices. Ça m'étonne même un peu. Peut-être qu'on devrait…

Roxanne me coupe subitement la parole en s'adressant à la caméra numéro deux.

— C'est tout pour l'émission d'aujourd'hui. On sera là demain, alors que Charlotte va essayer pour vous sa belle robe de mariée rouge. Bye bye, tout le monde ! Portez-vous bien !

On entend le thème de l'émission s'échapper des haut-parleurs du studio pendant que les projecteurs s'éteignent un à un. Je reste assise dans mon fauteuil jusqu'à ce que je distingue les dernières notes de la musique.

Je fulmine intérieurement, mais j'essaie de me contenir. Pas question de donner satisfaction à ma machiavélique animatrice qui, j'en suis convaincue, a tout manigancé. Je ne crois pas une minute que notre public ait choisi la robe rouge.

Je me lève et quitte le plateau sans dire un seul mot à Roxanne et sans lui adresser un regard. Je fais signe à Aïsha de me suivre. Une fois à l'abri des regards indiscrets, la porte de ma loge fermée et verrouillée, j'explose.

— La *bitch*... Je suis sûre qu'elle a trafiqué les résultats ! Ça se peut pas, Aïsha, ça se peut tout simplement pas. Qui veut se marier en rouge, hein ? Qui ?

— Pas moi certain, en tout cas.

— Ben, moi non plus ! Y est pas question que je le fasse !

Je tourne violemment la manivelle de ma machine à gommes ballounes jusqu'à ce qu'une belle boule jaune en sorte. Je la mâche énergiquement devant une Aïsha stupéfaite.

— Parce que tu penses que ça va te calmer, ça ? Voyons donc, c'est plein de sucre.

— T'as raison, dis-je en crachant ma gomme à moitié mâchée. Ça me prend quelque chose de plus fort... Ton chum, il lui resterait pas quelques bouteilles de vin dans son armoire ?

— Eille, ça va faire. Il est 11 heures du matin.

— Pis ça ? Il doit ben être 5 heures du soir quelque part dans le monde. On a juste à se dire qu'on est en France, tiens...

— Très drôle, Charlotte... Assieds-toi donc au lieu de dire des niaiseries !

Je me laisse tomber sur le canapé deux places que j'ai « emprunté » à la section décor des téléromans. Puisque l'auteur de l'émission en question avait fait mourir le personnage propriétaire dudit canapé, j'ai pensé qu'il ne servirait plus pour des enregistrements et qu'il serait bien plus utile dans la loge d'une recherchiste devenue...

Devenue quoi au juste ? Chroniqueuse spécialisée dans les mariages quétaines ? Vedette d'une téléréalité en train de tourner à la mascarade ? Tu parles ! Bel avancement, ma Charlotte, bel avancement.

— Qu'est-ce que je vais faire, Aïsha ? Tu me vois arriver en rouge à l'église ?

— Non, vraiment pas… Mais on laissera pas faire ça. On va trouver un moyen.

— Tu penses ?

— Ben oui. Sois plus positive, voyons. Faut juste réfléchir un peu.

Bip ! Le iPhone d'Aïsha lui envoie le signal de l'arrivée d'un texto. Elle commence à lire l'écran et son visage s'illumine peu à peu.

— *Yes… Yes… Yes…*

— Quoi ? Quoi ? Qu'est-ce qu'il y a ?

— Je t'ai dit que P-O et moi, on allait avoir un nouveau bébé ?

— Hein ? Comment ça, un « nouveau » bébé ? T'es pas enceinte, là ?

— Ben non. Voyons…

— Ah, fiou…

— Comment ça, fiou ? Tu serais pas contente pour moi ?

— Ben, oui, oui… Euh…

Je fuis le regard d'Aïsha, trop mal à l'aise pour lui avouer le fond de ma pensée. De un, si elle m'annonçait une telle nouvelle, je serais terriblement jalouse. De deux, je ne crois pas que son immature de chum ferait un bon père. Et de trois, vous le savez, je ne suis pas certaine qu'Aïsha soit la seule femme dans la vie de P-O. Mais ça, c'est un sujet dont elle ne veut pas entendre parler.

— Ouin, me semble. En tout cas. Le nouveau bébé, c'est un nouveau resto. P-O vient d'avoir la confirmation, ça marche.

— Ah oui ?

— Oui, madame. Et c'est moi la gérante !

— Bravo, Aïsha ! Tu vas faire les deux ? Styliste et gérante ?

— Pour le moment, oui.

— Ouin, attention de pas faire de *burn-out*, ma pitoune.

111

— Ben non, ça va aller. Je suis heureuse, ça va super bien. Les gens heureux font pas de *burn-out*, tu le sais bien.

— Je pense que c'est pas aussi simple que ça… Ça va être où, ce nouveau resto-là ?

— Dans HoMa. Et tu sais ce qu'on va avoir aussi ?

— Non. Quoi ?

— Un service de traiteur… Ça fait que prépare ton menu, ma belle, et on s'occupe de ton mariage !

— Ahhh ! Enfin une bonne nouvelle.

Je saute au cou de mon amie en trépignant de joie. Puis je m'arrête soudainement.

— Mais faut quand même le soumettre aux téléspectatrices.

— Ah, t'en fais pas avec ça ! On va composer trois menus d'enfer. Qu'elles choisissent l'un ou l'autre, ça va te plaire.

— Génial !

— Y a juste le dessert. Pour ça, on pourra pas faire grand-chose pour éviter la fontaine à chocolat ou la pièce montée de *cupcakes*.

— Merde ! C'est vrai ! Ah, regarde, on vivra avec. C'est tout.

— Ben oui, on mourra pas pour ça, hein ? dit Aïsha.

— Nous autres, non. Ma belle-mère, par exemple, je suis pas sûre qu'elle va survivre à une quétainerie pareille, dis-je en riant.

— Eh bien, tant mieux si on s'en débarrasse !

Toutes les deux, on rit aux éclats comme ça ne nous était pas arrivé depuis longtemps. Depuis trop longtemps en fait.

***

Les chandelles parfumées à la vanille que j'ai allumées dans la grande salle à manger me calment un peu. Il est 4 heures du matin et je fais de l'insomnie. Encore. Quatre nuits sans dormir, c'est long. Je suis épuisée.

Je suis assise à la table en acajou massif, vêtue seulement d'un grand t-shirt de mon chum et d'une paire de bas de laine. Je grignote des bretzels au chocolat. Ce n'est peut-être pas la meilleure idée pour retrouver le sommeil, mais comme je pense que ma nuit est terminée, autant en profiter pour m'avancer dans mes préparatifs.

J'ai une dizaine de livres de recettes étendus devant moi. Je cherche LE menu parfait pour le mariage. Mon idée, c'est de faire neuf services qui représentent mes neuf régions préférées du Québec.

J'ai déjà choisi la Gaspésie et son homard, le Bas-Saint-Laurent et ses salicornes sauvages, Charlevoix et son agneau, l'Estrie et ses fromages, ainsi que le Lac-Saint-Jean et ses bleuets ; petits fruits qui se retrouveront malheureusement dans les *cupcakes* ou la fondue… Enfin, j'essaie de ne pas trop y penser.

C'est un beau début, mais un peu traditionnel. Un soupçon d'exotisme serait bienvenu.

Et si j'ajoutais Montréal et ses *dumplings* du quartier chinois ? Et pourquoi pas Lanaudière et son caviar russe ? Bon, il faudrait que je raconte à mes invités comment j'ai fait la connaissance de Sergei, fier représentant de la communauté russe d'une petite ville de Lanaudière et importateur du meilleur caviar que j'aie jamais mangé… Mais je ne suis pas obligée d'entrer dans les détails, n'est-ce pas ?

Il ne me reste plus qu'à trouver deux aliments. Ensuite, je choisirai trois recettes par produit, que je vais proposer à mes téléspectatrices. Pas simple, mais ça vaut la peine.

Le souper doit être le clou de mon mariage. Et Maxou est d'accord. « Tu t'assures qu'on bouffe bien, hein ? » m'a-t-il lancé hier soir. Comme si j'avais besoin qu'il me le précise. Pff… Bien entendu, il m'a ensuite laissé le soin de faire la recherche toute seule.

La non-implication de mon chum dans l'organisation de notre mariage me laisse pensive. À part quelques demandes précises, comme celle de la musique – dont j'aurais bien pu me passer –, il me laisse décider.

Oui, ça fait mon affaire parce que ça me laisse plus de latitude. Surtout qu'il ne demande même pas à être consulté sur chacun des détails. Je devrais le prendre comme un signe de confiance.

En même temps, ça me rend triste. Un mariage, ça se vit à deux, non? Et là, j'ai l'impression de le vivre avec tout le monde... sauf avec mon chum.

Je sursaute quand la lumière du plafonnier s'allume soudainement, éclairant d'un seul coup la grande pièce. Ayoye! Mes pauvres yeux! Pour les protéger de la lumière, je m'empresse de porter mes deux mains à mon visage.

— Que faites-vous, Charlotte?

La voix de Victoria résonne dans la pièce, tout juste derrière moi. Ni inquiète ni compatissante. Seulement grave et autoritaire. Comme si j'avais des comptes à lui rendre. Je reste penchée sur la table, mon visage toujours enfoui dans mes mains.

— Si vous pleurez, Charlotte, je tiens à vous dire que ça me laisse complètement indifférente.

Respire un grand coup, Charlotte. Prends sur toi et laisse-la parler un peu, histoire de voir jusqu'où elle est prête à aller. Sois forte et tais-toi.

— Et puis, ça ne m'étonne pas. Je vous observe depuis mon arrivée ici et les craintes que j'avais sont toutes en train de se confirmer.

J'ai tellement envie de lui crier les pires insultes à la figure. De lui dire qu'elle n'est qu'une vieille frustrée de la vie, une mère manipulatrice et possessive. C'est à se demander si elle n'est pas amoureuse de son fils. Un complexe d'Œdipe à l'envers.

— Vous êtes certes charmante et je comprends mon fils de vouloir s'amuser avec vous... Mais je ne crois pas que votre place soit avec nous, en France.

114

J'enrage, j'enrage, j'enrage! C'est son expression «s'amuser avec vous» qui me met le plus en colère. Je ne suis pas une poupée qu'on met de côté une fois la nouveauté passée. Maxou et moi, on est des partenaires. Des vrais. Et il va falloir qu'elle comprenne ça!

Faire éclater ma colère n'est pas une bonne idée. Je dois réfléchir à la meilleure façon de lui faire entendre raison une fois pour toutes. Sois forte et tais-toi. C'est ma devise de la nuit. Elle poursuit sur le même ton.

— Je suis désolée de vous annoncer ça, mais vous n'avez malheureusement pas ce qu'il faut pour faire votre place dans notre société.

C'en est trop! Je me lève. Sans un mot et sans un regard pour ma belle-mère, je me dirige vers le couloir à grands pas, tout en tirant sur le t-shirt de Maxou pour cacher mes fesses nues. En sortant de la salle à manger, je me heurte à mon chum, encore tout endormi.

— Qu'est-ce que tu fous debout? J'ai entendu des voix.

Je le regarde droit dans les yeux et je lui réponds froidement.

— Là, Max, tu choisis. C'est ta mère ou c'est moi!

Et je continue mon chemin jusqu'à la chambre à coucher sans me retourner et sans plus me préoccuper de cacher mes fesses.

8

« Quand tu te retrouves à la une du *Cinq jours*,
c'est très bon pour toi ou très mauvais. »
Une vedette expérimentée à une recrue.

— *T*'as vraiment dit ça ? Tu lui as vraiment
demandé de choisir ?

— Oui, madame, rien de moins.

Aïsha n'en revient tout simplement pas. Elle est à
la fois étonnée et inquiète de mon audace.

On déjeune toutes les deux dans un petit resto à
deux pas de la station avant une journée d'enregistrement qui s'annonce bien remplie. Un endroit où toute
l'équipe a ses habitudes.

Comme toujours, mon amie et moi, on partage une
gigantesque assiette de crêpes au sirop d'érable avec
un extra de bacon bien croustillant.

— Pis, qu'est-ce qui est arrivé ?

— Elle est repartie en France.

— Hein ? Comme ça ?

— Oui. Honnêtement, je sais pas exactement ce
que Max lui a dit, mais elle a décidé de repartir plus
tôt que prévu.

— Est-ce qu'elle va revenir pour le mariage ?

— Ah, ça oui, par exemple. Mais au moins, je l'aurai pas dans les pattes d'ici là.

— *I'll drink to that !* lance Aïsha en levant sa tasse de café moka à la crème fouettée.

Je l'imite avec un grand sourire de soulagement.

— Est-ce qu'elle va revenir avec la fille de Max ? C'est quoi son nom déjà, Alex ?

— Pas Alex, Alixe.

— Alixe ? Bizarre comme nom.

— En effet. Mais non, elle ne sera pas présente au mariage. Max m'a dit qu'il ne voulait pas lui faire manquer l'école.

— Ah ouin ? Juste quelques jours, ç'aurait pas été la fin du monde, il me semble.

— Regarde, je me suis pas obstinée, hein ? J'aurai tout le temps de la rencontrer là-bas.

— Elle a quel âge encore ? Je me souviens plus.

— Treize, quatorze, je sais plus trop… Je t'ai dit, hein, qu'elle étudie en Angleterre maintenant ?

— Non, tu m'as pas dit ça. Je pensais qu'elle vivait à Paris avec sa mère.

— Avant, oui. Mais cette année, Max a décidé de l'envoyer à Manchester pour qu'elle apprenne l'anglais.

— Ça doit faire ton affaire, ça.

— Mets-en ! Je l'ai jamais dit à Max, mais me taper une ado française une semaine sur deux, ça me tentait pas pantoute. Là, on va la voir pendant les vacances, *that's all.*

On passe ensuite au véritable motif de notre rencontre de ce matin : le menu du mariage. Je lui remets un document d'une trentaine de pages dans lequel on retrouve mes trois propositions de menu, des photocopies des recettes de chacun des plats, puisées dans mes livres préférés, et la liste des producteurs québécois chez qui on doit se procurer les aliments.

Avec surprise, Aïsha prend le document et commence à le feuilleter. Elle semble à la fois découragée et vexée.

— Eille, t'es *control freak* pas à peu près… Cou-donc, tu nous fais pas confiance ?

— Oui, oui, mais…

— Y a pas de mais… Ça marche pas comme ça. Tu peux pas engager un traiteur et lui fournir les recettes. Tu penses que P-O va faire la recette d'un compéti-teur ? Tu rêves en couleurs…

— Ouin, mais c'est même pas lui qui cuisine à son nouveau resto. Tu m'as dit que vous aviez engagé un chef.

— Oui, mais c'est quand même lui, le chef exé-cutif. Ça continue d'être sa cuisine, sa marque à lui, son nom.

Aïsha repousse le document vers moi.

— Il voudra jamais. Trouve-toi quelqu'un d'autre.

Non, non, non, elle ne peut pas me laisser tomber ! On est déjà en retard dans les préparatifs. Si je dois magasiner un autre traiteur, c'est fichu. On n'y arri-vera jamais.

— *Come on*, Aïsha, essaie de le convaincre. Fais-le pour moi… s'il te plaît.

— Même si je voulais, ça marcherait pas. Tu connais assez les chefs pour savoir qu'ils ont un gros ego. J'ai surtout pas envie de brimer la créativité de mon chum.

Je soupire bruyamment. Je sais que je n'ai pas le choix. Je dois lâcher prise et faire confiance… Ce que je suis prête à faire dans bien des domaines. Mais quand il s'agit de la bouffe, c'est comme si on me demandait de m'arracher le cœur. Je prends une grande respira-tion avant de capituler.

— Bon, OK. Je vais vous laisser aller.

— Génial ! Je suis contente parce qu'on a déjà commencé à travailler sur les trois menus qu'on va proposer aux téléspectatrices. Tu vas voir, ça va être écœurant.

— OK, si tu le dis… Mais j'aurais une petite demande, juste une.

— Laquelle.

— Une bisque de homard et pommes.

— OK.

— Et un gigot d'agneau aux flageolets. Ah, aussi, le fromage Comtomme de la fromagerie La Station. Et des…

— Arrête. Ahhh… T'es pas capable, hein?

Je rentre la tête dans les épaules, comme le ferait une petite fille qu'on gronde. Je continue de manger en silence jusqu'à ce qu'un courant d'air froid me fasse frissonner.

Je lève les yeux vers la porte d'entrée, qui vient de s'ouvrir. Qui vois-je arriver dans le petit resto, le regard dissimulé derrière de larges lunettes de soleil d'aviateur? Nul autre que Justin.

— Tiens, le traître new-yorkais…

— Pas vrai! dit Aïsha en se tournant pour apercevoir Justin. Lui… il mériterait juste qu'on le passe au *cash*.

Depuis que je lui ai raconté l'épisode de New York, Aïsha voue, elle aussi, une haine silencieuse à notre chroniqueur horticole. Ce matin, j'ai l'agréable sensation que l'heure de la revanche a sonné.

— Le passer au *cash*, c'est une bonne idée ça, Aïsha. OK, on le fait. On lui dit tout ce qu'on pense. Tout de suite, là.

— T'es pas *game*?

— Certain que je suis *game*. Regarde-moi ben aller.

Je me tourne vers Justin, qui vient de s'asseoir à une table voisine en faisant semblant de ne pas nous avoir vues.

— Hé, Justin!

Il laisse son menu de côté pour me répondre poliment et saluer Aïsha. Il ouvre ensuite le journal pour me signifier que la conversation est terminée. Mais ce matin, Justin ne sait pas à qui il a affaire. En double, de surcroît.

— Viens donc t'asseoir avec nous. Comme ça, on va pouvoir régler des trucs pour l'enregistrement de tantôt.

Justin se lève de mauvaise grâce. Je lui cède ma place et je rejoins Aïsha sur la banquette. Le face-à-face peut commencer. Pendant qu'il commande un yogourt avec des fruits et du muesli, on se prépare à le cuisiner tout doucement.

— Vous devriez m'imiter, les filles, et manger moins gras. C'est pas très bon pour vos artères, tout ça.

— Eille, de quoi je me mêle, monsieur Parfait!

— Bon, bon, je disais ça pour vous autres, pour votre santé.

— Parlant de santé, comment va la tienne?

— Ça va mieux, ma grippe est finie, répond-il en détournant le regard.

Innocent! Comment peut-il penser qu'Ugo ne m'a pas mise au courant de son escapade? Il sous-estime grandement notre amitié fusionnelle. Aïsha me lance un regard complice et commence à le narguer.

— Ah oui… Pauvre chou… Une grippe, c'est pas drôle, ça. Une grippe d'homme en plus. Y a-tu quelqu'un qui a pris soin de toi?

Je souris à Justin et j'en remets.

— Inquiète-toi pas, Aïsha… Justin était très, très bien entouré. Y a plein d'amis qui se sont occupés de lui. Hein, mon beau?

— Bon, je pense que je vais retourner à ma table, finalement.

Justin se lève prestement, mais je l'incite à rester en lui disant qu'on ne fait que le taquiner. Et comme la serveuse dépose à l'instant une belle assiette devant lui, il se rassoit sagement.

— On est très contentes, Aïsha et moi, que tu aies pu te faire soigner aux États-Unis… Incroyable, la chance que t'as eue, hein? Mais ça a dû te coûter cher, par exemple?

Justin laisse tomber bruyamment sa cuillère sur le napperon en papier qui annonce le spécial du midi.

— Bon, ça va faire, là. Ça vous regarde pas. J'ai surtout pas de comptes à vous rendre.

— Non, t'as raison. T'as plus de comptes à me rendre parce que, heureusement, Ugo a compris et il t'a laissé. Comme tu le méritais.

Aïsha pose sa main sur ma cuisse pour m'avertir gentiment de me contrôler. Pour ce faire, j'engloutis une immense bouchée de crêpe. Justin me relance.

— Quand est-ce que t'as vu Ugo pour la dernière fois?

La bouche encore pleine, je ne réponds pas. De toute façon, c'est quoi le rapport? Je n'ai pas l'intention de lui raconter la vie de mon ami. Je finis ma bouchée tranquillement pendant qu'il poursuit.

— Tu l'as pas vu hier, hein?

— Hier? Non. Pourquoi? Qu'est-ce que tu veux savoir?

— Je veux rien savoir de spécial. Ça fait que… Il t'a pas dit la bonne nouvelle?

— Quelle bonne nouvelle? Et puis, comment ça se fait que vous vous êtes parlé?

En posant ma question, je me rends compte que je connais déjà malheureusement la réponse. Ils ont repris. C'est écrit dans sa face. Je regarde Aïsha, qui elle aussi a compris qu'Ugo avait finalement cédé. Elle a l'air aussi découragée que moi.

— Ouin, on est revenus ensemble, nous informe Justin. Et c'est pas tout. J'ai même accepté de l'accompagner à ton mariage, ma belle Charlotte.

Stupéfaite, je le regarde me faire un large sourire hypocrite avant de plonger sa cuillère dans son fichu yogourt santé et d'en avaler une énorme bouchée.

***

Pendant qu'on se rendait au bureau, Aïsha a réussi de peine et de misère à me convaincre de ne pas sauter sur mon téléphone pour engueuler Ugo. Mais maintenant que je suis seule dans ma loge, j'ai les doigts qui me démangent.

Le comportement de mon ami déclenche chez moi un sentiment de colère pratiquement incontrôlable. Ugo est trop bon, trop fin, trop conciliant en amour. Bon, en amitié aussi, mais ça, je le lui permets. La différence, c'est que, moi, je ne profite pas de ses faiblesses pour lui briser le cœur à tout bout de champ.

Qu'il tienne autant à Justin me dépasse. Comment un homme aussi beau, aussi sensible et aussi talentueux qu'Ugo peut-il se laisser mener par le bout du nez par un arriviste comme Justin?

Arrête de chercher midi à quatorze heures, Charlotte. Ce n'est pas compliqué, pourtant: l'amour, encore l'amour et toujours l'amour. Et ce foutu manque de confiance en soi. Tu connais ça, non?

J'hésite encore quelques instants, puis je m'empare de mon iPhone. Pour être certaine de garder mon calme, je décide de lui écrire un texto. Je tape: «T'as repris avec Justin?»

J'attends impatiemment sa réponse en fixant mon écran. J'ai bien hâte de savoir aussi par quel miracle Justin a accepté d'accompagner Ugo à mon mariage et, par le fait même, de se montrer en public au bras d'un homme. Lui qui tient tant à garder le mystère sur son orientation sexuelle.

Allez, Ugo, réponds.

Bip.

«Oui. Pas le temps de te parler.»

Pff… Quelle réponse bête! Je suis certaine que ce n'est pas vrai. Il ne veut pas me parler, voilà tout. Eh bien, ça n'en restera pas là.

Je commence à composer son numéro sur mon cellulaire quand, tout à coup, un terrible vacarme se fait entendre dans le couloir. J'ouvre la porte de ma loge et je vois Roxanne, furieuse, qui sort de la salle de maquillage et coiffure.

Derrière elle, sa maquilleuse regarde d'un air découragé le dégât que, je suppose, vient de créer notre animatrice. Tous ses cosmétiques sont étalés sur le plancher de la pièce, certains en mille morceaux. La pauvre Linda se penche pour commencer à ramasser ses précieux rouges à lèvres, crayons pour les yeux, tubes de fond de teint, pinceaux à maquillage, etc.

Roxanne se dirige vers le bureau de la réalisatrice. Des rouleaux chauffants dans les cheveux, vêtue d'un peignoir crème qu'elle s'est fait offrir lors de son dernier séjour dans son spa préféré, elle tient à la main la dernière édition du *Cinq jours*, LE magazine des vedettes. LA référence dans le milieu artistique.

Est-ce que son récent divorce ferait la une du magazine? Impossible. Elle en serait plutôt contente et pas du tout en colère.

Roxanne entre dans le bureau de Dominique sans même frapper et elle laisse la porte ouverte. Je l'entends crier.

— Pis vous avez même pas eu le *guts* de me le dire!

Je m'approche en silence et je vois les autres membres de l'équipe faire de même. Roxanne se retourne et nous aperçoit en train de l'épier. Elle ferme violemment la porte du bureau de Dominique.

— Voyons, qu'est-ce qu'elle a? lance Aïsha.

— Je sais pas trop, dis-je, en me retournant ensuite pour m'adresser à la maquilleuse. Linda, t'es correcte?

Les yeux pleins d'eau, Linda ne répond pas. Aïsha et moi, on s'approche pour aller l'aider. Quel gâchis! Au moins la moitié des cosmétiques sont bons pour la poubelle. Quand on sait que les maquilleuses de notre émission paient elles-mêmes leurs produits, ça fait mal au cœur.

— Veux-tu bien me dire ce qui s'est passé?

Pour toute réponse, Linda se lève et va chercher un deuxième exemplaire du *Cinq jours*. Une superbe photo de notre animatrice fait la une, accompagnée de la manchette suivante: «Roxanne D'Amour perd son émission. On veut une animatrice plus jeune.»

« Prends tes jambes à ton cou, Charlotte, et sauve-toi ! » me dicte mon instinct. Trop tard, voilà la porte du bureau de Dominique qui s'ouvre à nouveau sur Roxanne. Elle se dirige tout droit vers moi, l'index accusateur et le regard assassin.

— Je sais que c'est toi qui as manigancé tout ça, Charlotte Lavigne.

— C'est pas vrai !

— T'as joué dans mon dos. Et ça, dès le début. C'est ma job que tu voulais, ben prends-la !

D'un geste rageur, elle me lance sa revue par la tête et poursuit son chemin. Le dos tourné, elle continue de déblatérer.

— Parce que, moi, c'est fini. Vous vous arrangerez avec les enregistrements d'aujourd'hui. Je m'en vais chez nous.

— Voyons, Roxanne, prends pas ça comme ça. C'est pas moi, je te le jure.

Je m'apprête à courir derrière mon animatrice quand P-O pose une main sur mon bras.

— Laisse tomber, Charlotte. Laisse-la se calmer.

— Toi, P-O, mêle-toi pas de ça ! crie Roxanne en se retournant. T'es aussi hypocrite qu'elle.

Elle reprend le magazine et l'ouvre à la page 4. « Pierre-Olivier Gagnon deviendrait le coanimateur de l'émission », peut-on lire. Visiblement heureux d'apprendre une telle nouvelle, P-O ne peut s'empêcher de sourire. Ce qui rend Roxanne encore plus furieuse.

— En tout cas, je sais pas avec qui t'as couché cette fois-là pour avoir ça. Ta blonde, est-ce qu'elle le sait que tu te tapes toutes les filles de la boîte ?

Le sourire de P-O disparaît aussitôt. Il jette un coup d'œil vers Aïsha, dont le visage demeure impassible. Elle ignore le regard de son chum et tourne les talons. Roxanne fait de même et se dirige vers sa loge, dans l'autre direction.

Le cœur me serre à la vue de mon amie, que je vois s'éloigner, toute seule dans le couloir, en martelant le sol de ses chaussures métalliques à talons hauts Michael Kors.

***

Je savoure mon bol de *matcha* bien mousseux. Le thé vert est la seule boisson que j'aime déguster lentement. Parce que je sais que ça me rend plus zen. Et à ce moment précis de ma journée, j'en ai bien besoin.

C'est le milieu de l'après-midi et, puisque notre séance d'enregistrement a été reportée à cause de la colère de Roxanne, Aïsha et moi, on a décidé d'aller se changer les idées au cinéma.

Et comme toujours, avant une représentation, on a fait un arrêt juste en face, chez *Camellia Sinensis*, mon salon de thé préféré. Je prends une autre gorgée et je continue d'écouter Aïsha m'expliquer pourquoi elle n'a pas donné son « quatre pour cent » à P-O.

— Il m'a dit que c'était pas vrai, que Roxanne avait inventé tout ça pour se venger. Parce qu'il a déjà refusé ses avances.

D'un côté, je suis soulagée qu'il n'y ait pas eu de rupture, car je n'aurai pas à me chercher un nouveau traiteur. Mais de l'autre, je suis choquée, voire révoltée, par l'attitude de mon amie. Et surtout, je n'y comprends rien ! Elle joue à l'autruche ! Rien ne sert de me fâcher contre elle, je n'obtiendrais aucune réponse. Je respire donc un grand coup et je prends un ton très doux pour essayer de comprendre ce qui se passe dans sa tête et, surtout, dans son cœur.

— Et tu le crois ? Vraiment ?

— Ben oui. Pourquoi il aurait inventé ça ?

— Tu sais bien, Aïsha, que Roxanne ne s'essaie jamais avec les gars de l'équipe. Je ne sais pas combien de fois elle nous l'a dit.

— Justement, si elle le dit tout le temps, c'est qu'elle fait le contraire. Elle veut juste pas qu'on le sache, c'est tout.

— Bon, si c'est ça que tu penses…

Un lourd silence s'installe entre nous deux. Je songe à mes deux amis, que je vais bientôt quitter pour aller vivre à plus de cinq mille kilomètres d'ici. Et pour qui je m'inquiète déjà. Aïsha, qui accepte que son chum lui joue dans le dos et qui va souffrir terriblement quand elle va décider d'ouvrir les yeux.

Et Ugo, qui s'imagine que Justin va tenir sa promesse de devenir monogame. Promesse qu'il a faite hier à mon ami. Je me rappelle le ton exaspéré d'Ugo quand on s'est parlé au téléphone ce midi.

— Là, Charlotte, va falloir que tu me fasses confiance. Je connais assez les gars pour savoir que Justin, il vient de le finir, son *trip*. Il est sérieux cette fois-ci.

Pff… Justin Brodeur, sérieux ? J'ai bien hâte de voir ça. Ugo a ensuite tenté de me rassurer en me disant qu'il avait imposé des conditions à son chum.

— Il sait à quoi s'en tenir. C'est fini, le temps où j'acceptais tout. Si j'apprends qu'il m'a trompé, c'est *out*.

Eh bien, ça ne m'a pas rassurée du tout. C'est le « si j'apprends » qui m'inquiète. Justin va être plus discret, c'est tout. Enfin… Je ne peux pas vivre leur vie à leur place, hein ?

— T'as regardé un peu autour de toi, dernièrement ? m'interroge Aïsha en me tirant de ma réflexion.

— Quoi ? De quoi tu parles ?

— Du nombre de filles célibataires qui se cherchent un chum.

— Ah, je sais bien.

— Tous les gars sont en couple… Et moi, j'ai pas envie de retomber là-dedans. J'ai assez donné. J'ai pas le goût, non plus, de me retrouver sur le marché à trente-six ans. Fait que…

— Fait que quoi, Aïsha ? C'est suffisant pour accepter que P-O te trompe à tour de bras ?

— Eille, t'as aucune preuve de ça.

— Bon, peut-être pas. Mais y a des rumeurs qui courent.

— Des rumeurs, ça reste des rumeurs. C'est pas parce que P-O est charmeur avec les filles qu'il couche avec elles pour autant.

Incroyable, le pouvoir de la conviction. Elle est pratiquement en train de me convaincre que P-O est un ange tombé du ciel. Heureusement, je ne suis pas aveuglée par l'amour. Pas avec P-O, du moins.

P-O est infidèle, Justin est infidèle... Coudonc, est-ce que tous les gars sont comme ça? Je ressens subitement un pincement au cœur au souvenir d'un événement survenu tard, hier soir, alors que j'étais sur le point de m'endormir.

Maxou était étendu à mes côtés dans le grand lit, en train de lire une revue économique... Quelle platitude! Et dire qu'il y prend même plaisir. Tout à coup, son cellulaire a signalé l'arrivée d'un texto. À 23 h 45, ça ne peut être qu'une urgence, me suis-je dit.

J'ai ouvert l'œil et je l'ai aperçu en train de lire son message. Sur le coup, je n'ai pas relevé l'expression de son visage, mais elle me revient maintenant nettement en tête. Un sourire s'est formé sur ses lèvres et a disparu aussi rapidement qu'il était apparu. Quand je lui ai demandé qui le textait à une heure aussi tardive, il m'a répondu de me rendormir, que ce n'était rien.

Mais ça ne peut pas être rien. C'est forcément quelqu'un! Et si ce quelqu'un était cette fameuse Camille Valentin, l'adjointe de Maxou qui sème le doute dans mon esprit chaque fois que je l'ai au bout du fil? Celle qui a décidé de suivre son patron à Paris? Il est grand temps de faire sa connaissance.

— Aïsha, excuse-moi, changement de programme. Faut absolument que j'aille au consulat. J'ai quelque chose à régler avec Max.

Maintenant trop préoccupée par cette nouvelle hypothèse pour me soucier du sort de mon amie, je l'abandonne sans scrupules et je sors du salon de thé. Non sans être passée par les toilettes, où j'ai retouché mon maquillage… et ajusté mon décolleté créé de toutes pièces par mon *push-up bra*. À nous deux, mademoiselle Valentin!

***

J'arrive au centre-ville un peu stressée. Je n'ai toujours pas réussi à trouver une raison valable pour justifier ma présence au consulat un mardi après-midi de grisaille de fin d'hiver. Surtout que je n'y ai jamais mis les pieds auparavant.

Je marche dans la rue Sainte-Catherine en regardant les vitrines des grands magasins avec envie. La collection printemps-été a envahi les boutiques et tout a l'air tellement beau cette année.

Ce qui m'amène à penser que si, par malheur, la station pour laquelle je travaille avait été construite ici, je serais dix fois plus endettée.

Facile de dépenser un p'tit 35 piastres un lundi midi pour un nouveau chemisier bleu pâle en solde. De s'en procurer un deuxième le lendemain, rose cette fois-ci. De casser la monotonie du milieu de la semaine en profitant d'un rabais exceptionnel sur des sandales turquoise à semelle compensée. D'acheter un sac à main dernier cri parce que c'est jeudi, donc jour de paie. Et de terminer la semaine en se procurant une nouvelle nappe et des chandeliers en verre soufflé parce qu'on reçoit des amis le samedi soir.

Mais heureusement, mon lieu de travail se trouve en plein cœur du village gai! Un quartier qui offre beaucoup moins d'attraits pour la *fashionista* que je suis.

Je tourne le coin de McGill College et je vois le drapeau bleu, blanc et rouge qui flotte au vent. Pendant un court moment, je reste figée et j'ai presque envie de rebrousser chemin, car je n'ai toujours pas trouvé d'excuse pour ma visite surprise. Inutile de regarder du côté des préparatifs du mariage, tout est pratiquement réglé. Ne reste que le menu.

Je m'arrête un instant, le temps de réfléchir à ce que je vais dire à mon chum. Humm… Rien ne me vient à l'esprit. Rien de crédible en tout cas. Et puis, après tout, pourquoi est-ce que j'inventerais une raison? J'ai bien le droit de rendre une petite visite imprévue à mon futur mari, non? Je n'ai qu'à lui dire que je passais dans le coin. Voilà!

Je pousse la porte du hall d'entrée du consulat avec une assurance qui m'est de plus en plus familière. Particulièrement depuis que j'ai ma chronique en ondes.

— Madame, bonjour.

Je me dirige vers la brunette qui vient de me saluer, assise derrière un bureau. Des yeux marron profonds, des cils immensément longs et fournis, des cheveux qui ondulent sur ses épaules et des lèvres charnues à la Monica Bellucci.

Si toutes les femmes qui travaillent au consulat sont aussi belles que la réceptionniste, j'ai de quoi être inquiète. Il y a longtemps que j'aurais dû venir ici pour marquer mon territoire.

— Je viens voir Maximilien Lhermitte.

— Et vous êtes…? me demande-t-elle avec un accent français légèrement méprisant.

— Charlotte Lavigne… sa future épouse.

La brunette tressaille légèrement en entendant les trois derniers mots. Et elle baisse immédiatement le regard. Je le savais! Il y a quelque chose de louche qui se passe ici, dans ces bureaux qui semblent aseptisés et trop bien rangés.

Elle me demande de patienter et je m'assois sur un fauteuil en cuir brun. Je l'entends chuchoter au téléphone, puis mettre fin à la conversation, avant de se tourner vers moi.

— M. Lhermitte est en réunion jusqu'à 18 heures. Voulez-vous lui laisser un message?

Eh, merde! Ça ne fait pas mon affaire du tout. Je ne partirai pas d'ici avant d'avoir vu son adjointe. Et toutes les autres filles de la boîte si possible! Je dois au moins me rendre jusqu'à son bureau.

Je me lève et je fais semblant de fouiller dans mon immense fourre-tout à la recherche d'un quelconque objet.

— J'ai quelque chose pour lui, je vais aller lui porter à son bureau.

— Donnez-le-moi. Je m'en occupe.

Non, mais quelle emmerdeuse, cette fille! Elle contrecarre tous mes plans. Je décide moi aussi d'adopter un ton hautain et de jouer les mystérieuses.

— Impossible, c'est personnel.

— Vous ne pouvez pas circuler toute seule dans les bureaux.

— Ben, vous n'avez qu'à demander à son adjointe de me guider. C'est pas compliqué, il me semble.

La brunette soupire bruyamment et me regarde d'un air mécontent avant de reprendre le combiné et de composer le numéro que je crois être celui de Camille Valentin.

Ça marche! Yaouh! On m'avait bien dit qu'avec les Français il faut avoir l'air confiant, voire arrogant, pour obtenir ce qu'on veut. Eh bien, voilà que j'en ai la preuve. Quel bon entraînement pour ma nouvelle vie à Paris! Cette visite s'imposait vraiment. J'aurais dû mettre les pieds en sol français bien avant.

La porte de côté s'ouvre sur une autre brunette. Celle-ci a vingt-cinq ans à peine, les cheveux courts déstructurés, un look à la garçonne hypersexy et la moue boudeuse.

— Madame Lavigne, suivez-moi.

Je me lève et lui tends la main.

— Vous êtes Camille Valentin, je suppose.

— Exactement, répond-elle en me serrant la main avec peu d'enthousiasme.

J'essaie de me raisonner. Après tout, elle n'est pas vraiment le genre de femme qui plaît habituellement à Maxou. Mais mon instinct me dit que si Max a une aventure, c'est avec une fille complètement différente de moi. Comme Camille Valentin.

Elle me précède dans les couloirs gris et ternes. Partout, je sens une forte odeur de parfums pour femmes. Je crois reconnaître *Romance* de Ralph Lauren, *J'adore* de Christian Dior et *Belle d'Opium* d'Yves Saint Laurent.

Je salue chaleureusement les gens que je rencontre au hasard. Une jeune femme aux cheveux châtains retenus en chignon, une autre employée aux cheveux bruns et au sourire engageant, puis une troisième, grimpée sur des talons hauts d'au moins douze centimètres et qui porte une minijupe noire.

— Est-ce qu'il y a seulement des jeunes femmes qui travaillent ici?

— Non, non, il y a des hommes aussi. Mais c'est vrai que nous sommes majoritaires.

Les paroles de Camille Valentin ne me rassurent pas vraiment. Ni son comportement d'ailleurs. Aucune chaleur, aucun intérêt pour moi.

— Comme ça, vous retournez vivre en France?

— Hum, hum.

— Pourquoi?

Elle pivote sur elle-même avant de me répondre. Elle me regarde droit dans les yeux.

— Eh bien, j'adooore travailler avec Maxi… avec M. Lhermitte. On n'a pas toujours la chance d'avoir un patron gentil et compréhensif comme lui.

Ça y est! Mes doutes viennent de se confirmer. Cette fille-là est follement amoureuse de mon chum. Ça se lit dans ses yeux et sur son visage. Le pire, c'est qu'elle ne fait même pas l'effort de cacher ses sentiments. Et c'est ça qui m'inquiète le plus.

Elle n'agit pas comme une femme qui souffre en silence, mais plutôt comme… une maîtresse comblée.

Comme une fille qui sait que, d'ici peu, elle arrachera son amant des griffes de sa future femme, en l'occurrence, moi.

— C'est ici, dit-elle en me désignant de la main la porte du bureau de Maxou.

Avant d'y entrer, je jette un coup d'œil au pupitre de Camille Valentin, devant lequel nous venons de passer. J'y aperçois quelques photos, dont une qui attire plus particulièrement mon attention. Je m'approche et j'y découvre le visage tout souriant de mon chum, Camille à ses côtés, exhibant fièrement tous les deux un seul et unique trophée.

— C'était quand, ça?

— Ah, ça, c'est quand on a gagné le tournoi de pétanque l'été dernier, répond-elle d'une voix plus douce.

— De pétanque? Depuis quand Max joue-t-il à la pétanque?

Je regrette aussitôt ma question, ainsi que le ton que j'ai employé. Je viens de laisser paraître mon ignorance et mon inquiétude. Et ça, c'est très, très mauvais comme stratégie en territoire ennemi.

— Quoi, vous ne le saviez pas? Ça lui arrive de temps en temps, surtout quand c'est moi qui organise le tournoi. Et il est très doué, vous savez…

C'en est trop, je vois rouge. J'entre dans le grand bureau de mon chum, complètement obsédée par l'idée que Maxou me trompe avec cette fille au nom de famille évocateur. Ou avec la brunette réceptionniste. Ou avec les deux. Je dois éclaircir la situation le plus rapidement possible.

— Camille, dites à Max de sortir de sa réunion. Je dois lui parler de toute urgence.

— Désolé, je ne peux pas le déranger.

— Eille, dis-je en me rapprochant d'elle et en laissant tomber le vouvoiement, tu sais ce que ça veut dire, une urgence?

— Oui, oui, mais…

— Si tu vas pas le chercher tout de suite, c'est moi qui vais le faire. Tu me connais pas, je suis capable d'ouvrir toutes les portes des salles de réunion jusqu'à ce que je le trouve.

— C'est bon. Calmez-vous, j'y vais.

Parfait, elle est tombée dans le piège. Jamais je n'aurais fait une folle de moi en dérangeant l'étage en entier pour parler à mon chum. Trente secondes plus tard, elle revient suivie de Maxou, qui a l'air inquiet.

— Tu veux bien m'expliquer ce qui se passe, Charlotte ?

— Ferme la porte.

Il obéit et je vois le visage de Camille Valentin, un brin inquiet, disparaître de ma vue. Nous voilà tous les deux seuls dans son bureau.

— Voilà. Je t'écoute.

— Depuis quand est-ce que tu couches avec ton adjointe ?

Maxou pousse un soupir d'exaspération avant de se laisser choir dans son fauteuil à roulettes en cuir noir.

— Putain… C'est pas vrai !

— Regarde, je le sais, c'est évident. Elle t'envoie des textos à minuit et tu joues à la pétanque avec elle. En plus, tu veux qu'elle nous suive à Paris. Non, mais tu me prends pour une belle dinde, hein ?

— Ça suffit, Charlotte, j'en ai marre !

Maxou vient de hausser le ton. À un point tel que je me fige sur place.

— Qui t'a raconté des conneries pareilles ?

— Euh… personne. J'ai deviné, c'est tout.

— Eh bien, tu te fais des idées. Il ne se passe strictement rien entre Camille et moi.

— T'es sûr ?

— Charlotte, ta jalousie maladive commence à m'irriter grave.

Je déteste quand Maxou se fâche et m'engueule. Il a le don de me faire sentir comme une petite fille qu'on gronde. Je commence à regretter «grave», comme il dit, de m'être présentée ici.

— Regarde autour de toi, me demande-t-il.

— Je comprends pas.

Il montre sa table de travail et je suis son doigt du regard. J'y vois deux cadres argentés avec des photos. Deux photos de moi. La première me montre sur la Place-Royale à Québec, lors d'un week-end d'amoureux. Et la seconde est un gros plan de moi, qui sourit d'une façon espiègle à l'appareil.

Oups! Je déglutis à la pensée que je viens de faire une vraie folle de moi. Il allume ensuite son ordinateur et l'écran de veille apparaît. Une autre photo. De nous deux, cette fois-ci. Sa joue collée contre la mienne, l'air plus amoureux que jamais.

— Tu penses que, tout ça, c'est le bureau d'un mec qui trompe sa fiancée?

— M'excuse. C'est à cause du texto que t'as reçu hier soir.

— De quel texto parles-tu?

— Ben, quand ton téléphone a sonné, hier. Il était presque minuit, c'est pas normal. En plus, t'as souri d'une drôle de façon.

Maxou se radoucit peu à peu. Autant sa colère éclate soudainement, autant elle disparaît tout aussi rapidement. Il s'approche et prend ma main dans la sienne.

— T'as trop d'imagination, ma chérie.

— Peut-être, mais c'est bizarre pareil.

— Ah, écoute, c'était un de mes potes qui m'annonçait que je venais de perdre mon pari.

— Ah ouin. Et sur quoi t'avais parié?

— Bah, des trucs de mecs, tu vois.

Il détourne le regard et je comprends que la gageure en question concernait une femme.

— Quel ami? C'était qui, la fille?

— C'est quoi cette histoire? On avait parié sur une partie de foot. Voilà tout.

— Me semble… En tout cas, pourvu que t'aies pas parié sur qui allait coucher avec elle en premier.

— Charlotteeeeee ! T'arrêtes.

Il m'embrasse rapidement avant de m'informer qu'il doit retourner à sa réunion. Je lui présente à nouveau mes excuses et je me dirige vers la porte de son bureau. Au moment où je pose ma main sur la poignée, je l'entends m'appeler par mon prénom. Je me retourne.

— C'est la dernière fois que tu me piques une crise comme celle-là. On s'entend ?

— Oui, oui.

Et je sors de son bureau toute penaude, sans un regard pour Camille Valentin. Celle-là, elle est loin d'en avoir fini avec moi. Je vais tout faire pour qu'elle ne nous suive pas à Paris.

9

« La gastronomie est l'art d'utiliser
la nourriture pour créer le bonheur. »
THEODORE ZELDIN.

C'est le jour J moins un. Ça y est, demain, je me marie.
J'ignore encore comment j'ai réussi à me rendre
jusqu'ici. Mais c'est fait et, depuis une semaine, je compte
les dodos et je vis dans l'attente du grand moment. Je
savoure enfin l'approche du plus grand jour de ma vie.

Il faut dire que les choses se sont réglées une à une,
pratiquement par magie. Tout d'abord, j'ai décidé de
faire confiance à Maxou et j'ai cessé de voir des rivales
à tous les coins de rue.

Ensuite, Roxanne a accepté de terminer son
contrat. Non sans avoir exigé un important dédom-
magement pour « atteinte à sa réputation », mais au
moins, la saison de l'émission n'est pas compromise.
Elle a aussi fait savoir aux patrons qu'elle ne voulait
plus jamais que je lui adresse la parole, sauf quand
nous sommes en ondes.

C'est donc par le biais d'un des membres de l'entourage de Roxanne que je dois communiquer avec

elle. Pas évident, mais je me soumets de bonne grâce à ses caprices. Après tout, la saison est presque terminée et, bientôt, l'animatrice chipie qu'elle est ne sera plus qu'un mauvais souvenir.

Tout ça nous a permis de mener à bon port le projet de téléréalité de mon mariage. Et, chose incroyable, sans que Maxou en ait vent!

Somme toute, les téléspectatrices ont causé des dégâts, disons, limités. Il y a certes la robe de mariée rouge qui demeure un irritant majeur, mais Aïsha m'a dit de lui faire confiance, qu'elle avait plus d'un tour dans son sac.

Il y a aussi la fontaine à chocolat – laquelle l'a emporté sur la pièce montée de *cupcakes* lors d'un vote top secret de notre public – qui me fait suer. De même que le numéro de limbo que je devrai exécuter. Mais sinon, je vais vraiment avoir un mariage de rêve.

Et le plus important, c'est que le repas va être parfait. Aïsha et P-O ont concocté un menu digne d'une table Relais & Châteaux. Bon, maman a un peu sursauté quand je lui ai annoncé combien il fallait débourser par invité, mais elle a tout de même accepté de payer la facture.

C'est justement chez maman que je passe ma dernière nuit de célibataire. Comme le veut la tradition. Et ça me faisait un prétexte pour quitter la maison de Maxou, envahie par trop de Français: ma belle-mère, bien entendu, mais aussi un couple d'amis venus de Paris. Une maison un peu trop animée à mon goût.

Ce soir, j'ai envie d'une bonne dose de tranquillité et de tisane à la camomille. Je ressens aussi un besoin inexplicable de replonger dans mes souvenirs d'enfance une dernière fois. Comme si le mariage allait mettre définitivement un terme à ma vie de petite fille. Comme si demain, à précisément 15 heures, j'allais finalement devenir une adulte.

Je feuillette un vieil album de photos de famille et les souvenirs défilent dans ma tête. Nous formions vraiment un beau trio, papa, maman et moi. Un clan tissé serré. Les Lavigne-Champagne de Laval. Ceux chez qui on buvait vin et champagne à profusion.

Mes parents disaient qu'ils faisaient ainsi honneur à leur nom de famille. Mais aujourd'hui, je sais que ce n'était qu'un prétexte pour se soûler et oublier une certaine tristesse qui était en train de s'installer entre eux. La tristesse de n'avoir jamais eu d'autres enfants.

J'étais donc leur petite princesse, surtout celle de mon père. À un tel point que ma mère a commencé à me jalouser. J'avais à peine dix ans. Peu à peu, elle s'est éloignée de moi. Et de papa aussi. Le trio s'est transformé en duo. Papa et moi. Moi et papa.

Maman s'est jetée à corps perdu dans sa nouvelle carrière d'agente d'immeubles. Elle travaillait le week-end et les soirs de semaine. Ce qui nous condamnait, papa et moi, à manger des plats congelés achetés à l'épicerie. À l'époque, ils n'étaient guère mieux que les *TV dinners* américains.

J'ai enduré ça quelques années, puis j'ai décidé de commencer à cuisiner. Parce que je n'en pouvais plus d'ingurgiter de la si mauvaise nourriture, moi qui avais été habituée à la cuisine divine de maman. Mais aussi parce que j'espérais la reconquérir, elle.

Grâce à moi, me disais-je, elle ne serait plus obligée d'avaler un sandwich à toute vitesse entre deux visites de condos. Elle pourrait déguster un bon repas en rentrant à la maison.

À treize ans, mon livre de chevet était un livre de recettes. Le volume 2 de la série *Qu'est-ce qu'on mange ?* J'ai appris à cuisiner grâce au Cercle des Fermières du Québec.

Tous les soirs, après l'école, je préparais le souper. Chaudrée fromagée de poisson, cuisses de poulet petit velours, filets de sole farcis aux crevettes. J'étais aussi capable de réaliser un saint-honoré et une charlotte russe à l'américaine.

Papa et moi, on se partageait les tâches. Il faisait les courses et je cuisinais. Le soir, on savourait. Et c'est là que j'ai découvert tout le pouvoir de la cuisine. Non seulement mon père m'aimait de plus en plus, mais il m'admirait et me respectait.

J'aurais bien aimé avoir le même succès avec maman, mais il n'en était rien. La belle assiette que je lui laissais dans le réfrigérateur, enveloppée dans une pellicule de plastique, était souvent intacte le lendemain matin.

Au fil des ans, le fossé s'est élargi entre maman et moi. J'ai commencé ma vie d'adulte, mais la petite fille en moi n'a jamais cessé d'espérer retrouver, un jour, la maman des premières années de sa vie. Celle qui l'aimait inconditionnellement.

Il a fallu que je décide de me marier et de partir vivre en Europe pour que nos relations commencent à changer, pour que Mado redevienne une mère. En partie, du moins.

— Ma chouette, viens voir ce qu'on vient de nous livrer! me crie-t-elle depuis le grand couloir qui mène à la porte d'entrée de son condo.

Je dépose l'album photos sur la grande table à café en verre trempé, enfile les mules violettes à pompon de maman et me dirige vers elle.

Un immense bouquet de roses cache totalement son visage. Des fleurs magnifiques qui ont dû coûter une fortune. Le seul hic, c'est que les roses sont… jaunes. Les roses de l'infidélité et de la jalousie. Qui peut bien m'envoyer un tel message la veille de mon mariage?

— C'est bizarre, ça, des roses jaunes. Qui peut bien m'envoyer ça?

— Je sais pas, mais c'est un peu déplacé pour un mariage. Franchement!

Pendant que maman cherche la carte qui nous permettra d'identifier le malveillant – ou la malveillante, ce qui est plus plausible –, je sens mon esprit commencer à déraper. Est-ce une ancienne flamme de Maxou qui ressurgit tout à coup, des années plus tard, prête à tout pour semer la zizanie?

Je prends une grande respiration et m'oblige à me raisonner, comme je le fais maintenant chaque fois que je sens l'insécurité m'envahir. Je ferme les yeux et je revois le visage de Maxou, tout amoureux. Je l'entends dans ma tête me dire qu'il m'aime, que je suis la femme de sa vie.

Je nous imagine ensuite, main dans la main, marcher sur les Champs-Élysées, observer Paris du haut de la tour Eiffel et prendre un verre de rosé dans un café du boulevard Saint-Germain. Et toutes ces images me calment.

Je dois dire que ça marche assez bien, ce truc de visualisation que j'ai lu dans une revue et que j'essaie d'appliquer pour me guérir de ce que Maxou appelle ma «jalousie maladive». C'est un peu exagéré à mon avis. Jalouse, je le concède. Mais maladivement? Là, je ne suis pas d'accord. Mais je n'en fais pas toute une histoire et j'essaie de montrer ma bonne foi en me soignant.

Maman déniche soudainement la carte au cœur du bouquet. Elle y jette un coup d'œil et son visage devient dur.

— C'est bien lui, ça. Envoyer des fleurs sans savoir ce que ça veut dire.

— C'est qui?

— Tiens, lis, dit maman en me tendant la carte.

Je m'en empare précipitamment et commence à lire le message à voix basse.

Ma princesse, je t'envoie ces fleurs jaunes pour te rappeler que tu es le soleil de ma vie. Et que tu le seras toujours, même si, demain, je ne serai pas là pour jouer mon rôle de père. J'aurais été très fier de te marier à ce Français qui, je le souhaite, saura prendre soin de toi mieux que moi. J'espère que tu me pardonneras mon absence.

Sois heureuse, ma princesse.
Ton Daddy qui t'aime.

Tout à coup, la couleur jaune prend une tout autre signification. Ce n'est plus la couleur de l'infidélité ou de la jalousie, mais celle, tout aussi dévastatrice, d'un profond sentiment d'abandon.

Je sens monter en moi toute la peine que j'avais rangée dans un petit tiroir de mon cœur. Tiroir qu'un simple bouquet de fleurs jaunes vient de rouvrir. Les larmes coulent maintenant à grands flots sur mon visage.

— Maman… J'aurais tellement voulu qu'il soit là, dis-je en enfouissant ma tête dans son épaule.

— Je sais bien, ma chouette, je sais bien.

Maman caresse doucement mes cheveux pour me calmer. Je la sens s'éloigner doucement de moi, puis elle me demande de la regarder dans les yeux. Elle affiche maintenant un air décidé, presque sévère.

— Là, Charlotte, tu te calmes et t'arrêtes de pleurer tout de suite. Une mariée avec les yeux boursouflés, ça fait pas des belles photos.

10

Le plus beau garçon
d'honneur du monde.

— Ah, mon Dieu! Je pense que je vais m'évanouir. T'es tellement beau, ça n'a pas de bon sens.

J'ai devant moi un Ugo comme je ne l'ai jamais vu. Son veston gris *charcoal* et son pantalon jambe étroite lui donnent vraiment fière allure. Sa chemise en lin lavé couleur ciment ajoute une petite touche d'originalité à l'ensemble, tandis que sa mince cravate noire rappelle le côté classique de la tenue.

Ses pieds sont chaussés de bottillons noirs italiens en cuir souple. Hyper *design*. Ses cheveux brun foncé, auxquels il a ajouté récemment de subtiles mèches plus pâles, sont peignés vers l'arrière. Et son teint est éclairci grâce aux soins esthétiques qu'il a reçus un peu plus tôt cette semaine. Il est PARFAIT!

Tout comme son chum, dois-je malheureusement admettre. Justin, qui se tient à ses côtés, est tout aussi divinement beau.

Tous les deux viennent d'arriver chez maman. Nous sommes présentement dans le grand salon, où ma maquilleuse a installé sa chaise de travail, sur laquelle je suis assise pour les retouches.

Depuis ce matin, c'est un véritable feu roulant de préparatifs. Maman, Aïsha et moi, on n'a pas arrêté une seconde. Coiffure, maquillage, épilation de dernière minute, manucure, pédicure, habillage. Ouf! La journée n'est pas encore réellement commencée que je suis déjà fatiguée.

Et le tout est filmé par Jean-Pierre, pour les besoins de la téléréalité *Charlotte se marie*. Ce qui implique une bonne dose de contrôle de soi : pas question de déraper devant les caméras. Et je suis assez fière de vous dire que j'ai réussi. Jusqu'à présent, du moins.

Je regarde une fois de plus l'horloge au mur. Une heure. Il nous reste à peine une heure avant notre départ et je ne suis pas encore prête.

J'ai demandé à mon ami de me rejoindre ici pour qu'on puisse réviser le plan de match. Il a essayé de protester, prétextant que ce n'était pas nécessaire de lui rappeler qu'il devait marcher à ma gauche, mais je n'ai rien voulu entendre. Aujourd'hui, c'est moi qui décide, un point c'est tout.

— Toi aussi, tu es magnifique, Charlotte.

C'est vrai que je ne suis pas trop mal. Mes cheveux blonds sont relevés en chignon de style romantique. Un chignon souple duquel s'échappent quelques mèches bien bouclées. De petites perles d'eau douce agrémentent ma chevelure.

Mon maquillage discret met en valeur mes grands yeux verts qui, heureusement, ne laissent rien paraître de ma crise de larmes d'hier. Et mes escarpins, couleur coquille d'œuf, me font vraiment de belles jambes.

Il n'y a que cette fichue robe rouge qui m'horripile. Aïsha avait pourtant promis de m'en débarrasser, mais je commence sérieusement à en douter. Ah, la voilà qui revient justement de la chambre de maman, où elle a enfilé, elle aussi, sa nouvelle robe.

Mon amie est tout simplement splendide. Elle a choisi une robe bleu nuit à taille empire avec de fines bretelles et un décolleté… discret. Ce qui est plutôt rare dans son cas. Je la remercie silencieusement de ne pas vouloir me voler la vedette en mettant son éclatante poitrine en évidence.

— Champagne pour tout le monde! annonce-t-elle en déposant un plateau rempli de flûtes de ce nectar divin sur la table de travail de la maquilleuse.

Elle jette un coup d'œil du côté de Jean-Pierre, comme si elle voulait vérifier qu'il filme bel et bien la scène. Satisfaite de le voir à l'œuvre, elle se tourne vers moi, un verre de champagne à la main.

— À la plus belle des mariées!

Juste au moment où Aïsha s'avance vers moi pour me tendre la flûte, elle perd l'équilibre et, ô malheur, renverse le champagne sur ma poitrine et ma belle robe rouge. Honnnnn!

Aïsha s'empare ensuite d'un linge qui traîne sur la table de travail de la maquilleuse et se met à frotter ma robe.

— Non, prends pas ça… lance la maquilleuse à Aïsha, qui ne l'écoute pas du tout.

Une grande trace noire apparaît soudainement sur ma robe.

— … c'est mon linge à démaquiller. Il est plein de mascara!

Aïsha arrête subitement son geste et observe les dégâts. Les grandes taches noires se sont multipliées. C'est maintenant une robe deux couleurs: noir et rouge. Et elle est complètement foutue! Youpi!

Ugo et Justin, qui ne se doutent pas qu'il s'agit d'une machination «à la Aïsha», affichent un air tout d'abord catastrophé. Ils deviennent ensuite perplexes devant ma joie soudaine, que je ne peux m'empêcher de cacher malgré la caméra qui tourne. Et ils sont finalement vraiment mêlés quand ils voient mon euphorie se transformer en angoisse.

D'accord, on a réglé le sort de la robe rouge, mais maintenant… qu'est-ce que je vais porter ? Je ne peux quand même pas aller me marier avec une de mes vieilles robes.

— Eh, merde ! Qu'est-ce qu'on va faire, Aïsha ?

— Ben, je sais pas trop. Excuse-moi, ma pitchounette.

Non, non, non ! Là, c'est impossible qu'elle soit sérieuse ! Elle n'a pas de plan B ? Elle a planifié tout ça, sans penser à la suite ? Ce serait trop con, franchement !

— Ah, je sais ! dit-elle soudainement comme si elle venait d'allumer. J'ai encore les robes des autres couleurs au studio. Je vais les chercher et je reviens.

— Ouf ! Tu m'as fait peur. Vas-y vite, on part dans une heure. Mais t'es pas obligée de ramener les trois. Prends celle qui est ivoire. C'était ça, le deuxième choix des téléspectatrices.

Ça, j'avoue que je n'en sais rien, mais je m'en contrefous totalement. Plus rien ne m'empêchera de me marier dans la robe que j'ai choisie !

J'ordonne au caméraman de cesser de filmer. Jean-Pierre s'exécute sans se faire prier, pressé de goûter au champagne.

— Yaouh ! T'es géniale, Aïsha ! Elle est pas vraiment au studio, hein ?

— Ben non, voyons donc ! Je l'ai cachée dans la chambre de ta mère. Attends une seconde.

Elle s'éloigne sous les regards amusés d'Ugo et de Justin, qui commencent à voir clair dans son stratagème. Aïsha revient les bras chargés de la plus belle robe de mariée que j'aie vue de toute ma vie. Celle-là même pour laquelle j'ai eu un coup de cœur lors de l'essayage.

Une belle robe ivoire au bustier en cœur et à la jupe courte, légère et vaporeuse. Oui, c'est elle. C'est MA robe. Maintenant, je suis vraiment prête à me marier.

11

« Tu me connais, tu sais que
je n'ai jamais cru au mariage.
Mais le botox, par contre,
ça marche à tous les coups. »
SAMANTHA (KIM CATTRALL) à CARRIE (SARAH JESSICA PARKER)
dans le film *Sex in the City.*

*D*epuis le début de la cérémonie, je flotte sur un nuage. Je n'ai d'yeux que pour Maxou. Malgré les cinquante-six invités, le caméraman qui nous filme, les somptueux bouquets de roses rouges de l'Équateur qui décorent la pièce, le soleil éclatant d'avril qui perce à travers les fenêtres du Chalet du Mont-Royal, plus rien ne compte. Il n'y a que Maxou et son regard profondément amoureux.

Je resterais comme ça à le regarder pendant des heures. À contempler ses yeux noisette, ses cheveux blonds légèrement bouclés et son sourire grisant. Sourire qui n'est malheureusement pas toujours au rendez-vous. Mon chum affiche trop souvent cet air un peu désabusé typiquement parisien. Mais aujourd'hui, il a l'air totalement heureux. Comme moi.

La voix de la ministre me tire de mon état second.

— Considérant l'autorité qui m'a été conférée par la loi, en tant que ministre du Nouveau Penser, je vous déclare mari et femme. Vous pouvez vous embrasser.

Mon mari – puisque je peux désormais l'appeler ainsi – se penche légèrement vers moi et m'embrasse tout doucement. Je ferme les yeux et j'entends les invités qui commencent à applaudir. D'abord timidement, puis de plus en plus intensément. La pièce aménagée pour la cérémonie croule sous les applaudissements et… les sifflements.

Quoi ? Des sifflements ? C'est qui le colon qui s'est mis à nous siffler et à hurler : « Vive les mariés ! » ? À regret, je détache mes lèvres de celles de Maxou et je scrute la pièce à la recherche de l'imbécile.

J'entends à nouveau la voix de l'homme « pas de classe », comme je m'amuse à le dire des gens qui n'ont aucun raffinement. Où se cache-t-il donc ?

— Vive la France ! crie l'homme.

Hein ? Il serait un des invités de Maxou ? Pourtant, je ne décèle aucun accent français dans cette voix. J'ai même l'impression qu'elle ne m'est pas inconnue.

— Vive le Québec !

Bon, c'est qui, cet abruti ? La prochaine fois, est-ce qu'il va faire son Charles de Gaulle et crier : « Vive le Québec… libre ! » ?

Je sens la main de Maxou serrer légèrement la mienne et je comprends que lui non plus n'est pas très à l'aise avec la situation. Mes yeux continuent de parcourir la salle jusqu'à ce que je tombe sur maman.

Coiffée d'un large chapeau vert lime, porté malgré mon désaccord et uniquement dans le but d'attirer l'attention, elle a le visage tourné vers la droite. Je la vois qui sourit d'un air à la fois complice et séducteur.

Je regarde alors moi aussi vers la droite et je découvre finalement l'homme qui mérite autant d'intérêt. Un grand gaillard d'un mètre quatre-vingt-dix, la cinquantaine avancée, la chevelure poivre et sel, la barbe épaisse et foisonnante.

Il est vêtu d'un veston bon marché en velours côtelé brun, avec une chemise en coton jaune et une cravate bleu roi. Comment ai-je pu le manquer ? Ah oui… J'étais trop hypnotisée par l'amour de ma vie.

Je vois le joyeux quinquagénaire faire son légendaire clin d'œil à maman. Il salue ensuite d'un petit hochement de tête la femme qui se tient à côté d'elle. Nulle autre que la reine Victoria. Elle lui sourit poliment, mais je vois dans ses yeux tout le mépris qu'elle ressent pour cet homme.

— C'est qui, le mec multicolore sorti tout droit des années 1970 ? marmonne Maxou presque sans bouger les lèvres, à la manière d'un ventriloque.

Je lui réponds de la même façon, tout en ne quittant pas mes invités des yeux et en continuant de me forcer à sourire.

— C'est mon oncle Bernard, le frère de mon père. Et demande-moi pas ce qu'il fait ici, je l'ai jamais invité.

— Eh bien, dis donc… Ça promet.

Je continue de sourire à mes invités, qui se rassoient tranquillement pendant que, Maxou et moi, on se rend à la petite table pour signer les registres. Tout ça au son de la voix de Jacques Brel, qui chante *Quand on n'a que l'amour*. Pas si pire que ça, finalement, le choix musical de Maxou. J'espère seulement que ça ne se gâtera pas trop sur le plancher de danse.

Quelques minutes plus tard, nous voilà prêts à recevoir les félicitations de nos invités. C'est un peu étourdissant de voir tous ces gens qui se pressent pour nous embrasser, moi, Maxou et nos deux mères. Une belle haie d'honneur… sans aucun papa.

Entre l'accolade du meilleur ami de Maxou et celle de ma copine Marianne, qui m'a un peu étonnée en portant une robe grise, terne pour un mariage, j'essaie de cuisiner maman, qui se tient à mes côtés.

— Qu'est-ce qu'il fait ici, mon oncle Bernard ?

— Aucune idée, mais c'est l'*fun* de le revoir, hein ?

— Pas sûre…

— Ben voyons donc, Charlotte. Il a toujours été super fin avec toi.

— C'est pas ça.

— C'est quoi d'abord?

— Ah, tu sais bien… Il manque un peu de… comment dire? De finition?

Maman commence à vouloir protester, mais voilà qu'un homme élégant et raffiné – tout le contraire de mon oncle Bernard en fait – lui tend une main solide.

— Madame, mes hommages. Je suis Normand Martin, l'oncle de Maximilien.

— Tout le plaisir est pour moi, répond maman, tout en laissant sa main dans la sienne un peu trop longtemps.

Elle passe ensuite un long moment à lui poser des questions. Elle apprend qu'il est le frère de Victoria, qu'il habite Paris et qu'il est arrivé à Montréal hier soir.

— Vous êtes venu seul?

— Tout à fait.

— Excellent. Entre célibataires, on va bien s'entendre… Je vous accorde la première danse, mon cher Normand.

Le comportement de maman me renverse. Pas parce qu'elle flirte ouvertement avec un homme. Non, ça, j'ai l'habitude. C'est plutôt qu'elle le fasse avec un homme… d'âge mûr. Est-ce que maman aurait finalement terminé sa phase de *cougar woman* pour revenir à la raison? Ce serait trop une bonne nouvelle!

Je m'aperçois que les gens derrière Normand commencent à s'impatienter. Je fais signe à maman d'accélérer et c'est à mon tour de rencontrer l'oncle de mon mari.

— Max m'a beaucoup parlé de vous, monsieur Martin.

— En bien, j'espère?

— Mais bien sûr.

Normand jette un coup d'œil du côté de Maxou avant de pencher sa tête vers mon oreille droite. Il me parle tellement bas que j'arrive à peine à l'entendre. Mais je distingue les mots « Victoria » et « allié ».

Il s'éloigne ensuite en me souriant d'une drôle de façon. Il me laisse en plan, ne sachant plus du tout quoi penser. M'a-t-il dit qu'il était mon allié ou celui de Victoria ? Dois-je le craindre ou lui sauter au cou ? Je déteste quand je suis dans le doute comme ça.

Bon, essayons de nous concentrer sur la suite. Qui est le prochain invité qui viendra bousiller mon maquillage à force de bisous mouillés ? Ah non, pas l'oncle Bernard !

— Ma p'tite Charlotte aux fraises !

Grrr. J'ai toujours détesté ce surnom… Maxou, qui visiblement n'écoutait que d'une oreille son interlocutrice, se tourne vers moi et me regarde d'un air narquois. « Très drôle », ai-je envie de lui dire.

— Bonjour, mon oncle, dis-je en me laissant embrasser sur les deux joues.

Ouache ! Je ne peux m'empêcher de m'essuyer rapidement le visage du revers de la main pour enlever les traces de sueur qu'il vient d'y laisser. Heureusement, Bernard n'en fait pas de cas.

Il continue de me parler après avoir posé ses mains sur mes épaules nues, ce qui me donne vaguement mal au cœur. Je me rappelle soudainement pourquoi j'ai cessé de m'asseoir à ses côtés lors des réunions de famille : son odeur de tabac me dégoûte. De plus, il parle tellement fort que j'en ai pratiquement mal aux oreilles. Et le comble, il postillonne.

— Quand Reggie m'a dit que t'allais te marier, je me suis dit : « Mon Bernard, y faut que tu y ailles. Cette pauvre petite fille-là se marie et son père peut pas être là parce qu'il est en pri… »

— Mon oncle, chut !

Est-ce que je l'ai interrompu à temps ? Le lourd silence qui s'est fait autour de moi me fait craindre le pire. Je jette un coup d'œil et je constate que mes craintes sont fondées.

L'air scandalisé de Victoria me confirme qu'elle vient d'apprendre que mon père n'est pas retenu sur un chantier à la baie James, comme je le lui avais fait croire. Elle doit aussi avoir compris qu'il ne pratique pas réellement la profession d'ingénieur en mécanique.

— Ben voyons, ma petite Charlotte, depuis quand t'as honte de ton père? s'insurge Bernard. Tu sais bien que c'est pas de sa faute, tout ce qui est arrivé.

Au secours! Sortez-moi de ce mauvais rêve! C'est le jour de MON mariage. Un jour qui doit être parfait, sans anicroche. Est-ce que c'est possible, ça? J'ai le droit de demander ça à la vie, non? Je jette un regard de désespoir à maman, qui comprend le message.

— Bernie, Bernie, Bernie… Viens, je vais te présenter aux amis de Charlotte.

Maman passe son bras sous celui de Bernard. Je les vois s'éloigner, à mon grand soulagement. Sauf que me voilà maintenant sans appui familial pour continuer de recevoir les félicitations. Mais heureusement, j'ai mon merveilleux mari à mes côtés.

Je l'observe pendant qu'il sourit à son collègue Paul-Alexandre, le seul invité à représenter le consulat. Sans même que je le lui demande, Maxou n'a convié aucune de ses consœurs à notre mariage. Dieu merci! Je pense que je n'aurais pas pu le supporter.

Son air rieur fait apparaître la petite fossette qu'il a à la joue droite, qui me fait littéralement craquer. Je sens monter en moi un violent désir. Tout mon corps s'enflamme. Mes seins se durcissent sous mon bustier. Mon sexe se gonfle tranquillement et devient tout humide.

Je le veux. Là, tout de suite! Mariage ou pas! Invités ou pas! Je m'en fous complètement. De toute façon, j'ai tout prévu.

Je me connais. Je savais bien que je voudrais faire l'amour pendant mon mariage. Ça fait partie de mon idée d'une journée parfaite. Je pensais toutefois que l'envie me prendrait plus tard, pendant la soirée. Mais l'urgence est là, maintenant. Bien réelle.

Mes jambes deviennent molles et je perds légèrement l'équilibre. Je m'accroche au bras droit de Maxou pour éviter de trébucher. Il croise mon regard pétillant et il comprend instantanément ce dont j'ai envie. Je lui fais signe de s'approcher pour que je puisse murmurer à son oreille.

— Dans le bureau de Marianne. Deuxième porte à gauche dans le grand couloir. Tout de suite après les félicitations.

Maxou acquiesce du regard et, pour me faire languir encore plus, effleure ma nuque de sa main douce. La tension dans mon corps augmente d'un cran. Le supplice… Mais ça se joue à deux, ce petit jeu-là, cher mari. Je m'approche à nouveau de son oreille.

— En plus, j'ai pas mis de petite culotte…

L'air de rien, je me tourne ensuite vers le prochain invité venu m'offrir ses félicitations. P-O se tient devant moi et me regarde avec envie. Mon énergie sexuelle ne lui a pas échappé. Il fait un pas en avant et se penche pour m'embrasser un peu trop sensuellement sur les deux joues et me parler à l'oreille.

— T'es *hot*, Charlotte… T'es une des femmes les plus désirables que j'aie jamais connues.

Ses paroles me troublent encore plus et je reste sans voix. À quoi s'amuse-t-il? Et Maxou qui vient de nous jeter un regard interrogateur. Allez, Charlotte, oublie ta libido deux secondes et ressaisis-toi!

— Je suis certaine que, toi aussi, tu vas être heureux avec ma meilleure amie, dis-je pour lui clouer le bec.

Et qu'on en finisse donc une fois pour toutes avec ces félicitations! Je n'ai pas seulement ça à faire, moi. Mon devoir conjugal m'appelle.

Vingt minutes plus tard, Maxou et moi sommes en train de nous rhabiller dans le bureau de Marianne. Une baise comme je les aime quand on n'a pas beaucoup de temps. Intense et efficace.

Pendant que j'enfile la petite culotte que j'avais pris la précaution de glisser dans mon sac à main avant de partir de la maison, je constate, une fois de plus, que notre entente sexuelle est vraiment parfaite. Avec lui, ce n'est jamais compliqué. J'ai le goût de me faire baiser, il me rentre dans le mur. J'ai envie d'une relation plus tendre, plus douce, il me caresse pendant des heures.

Je dois reconnaître qu'il n'est pas à plaindre non plus. Je ne compte plus les fois où il m'a dit à quel point je le comble sexuellement. À quel point je suis une amante généreuse. De mon point de vue, ce n'est pas une question de générosité. J'aime ça, c'est tout.

Et dire qu'il est à moi, maintenant. À moi toute seule ! Rien que d'y penser, ça me fait vaciller, comme si j'étais un peu ivre. D'ailleurs, ce ne serait pas l'heure du cocktail, là ?

Je prends le petit miroir de table sur le bureau de Marianne pour retoucher mon maquillage. Ce que j'y vois me fait sursauter. Mon chignon est à moitié défait et les petites perles pendent maintenant dans mes cheveux. Mon visage est luisant de sueur et ma bouche barbouillée de rouge à lèvres rose.

— Merde ! Merde ! Merde !

— Allez, Charlotte. Je n'ai pas envie que nos invités se posent des questions, dit Maxou en ignorant complètement mes jurons.

— Non, mais tu m'as vu l'air ?

— Ça ira, répond Maxou en ne prenant même pas la peine de me regarder.

Maintenant un peu stressé, il se dirige vers la porte du bureau. Il l'ouvre doucement, regarde à gauche et à droite et sort dans le grand couloir avant de me lancer, sans même se détourner :

— Bon, j'y retourne. Et dépêche-toi pour une fois.

La porte se referme et j'entends ses pas s'éloigner.

— À vos ordres, mon général, me dis-je en faisant un petit salut militaire à la porte.

— C'est tout à fait divin, mon cher Pierre-Olivier. Je ne pensais pas qu'on mangeait si bien au Québec.

Normand, l'oncle de Maxou, est décidément séduit par le talent de notre chef. Tout comme mon oncle Bernard, qui renchérit.

— C'est vrai que c'est bon en tabarnouche.

Nous sommes présentement en train de terminer le quatrième plat du menu à neuf services. Après le carpaccio de pétoncles et fraises, la bisque de homard et pommes, puis la salade de betteraves jaunes à l'émulsion de salicornes, nous dégustons l'escalope de foie gras poêlée servie avec une salsa de poires tièdes au cinq-épices chinois. C'est onctueux et ça fond dans la bouche.

Puisque je voulais côtoyer tous mes invités pendant le repas, j'ai prévu une sorte de jeu de chaises musicales. Ça nous permet, à Maxou et moi, de faire le tour des tables et de profiter de la présence de tout un chacun.

Nos déplacements sont parfois suivis par le caméraman de *Totalement Roxanne*, à qui j'ai ordonné de se faire le plus discret possible. J'ai autorisé Ji-Pi à filmer seulement quelques minutes pendant le repas. Et j'ignore par quel miracle… mais Maxou croit encore qu'il s'agit d'un tournage pour nos archives personnelles.

Ça m'échappe! Il n'a jamais su que le projet de téléréalité a bel et bien été mené. Personne ne lui en a jamais parlé, même si sa photo a été diffusée à l'écran à plusieurs reprises.

Peut-être qu'il n'a pas été mis au courant parce que nous ne l'avons jamais nommé en ondes. Nous l'appelions simplement «l'homme de Charlotte». C'est la seule explication qui m'est venue à l'esprit. Et comme je ne pouvais pas vérifier auprès du principal intéressé, je m'en suis contentée.

Présentement, Ji-Pi nous laisse tranquilles. Nous sommes à la table d'un groupe pour le moins hétéroclite : nos deux oncles, Aïsha, P-O, Victoria et mon amie Marianne, dont le mari a quitté la soirée pour aller s'occuper des petites.

Je lui fais d'ailleurs un sourire complice pour la remercier, encore une fois, d'être venue à mon secours un peu plus tôt. Elle a effacé toute trace de ma baise torride. Grâce à elle, je suis encore parfaitement coiffée et maquillée.

— Vous autres, en France, en mangez-vous, des bonnes affaires de même ? demande Bernard à Normand.

Je tressaille en entendant la question tellement grossière de mon oncle. Vivement une bonne gorgée de jurançon Château Jolys pour me calmer. Et éviter le meurtre au premier degré.

— Oui, oui, ça nous arrive, répond poliment Normand.

— Ah ouin ? Parce que, moi, quand je suis allé à Paris, en 1987, j'en ai pas vu. Je me rappelle par exemple que j'ai mangé des affaires bizarres. Des tripes, des rognons, des artichauts.

— J'adore les artichauts, l'interrompt Marianne, consciente de mon malaise qui grandit de plus en plus.

— Ouin, mais c'est dur à manger. Ça pique en tabarnouche.

Dites-moi que ce n'est pas vrai ! Ce gros colon est en train de se vanter qu'il a mangé... le foin de l'artichaut. Et il ne semble même pas se rendre compte du malaise qu'il provoque autour de la table.

Le silence se fait pendant quelques instants. On entend seulement le cliquetis de nos assiettes que les serveurs desservent.

Maxou consulte discrètement l'heure sur sa Cartier. Victoria a détourné le regard et fixe je ne sais quel point sur le mur. Normand lisse sa serviette sur ses genoux et Aïsha lit ses messages sur son téléphone. Il n'y a que P-O qui ne fuit pas le regard de Bernard. Il semble franchement se bidonner. À mon grand désespoir, il le relance.

— Et qu'est-ce que vous avez aimé d'autre en France?

Je jette un regard noir à P-O. Il me fait un signe du revers de la main pour me signifier de le laisser s'amuser un peu.

— Ben, j'ai beaucoup aimé les desserts. C'est là d'ailleurs que j'ai mangé une charlotte russe pour la première fois. Y avait des fraises et une espèce de crème épaisse. C'était tellement bon.

Non, non, non! Je dois l'arrêter avant qu'il me mêle à tout ça.

— Mon oncle, est-ce que...

— Tu te souviens pas, Charlotte, m'interrompt-il. C'est en revenant de la France que je t'ai donné ton surnom. Ma p'tite Charlotte aux fraises. T'étais comme le dessert : douce et sucrée.

Je me lève d'un bond. Ça suffit! Mes invités vont penser que j'ai été victime d'inceste. À voir leur air embarrassé, je crois qu'ils se posent déjà des questions.

— Franchement, mon oncle, faudrait pas laisser entendre des choses, là.

— Ben, je laisse rien entendre pantoute.

— C'est juste que ça a sonné un peu drôle, la façon dont vous avez dit ça, commente P-O.

— Bah, c'est une expression. Charlotte le sait bien.

— Bon, ben, tant mieux, ajoute P-O. Mais je dois dire que je suis assez d'accord avec vous... Douce et sucrée, ça lui va assez bien.

P-O se tourne vers moi pour me faire un clin d'œil complice. Je reste figée. C'est maintenant au tour d'Aïsha de se lever subitement. Elle quitte la table sans même s'excuser, tandis que Victoria me fixe d'un regard noir.

Je me rassois mollement sur ma chaise, encore sous le choc des paroles de P-O. Une situation que je dois absolument désamorcer. Le problème, c'est que j'ignore totalement comment le faire. Dis quelque chose, Charlotte. Vite !

— Vous excuserez mon collègue, s'il vous plaît. Il a toujours aimé me narguer.

Pas très fort, comme commentaire, mais c'est mieux que rien. Je me risque à regarder du côté de Maxou et je constate que mes paroles ne l'ont pas convaincu de mon innocence. Il a l'air furieux.

Deux serveurs viennent distraire l'atmosphère en déposant devant chacun de nous un sorbet aux pommes et au calvados.

— C'est quoi, ça ? demande Bernard.

Ah non, ça recommence ! Pour me donner du courage, je cherche la main de mon amoureux. Je la trouve et commence à la caresser doucement. Il la retire précipitamment.

Je sens mon cœur se serrer. Je dois éclaircir tout ça le plus rapidement possible. Pas question de gâcher la soirée de mon mariage. Je me lève à nouveau et j'annonce que les mariés vont aller déguster le trou normand à une autre table.

— Ah, c'est comme ça que ça s'appelle, dit Bernard, content d'avoir une réponse à sa question.

Puis, son visage s'illumine comme celui d'un petit garçon. Il se tourne vers l'oncle de Maxou.

— Eille, Normand, on boit ton trou !

Et il éclate d'un gros rire gras, pendant que tous les autres le dévisagent en silence. Découragée, je prends la main de Maxou, qu'il le veuille ou non, pour le ramener dans le bureau de Marianne. Mais pas tout à fait dans le même but, cette fois-ci.

Aussitôt que je referme la porte du bureau derrière nous, Maxou éclate de son caractère bouillant de Parisien.

— Tu me soupçonnes constamment. Tu te pointes au consulat un après-midi pour me piquer une crise de jalousie comme c'est pas possible. Et moi, qu'est-ce que je découvre, le soir de notre mariage ?

— C'est pas ce que tu penses.

— Pas de ça avec moi, Charlotte. Je sais reconnaître deux personnes qui ont couché ensemble.

— Justement. Qui ONT couché ensemble. Pas qui couchent ensemble présentement.

— J'espère bien ! Et c'était quand, votre histoire ? demande Maxou d'un ton un peu moins colérique.

— Pendant notre *break*. En plus, c'est arrivé juste une fois.

— Une seule fois ?

— Ben oui, je te le jure.

— Bon, très bien… N'empêche que t'as joué dans le dos de ta meilleure amie.

— Non, non, non… Elle était pas avec lui dans ce temps-là. Tous les deux, on était célibataires.

Maxou semble se calmer peu à peu. Il réfléchit un moment avant de poursuivre.

— Tu sais quoi ? J'ai jamais pu le piffer, ce mec. Là, je comprends pourquoi. Je pense qu'il ne t'a jamais oubliée, Charlotte.

— Non, c'est pas moi. Il est comme ça avec toutes les filles. Il est pas capable de le prendre quand une fille ne veut plus de lui.

Je m'approche de mon mari et commence à caresser sa poitrine, par-dessus sa chemise cintrée de couleur ivoire à col classique.

— J'aurais dû te le dire, excuse-moi.

— C'est bon, dit-il en m'enlaçant. Mais c'est pas très *cool* pour Aïsha, tout ça.

— Non, c'est pas *cool*.

J'enfouis ma tête dans son épaule et je pousse un soupir de soulagement. J'ai évité la catastrophe de justesse.

Après quelques instants d'un silence rempli de tendresse, nous repartons tous les deux main dans la main pour aller nous asseoir à ma table préférée. Celle du deuxième homme de ma vie. Mon ami Ugo.

Le sorbet au calvados est déjà chose du passé. C'est maintenant l'heure du plat principal, l'agneau fondant de Charlevoix aux figues et au porto, qui vient tout juste d'être servi.

— Wow! On arrive juste à temps pour le clou du repas.

Je prends place aux côtés d'Ugo. Enfin! J'avais tellement hâte de le rejoindre. Autour de la table, on retrouve bien entendu Justin, mais aussi des invités français, dont un couple d'amis parisiens de Maxou. C'est d'ailleurs avec eux que Maxou va s'asseoir, de l'autre côté de la table.

— Comment ça se passe ici? dis-je à Ugo, le plus discrètement possible.

— Pas terrible, me répond-il à l'oreille.

— T'es pas sérieux? Comment ça?

Ugo regarde en direction du couple parisien. Il fixe plus précisément un dénommé Boris de Quelque chose. Les cheveux noirs lissés vers l'arrière, les yeux presque noirs aussi, un nez proéminent à la Vincent Cassel et l'air bête comme ses deux pieds. Sa main est posée fermement sur la cuisse de sa compagne, une blonde aux yeux bleus qui me volerait certainement la vedette si je ne portais pas une robe de mariée. Vraiment pétard, la Parisienne!

— Ils sont chiants au boutte. Ils n'arrêtent pas de tout critiquer: «Les Saint-Jacques étaient pas fraîches!» Pas capables de dire des «pétoncles» comme tout le monde, ben non!

— Pff. Même pas vrai. Y étaient super bons, les pétoncles.

— Ensuite, y ont dit que les betteraves jaunes goûtaient rien et que la salsa de l'escalope de foie gras était trop sucrée.

— Eille, y sont pas gênés, eux autres, dis-je, piquée au vif dans mon orgueil.

— Non, la seule chose qu'ils aiment, c'est ça.

Ugo pointe du doigt le plafond cathédrale de la grande salle du Chalet du Mont-Royal.

— Hein ? De quoi tu parles ?

— Ben… Des statuettes en forme d'écureuil. Ça, ça les fait tripper.

J'éclate de rire et Ugo en fait autant. Je constate toutefois que Justin ne semble pas trouver la situation drôle du tout.

— Justin, ça va ?

— Non, répond-il, provoquant chez moi un malaise inattendu.

— Qu'est-ce qu'il y a ?

Justin ne répond pas, fixant d'un œil mauvais Boris, en grande conversation avec Maxou.

Ugo se tourne vers son chum et lui dit :

— Laisse-le faire, c'est un con.

— Il me fait chier, tu peux pas savoir.

Je n'ai jamais vu Justin dans un état pareil. Il semble prêt à bondir sur le Boris en question. Et ce n'est certainement pas seulement à cause d'une histoire de pétoncles frais ou pas.

— Ugo, dis-moi ce qui se passe. Qu'est-ce qu'il a, Justin ?

— Il y a que… le chum de Max, c'est un homophobe.

— Hein ? Comment ça ? Qu'est-ce qu'il a dit ?

— Y ont pas besoin de rien dire, ces gars-là, Charlotte. Ça se sent tout de suite.

Les révélations d'Ugo me laissent sans voix. J'observe Boris et son air suffisant. Bon, c'est vrai qu'il a l'air d'un macho fini, mais de là à être homophobe…

— T'es sûr ?

— Regarde, Charlotte, ça te fait peut-être ben de la peine d'apprendre que ton nouveau mari se tient avec un homophobe, mais c'est ça qui est ça !

— Ça va, je te crois. Tu sais de quoi tu parles, de toute façon.

— Pour moi, c'est pas si pire, je suis habitué. Y en a partout, des cons comme ça. Mais Justin, lui, il trouve ça plus dur, tu comprends.

Je réalise alors que tous les efforts d'Ugo pour faire sortir Justin de sa coquille risquent d'être anéantis en une seule soirée.

— OK, les gars, finissez votre assiette et changez de table. Je vous envoie avec Aïsha et P-O.

— Bon, enfin, répond Ugo.

Après un court moment de silence, il poursuit.

— Ouin, mais qui tu vas envoyer ici? C'est pas un cadeau à faire à personne.

— T'en fais pas pour lui. Il va très bien se débrouiller, dis-je en regardant du côté de mon oncle Bernard.

Nos yeux se croisent et je lui fais un petit tata hypocrite.

12

« Et si tu n'existais pas,
Dis-moi pourquoi j'existerais.
Pour traîner dans un monde sans toi,
Sans espoir et sans regret. »
Joe Dassin, 1975.

Je suis assise face à la piste de danse sur une chaise en velours rouge et je suis paralysée par l'émotion. Incapable d'émettre un seul son, de faire un seul geste. Les yeux remplis d'eau, j'écoute mon mari chanter du Joe Dassin, accompagné au violon par son oncle.

Je suis tellement émue. Et tellement surprise. J'ignorais totalement que Maxou savait chanter. Et surtout, qu'il le faisait si bien, avec sa voix chaude et grave.

À partir de ce soir, c'est promis, je ne dirai jamais plus que du Joe Dassin, c'est quétaine.

Des passantes endormies dans mes bras
Que je n'aimerais jamais.

Tous les invités ont les yeux rivés sur Maxou, guettant de temps en temps mes réactions. Eux aussi sont complètement sous le charme. C'est LE moment magique du mariage. Celui où l'amour triomphe de tout.

L'instant d'une chanson, on se permet de rêver, de croire que tout est possible. À mes côtés, je vois Justin qui dépose timidement sa main sur celle d'Ugo. C'est la première fois que je le vois faire un geste intime en public.

Pour toute réaction, Ugo ferme les yeux et soupire de soulagement, très discrètement. Il ne fait aucun geste pour précipiter les choses, ni regard, ni caresse. Il respecte le rythme de son chum et reste là, tranquille, à profiter du moment.

À ma gauche, P-O murmure à l'oreille d'Aïsha en lui caressant le cou. Elle sourit légèrement, chassant tranquillement l'air triste qu'elle affiche depuis les paroles déplacées de son chum à mon endroit un peu plus tôt.

Légèrement en retrait, ma copine Marianne fixe quelque chose ou quelqu'un à sa droite. Elle a le regard d'une amoureuse troublée. Et ce n'est certainement pas à cause de son mari, parti depuis longtemps.

Je pourrais faire semblant d'être moi,
Mais je ne serais pas vrai.

Qui Marianne peut-elle bien regarder avec autant de désir et d'angoisse à la fois ? Je suis ses yeux et ce que je découvre me laisse stupéfaite. Mon amie est complètement subjuguée par le couple parisien. Mais ce n'est pas Boris qui l'attire… c'est sa copine, la magnifique blonde aux yeux bleus.

Je me sens tout à coup infiniment triste pour cette amie que je ne connais plus et qui, visiblement, vit un drame intérieur. Marianne, une lesbienne qui se cache dans un rôle d'épouse ? Que de douleur ! Je dois en parler avec Ugo. Et ensuite inviter mon amie pour un séjour à Paris. Seule.

Je continue mon observation de la faune humaine bigarrée qui assiste à mon mariage. Et je tombe sur maman, oncle Bernard à ses côtés. Elle chante les paroles de la chanson, pendant que mon oncle la regarde, béat d'admiration… Ouh là là ! Il perd son temps, le beau Bernard. Maman n'a d'yeux que pour l'oncle de Maxou, qui joue merveilleusement bien du violon.

Et finalement, mon regard s'arrête sur Victoria, qui me fixe droit dans les yeux. Elle a l'air aussi sévère que les religieuses qui m'enseignaient au primaire. Qui peut bien la rendre aussi furieuse ?

Poser la question, c'est y répondre. C'est moi, bien évidemment. Elle me fait signe de regarder en avant et de me concentrer sur la performance de mon mari.

Et si tu n'existais pas,
Je crois que je l'aurais trouvé
Le secret de la vie, le pourquoi

Tout en continuant de chanter, Maxou s'approche de moi, me prend la main et m'emmène au milieu de la piste avec lui. Il me chante les dernières paroles en me regardant intensément et en gardant ma main dans la sienne.

Simplement pour te créer
Et pour te regarder.

Jamais je ne pensais vivre un moment aussi intense le soir de mon mariage. Un moment rempli à la fois d'émotion et de certitudes. Je suis maintenant convaincue que, quoi qu'il arrive, Maxou et moi, c'est pour la vie.

Il me prend doucement dans ses bras et je ferme les yeux pour savourer l'instant. D'une voix tremblotante, je le remercie en lui disant que je l'aime plus que tout au monde.

Les applaudissements des invités et leurs cris de félicitations me ramènent tout doucement à eux. J'ouvre les yeux et j'aperçois leurs visages sincèrement émus par tant d'amour.

J'essuie une larme du revers de la main et je fais un clin d'œil à la caméra. Ji-Pi a filmé toute la scène. Maxou ne le sait pas, mais il va devenir l'idole de toutes nos téléspectatrices. Les plus vieilles vont rêver de l'avoir comme fils et les femmes de mon âge vont m'envier d'avoir un chum aussi romantique. Ou me traiter de quétaine finie, selon leur degré de jalousie.

Mais, heureusement, il ne sera plus au Québec, puisqu'il s'envole pour Paris dès lundi. Et moi, j'irai le rejoindre dès la saison de *Totalement Roxanne* terminée.

Je vois au loin les serveurs s'agiter en dressant une table. Ils courent dans toutes les directions, apportant des assiettes, des plateaux de fruits et une immense structure en acier inoxydable. Ah non, je ne vais pas pouvoir m'en tirer cette fois-ci. C'est l'heure de la fontaine à chocolat !

***

— T'es folle ! Pas question que je mette ça.

Aïsha me tend une immense bavette en plastique blanche à l'effigie de mon mari. Sous prétexte de me parler seule à seule, elle m'a traînée dans le bureau de Marianne, qui, décidément, sert à toutes sortes de causes ce soir. Dont celle-ci : me convaincre de me ridiculiser.

— Charlotte, tu vas salir ta robe sans ça. De toute façon, Max en a une avec ta photo dessus.

— Hein ? Ça se peut pas. Il a pas accepté de mettre ça, certain.

Aïsha baisse les yeux, visiblement mal à l'aise. Je comprends que j'ai raison, ce qui m'incite à poursuivre.

— Je le connais. Il préfère bousiller son ensemble Armani à 3 000 piasses plutôt que de passer pour un con.

— Ben, il m'a dit qu'il y réfléchirait…

— Si tu veux mon avis, c'est tout réfléchi d'avance. Et pour moi aussi.

J'envoie valser la bavette par terre et je quitte le bureau en ordonnant à Aïsha de me suivre dans le long couloir.

— On va aller la manger une fois pour toutes, cette fondue-là, qu'on puisse enfin passer à autre chose !

— Ce sont les patrons qui seront pas contents, dit-elle en marchant derrière moi.

— Je m'en fous, des patrons. Dans deux semaines, je serai plus ici.

Je continue de me diriger vers la salle de réception, attendant la réplique d'Aïsha. Son silence, aussi subit qu'inhabituel, m'inquiète. Ce n'est pas vraiment son genre de cesser d'argumenter aussi rapidement.

Je me retourne. Elle est immobile, en plein centre du couloir, fixant le plancher.

— Ben voyons, qu'est-ce que t'as, ma pitoune ?

— Je sais pas… dit-elle en levant ses yeux tristounets vers moi.

— Honnn… C'est quoi ? C'est P-O encore ?

— Mais non, c'est pas ça, Charlotte… C'est comme si je venais juste de réaliser que tu seras pus là, tous les jours, avec moi… Je crois que tu vas me manquer beaucoup plus que je pensais.

Touchée par ces aveux soudains, je m'empresse de revenir vers elle. C'est rare qu'elle me démontre autant d'affection et ça me fait chaud au cœur. Autant ma relation avec Ugo est claire – une profonde et solide amitié nous unit –, autant celle avec Aïsha est complexe.

Notre relation était à la base une amitié sincère, qui a malheureusement été trop souvent écorchée par la rivalité et la jalousie. Le lien de confiance a toujours été fragile entre nous deux.

Et il a été mis à l'épreuve toutes les fois qu'un nouvel homme est apparu dans l'une ou l'autre de nos vies. Et il y en a eu plus d'un ! Tout ça a laissé des traces qui ne s'effacent pas du jour au lendemain.

Je dois dire, cependant, que nous nous sommes beaucoup rapprochées depuis les derniers mois. Je crois qu'elle s'est sentie soulagée d'apprendre que j'allais me marier. La méfiance que nous entretenions l'une envers l'autre est disparue. Enfin… presque disparue.

— Moi aussi, je vais m'ennuyer de toi, dis-je en la serrant dans mes bras. Tu viendras me voir à Paris.

— Tu sais bien que j'ai une peur bleue de l'avion !

— C'est vrai. J'avais oublié.

Intuitivement, j'ai toujours su que la vie se chargerait de nous éloigner un jour ou l'autre, Aïsha et moi. Et je réalise que ce moment est arrivé. Que le bout de chemin que nous avions à faire ensemble est peut-être terminé.

Ça me rend triste, certes, mais je l'accepte. Je crois que je suis mûre pour d'autres rencontres. En même temps, je m'interroge sérieusement sur ma capacité à entretenir une véritable amitié, saine et transparente, avec une fille. Ce qui ne m'est pas arrivé souvent dans ma vie, allez donc savoir pourquoi !

Des pas dans le couloir attirent mon attention. Je m'éloigne d'Aïsha tout doucement et j'aperçois Ugo, qui vient à notre rencontre.

— Voulez-vous bien me dire ce que vous faites ? On vous attend pour la fondue.

— On arrive, donne-nous deux secondes.

Avec beaucoup de délicatesse, je replace le collier qu'Aïsha porte au cou. Un magnifique bijou qui lui vient de sa mère tunisienne.

— Tu sais, tu seras toujours spéciale à mes yeux. J'oublierai jamais tout ce que tu as fait pour moi, pour mon mariage.

— Bah, c'est rien. Ça a été le *fun*. Je me suis bien amusée.

J'entends Ugo piétiner sur place et nous dire de nous dépêcher. J'ignore sa remarque.

— Quand je vais regarder mes photos de mariage, là-bas, dans mon nouvel appartement du 7ᵉ arrondissement, je vais toujours me rappeler que si je porte pas une robe rouge, c'est grâce à toi.

— Ouais, j'espère aussi que tu vas te souvenir que je t'avais avertie de porter une bavette pour manger la fondue !

— Bah, ça va aller, voyons donc. On y va ?

— On y va.

Toutes les deux, on entoure notre Ugo impatient pour se diriger vers la salle de réception, où Maxou et tous les invités nous attendent.

Je m'approche de la table des desserts pour vérifier le tout et ce que je découvre me fait frémir d'horreur. Et ce n'est pas la fontaine à chocolat qui me met dans tous mes états.

— Ouache ! C'est quoi, ça ?

Je tends le doigt en direction d'un plat qui n'a jamais été prévu au programme. Une assiette de *cupcakes* gris, blanc et cognac. Au glaçage travaillé en forme de tête de chien ! Avec les oreilles dressées, le poil hérissé, les yeux et le nez en pépites de chocolat et la langue rose bonbon qui pendouille. Tout simplement dégueu !

— Maxou, qu'est-ce que c'est, ces horreurs-là ?

— Je ne sais pas. Mais du coup, je n'ai pas osé les retourner en cuisine. C'est peut-être un des invités qui nous les a offerts.

— Ouin…

— Et je t'assure que ce n'est pas un de mes potes qui a si mauvais goût. Ça va de soi que ça vient de ton côté.

« Bien évidemment, monsieur Parfait ! » ai-je envie de lui répondre. Mais je me contente de lui demander s'il a vu traîner une carte sur la table. Histoire de comprendre qui peut s'amuser à vouloir me ridiculiser de la sorte. Mais il n'a rien vu. J'appelle ensuite un serveur pour lui demander qui nous a fait cadeau de ces «jolis toutous». Encore un qui est dans l'ignorance!

— Ma chérie, murmure Maxou à mon oreille, fais gaffe à ton oncle. Il est complètement bourré.

— Merde! Où ça?

— Là-bas, au bar.

Je regarde au loin et je vois mon oncle. Sa cravate a disparu et sa chemise jaune est un peu trop ouverte sur son *shaggy* vieillissant. Déjà qu'un *shaggy*, ce n'est pas inspirant... Imaginez quand il est gris et blanc, c'est carrément dégoûtant!

Appuyé contre le bar, il boit de la bière goulûment à même la bouteille. Quel manque de classe total! Et dire que nous sommes parents par le sang... Décourageant.

Il termine sa longue gorgée et observe les gens autour de lui. Il aperçoit Marianne, assise seule en retrait, et se met à marcher vers elle. En titubant. Danger en vue! Il est grand temps que j'intervienne.

Je pars derrière lui en marchant aussi vite que mes escarpins à talons aiguilles me le permettent. Je le rattrape juste avant qu'il s'approche trop de mon amie. Je passe mon bras sous le sien.

— C'est une belle soirée, hein, mon oncle?

— Tiens, tiens... Si c'est pas ma petite nièce préférée!

— Facile à dire, mon oncle, je suis ta seule nièce.

— Ah ouin? Ben oui, c'est vrai... Je m'en souvenais pus. Ha! Ha! Ha! Est bonne, hein?

Oh, my God! Les dommages sont encore plus importants que je pensais. Il est carrément soûl! Il faut que je le mette dans un taxi le plus vite possible.

— Mon oncle, je pensais que...

— Eille, Charlotte, je peux-tu te dire que tes amis français, y ont été impressionnés pas à peu près.

— Qui ça?

— Ben oui, le Boris de Je sais plus quoi et sa pitoune... Tu sais, ceux avec qui j'ai fini de souper?

— Oui, oui, je sais… Comment ça, impressionnés ? dis-je, un brin inquiète.

— Je leur en ai mis plein la vue. T'aurais dû voir leur air, toé, quand je leur ai parlé de mon camp de chasse dans le bois, à Saint-Zénon… Je leur ai même montré des photos, y en revenaient pas.

Ah non ! Quel imbécile ! Le camp de chasse de mon oncle est à la limite de la salubrité, si je me souviens bien de ce que papa m'a déjà raconté. De quoi entretenir les préjugés des Français envers nous. Ceux du genre « ma cabane au Canada ». Ne manque que la chemise de bûcheron.

— Tiens, regarde, dit mon oncle en sortant un iPhone de sa poche.

— Hein ? Depuis quand t'as un téléphone intelligent, toi ?

— Ah, ça ? C'est une… une… une amie qui m'a demandé d'acheter ça. Un pour moi et un pour elle. Elle aime ça, ces affaires-là, c'est de son âge.

— De son âge ?

— Ben oui… de son âge. Comme toi, à peu près… Ben, peut-être sept ou huit ans de moins. C'est une amie… Comment elle dit ça, déjà ? Ah oui… Une amie avec bénéfices. Si tu vois ce que je veux dire.

Vieux cochon ! Je ferme les yeux, sans répondre.

— Bon, en tout cas. Regarde, je vais te montrer la photo qui les a fait capoter, tes amis français.

Avec des gestes imprécis, et en sacrant après sa « maudite bébelle », il fait défiler les photos sur son écran. Il me montre le cliché en question, où il pose fièrement à côté d'une carcasse d'orignal éventrée, vidée et accrochée à un arbre.

Re-ouache ! J'étouffe un haut-le-cœur. Et juste avant de détourner mes yeux de l'écran, je me rends compte qu'en plus l'oncle Bernard porte… une vieille chemise à carreaux noir et rouge, toute sale. Bien entendu.

Ça me met hors de moi ! Boris est peut-être, selon Ugo, un homophobe fini, mais je n'apprécie guère que notre image soit ternie ainsi auprès de mes futurs compatriotes. C'est toute ma fierté québécoise qui est atteinte !

— Bon, Charlotte, on va-tu manger le dessert bientôt ?

— Ben oui, viens-t'en. On y va, dis-je, résignée à endurer ce gros colon encore quelques instants.

En retournant à la table des desserts, une nouvelle tête attire mon attention. Je distingue à travers l'éclairage tamisé la silhouette d'une femme rousse, qui se tient dos à moi. Elle est en grande conversation avec Maxou. Et Ji-Pi braque sa caméra sur elle.

Plus j'avance, plus mon cœur se met à battre fort. Voyons, c'est impossible ! Ça ne peut pas être elle ! Je ne l'ai jamais invitée. En plus, nous sommes en froid depuis quelques semaines.

Elle se retourne et mes pires doutes se confirment.

— Charlotte… Toutes mes félicitations !

— Bonsoir, Roxanne.

L'hypocrite va jusqu'à me faire la bise, avant d'observer ma robe d'un air interrogateur.

— Mais… on n'avait pas dit que tu te marierais en rouge ?

— Euh…

— Qu'est-ce qu'il est arrivé à ta robe rouge ?

Je vois clair dans son jeu, mais je suis incapable de réagir. Roxanne sait très bien que j'ai caché à Max toute la portion téléréalité de mon mariage. Elle est venue ici dans le seul et unique but de foutre le bordel entre mon mari et moi.

Et la voilà qui continue de plus belle, cette fois-ci en s'adressant à mon chum de sa voix langoureuse.

— Vous savez, Maximilien, que vous avez beaucoup de succès auprès de nos téléspectatrices ? Elles sont toutes folles de celui qu'on a appelé « l'homme de Charlotte ».

Et voilà, elle l'a fait. Briser mon ménage ! Et, ça, le soir du plus grand jour de ma vie ! Elle semble tellement contente. Tellement fière de son coup. Tellement remplie d'une satisfaction malsaine. M'humilier est la chose qui semble lui faire le plus plaisir au monde.

Je n'ose pas regarder Maxou. Il doit avoir l'air furieux. Je baisse les yeux au sol, que je fixe pendant de longues secondes. Je l'entends se racler la gorge avant de prononcer des paroles qui, je le crains, resteront gravées dans ma mémoire pour le reste de mes jours.

— Bien sûr que je le sais. Les filles du bureau me l'ont dit.

Quoi ? Je n'ai pas bien saisi, je crois. Je lève les yeux et il est là, tout sourire devant moi, à parler à une Roxanne toute défaite. Visiblement, ce n'est pas la réponse qu'elle attendait. Moi non plus, d'ailleurs.

— Au début, votre truc de téléréalité… J'avoue que j'en avais rien à foutre. J'avais même demandé à Charlotte de refuser d'y participer. Tu te souviens, ma chérie ?

Je hoche la tête de haut en bas. Je me rappelle très bien. Par contre, ma mémoire ne m'indique pas qu'il m'ait autorisée à le faire par la suite. À mes côtés, je sens Roxanne qui se décompose de plus en plus.

— Et puis, un jour, il y a Camille et deux autres nanas des comm' qui débarquent dans mon bureau. Et là, bisous, bisous, elles me félicitent pour mon mariage. Mais le problème, c'est que personne n'était au courant au consulat.

Je suis fascinée par le récit de Maxou. Il le savait. Je n'en reviens pas ! Et moi qui ai angoissé pendant des semaines à l'idée qu'il l'apprenne. Qui n'ai pas dormi pendant trois nuits pour trouver le courage de lui annoncer que notre dessert serait une fondue au chocolat, tout en lui faisant croire que ça allait être extraordinaire. Tout compte fait, il s'est bien payé ma tête.

Je continue d'écouter la suite en tortillant une mèche de cheveux maintenant plus du tout bouclée.

— Du coup, je n'ai pas compris. J'ai pigé quand Camille m'a dit que « j'étais trop chou » de faire ça pour ma copine, d'accepter que mon mariage passe à la télé.

Là, je ne suis pas certaine que j'aime cette partie du récit. Encore une tentative de séduction déguisée de la part de son adjointe !

— Donc, vous le saviez depuis… depuis quand exactement ? lui demande Roxanne.

— Mais pratiquement depuis le début, madame D'Amour.

Je sursaute en entendant la réponse de mon mari.

— Hein ? Depuis le début ? Et t'as joué le jeu tout le long ? Pourquoi tu me l'as pas dit ?

— Parce que c'était beaucoup plus rigolo de te regarder me cacher la vérité. C'est pas possible, les prouesses que tu as faites, ma chérie. Je me suis marré, t'as pas idée.

Et il me lance tout ça comme si c'était la chose la plus naturelle du monde que de s'amuser aux dépens de sa fiancée, sans aucun remords. Ce qui fait sourire malicieusement Roxanne, qui reprend de l'aplomb peu à peu.

— Bon, bon, ça va, dis-je, à la fois honteuse et vexée. Mais qu'est-ce qui t'a fait changer d'idée ? T'étais vraiment contre, au début.

— Écoute, j'ai compris que c'était important pour toi. Et puis, c'était pas si mal, finalement. Les filles trouvaient ça hyper *cool*.

Ahhhhh… La voilà, la vraie raison. Monsieur attirait les regards admiratifs de la gent féminine du bureau. Et ça, il n'y a pas un homme qui peut y résister, n'est-ce pas ?

— Attends qu'elles te voient me chanter du Joe Dassin sur les ondes, lundi… Une chance que tu ne seras plus ici. Tu te serais sûrement fait kidnapper par une gang de filles en amour avec toi, dis-je sur un ton mi-figue mi-raisin.

— Ouais, c'est pas bête. Je pourrais peut-être rester quelques jours encore… Histoire de goûter une dernière fois à la «saveur locale».

— Eille, que je te voie!

J'éclate de rire et je me réfugie dans ses bras pendant que Roxanne nous observe. Je m'apprête à lui lancer un de ces regards triomphants dont je suis capable. Seulement pour lui rappeler qu'elle a raté son coup. Et que c'est moi qui ai gagné.

Mais quand je vois ses yeux, le désir d'afficher ma victoire disparaît. Son regard est celui d'une femme aigrie et déjà vaincue. Celui d'une femme qui est en train de perdre ce qu'elle a de plus cher au monde : l'amour du public.

Derrière son masque de diva capricieuse se cache un être humain qui a toujours eu un besoin démesuré d'amour et de reconnaissance, ce que Roxanne avait trouvé dans les yeux de son public, fidèle au poste tous les jours.

Maintenant qu'elle sait que très bientôt tout ça prendra fin, elle est complètement désemparée. Elle tire donc dans toutes les directions. Et sa cible préférée, c'est moi.

Finalement, elle m'inspire de la pitié. À quarante-six ans, elle se retrouve seule après un divorce qui lui a coûté très cher. Sans enfants, elle n'a qu'un chien pour compagnon de vie et des amants de passage pour combler ses nuits. En plus, sa carrière vivote. Pathétique.

Je devrais peut-être lui tendre la main? Me réconcilier avec elle? Après tout, Roxanne n'est pas un monstre. Allons, Charlotte, fais preuve d'empathie un peu…

— Roxanne, tu veux…

Pendant que je m'éloigne de mon mari, elle me coupe la parole *subito presto*.

— Alors, Charlotte, as-tu aimé mes *cupcakes*? Tu trouves pas qu'ils ressemblent à mon adorable chien?

Ah, la chipie! J'oublie instantanément mes bonnes intentions. Impossible de lui faire confiance. Le profond sentiment d'injustice que j'éprouve depuis que Roxanne a commencé à me mener la vie dure remonte à la surface.

Je n'ai rien fait pour mériter un tel traitement. Au contraire, j'ai toujours été une recherchiste dévouée et fidèle. Je ne compte plus les fois où j'ai menti pour la couvrir. Et pas seulement aux patrons. À son ex-mari aussi. Je ne l'ai jamais trahie.

Non, en fait, elle n'a rien à me reprocher. Mon seul péché, c'est de ne pas avoir encore eu besoin de recourir au Botox pour avoir l'air jeune en ondes. Je me suis toujours retenue de lui dire ses quatre vérités, mais là, je sens que la coupe est pleine. Et qu'elle s'apprête à déborder.

— Toi, Roxanne D'Amour… Quand je pense à tout ce que j'ai fait pour toi.

Maxou me prend par le bras, qu'il serre juste assez légèrement pour que je comprenne le message.

— Bon, allez, Charlotte, on nous attend pour la suite.

Le ton sans équivoque de mon mari me fait comprendre qu'il n'apprécierait pas du tout que la soirée de notre mariage se transforme en un mauvais vaudeville.

Je respire profondément pour me calmer. Maxou regarde rapidement autour de lui, aperçoit Ugo et lui fait signe de s'approcher. Il tend ensuite la main à Roxanne.

— Madame D'Amour, j'ai été heureux de vous rencontrer. Merci d'être venue. Notre ami Ugo va vous raccompagner à la sortie. Bon retour à la maison.

Il tourne les talons, m'entraînant avec lui en me tenant par la main, pendant qu'Ugo s'occupe de Roxanne, que j'imagine vexée. Elle qui est si peu habituée à se faire congédier, même le plus poliment du monde.

— Comment tu fais, mon chéri, pour ne jamais t'emporter en public? Moi, je suis pas capable.

— Mais si, tu peux le faire. Suffit d'un peu de bonne volonté. Et puis, tu n'auras pas d'autre choix que de t'y habituer.

— Comment ça?

— Parce que tu crois que le directeur du cabinet du ministre des Affaires étrangères peut se permettre d'avoir une épouse qui manque de *self control*? Ici, peut-être, mais pas chez moi.

Indignée, je lâche subitement sa main. Je cherche moi aussi une réplique assassine. Mais comme ce n'est pas naturel chez moi, je n'y arrive pas comme ça, tout simplement en criant ciseau. Ce qui laisse le temps à Victoria de venir nous rejoindre, mettant ainsi fin à toute possibilité de discussion entre Maxou et moi. Et qui permet à mon sentiment d'indignation de s'apaiser.

Finalement, c'est une bonne chose. Je ne peux tout de même pas passer ma soirée de mariage à argumenter avec tout le monde. De grâce, un peu de répit.

En fait, je commence à connaître assez Maxou pour savoir qu'il ne dit pas ça méchamment. Ça fait juste partie de lui et de son ambition démesurée. Non, la chose qui m'inquiète le plus dans ses paroles et que je n'avais pas vraiment réalisée jusqu'à présent, c'est le rôle dans lequel il m'a *castée*.

Celui de l'épouse du directeur du cabinet du ministre des Affaires étrangères. Ministre français, de surcroît. C'est vraiment moi, ça? C'est vraiment Charlotte Lavigne? Humm… Un peu tard pour me poser la question.

Un serveur qui s'approche de moi me tire de mes réflexions.

— Madame Lavigne, vous voulez qu'on la parte maintenant, la fontaine à chocolat? Je ne veux pas vous presser, mais la soirée avance.

— Oui, oui, allez-y. On arrive.

Maxou et moi, on s'avance vers la table à desserts et je croise les doigts pour qu'aucun accident fâcheux ne vienne troubler la fête.

***

— T'es contente de ta soirée?
— Oui, très contente.

Je danse le dernier *slow* de mon mariage dans les bras d'Ugo. Nu-pieds, le chignon défait et le maquillage pratiquement disparu. Il est 4 h 15. Nous ne sommes plus qu'une douzaine dans la grande salle du Chalet du Mont-Royal.

Je repasse dans ma tête les moments clés de la journée. Et je constate que mes pires appréhensions ne se sont pas concrétisées. Ma robe est encore d'un ivoire éclatant. Aucune trace de la fondue au chocolat.

D'ailleurs, en y repensant bien, ça a été plutôt un moment sympathique. Moins guindé que si nous avions servi le traditionnel gâteau blanc. Bon, on a évité la catastrophe de justesse quand l'oncle Bernard s'est approché de la table des desserts… en titubant.

Heureusement, maman l'a rattrapé juste avant qu'il tombe, la tête la première, dans la fontaine dégoulinante de chocolat. Une seconde plus tard et il éclaboussait ma robe et celle de Marianne.

Maman lui a servi son assiette et il a trouvé le moyen de s'en mettre plein la chemise jaune. Mais, au moins, les dégâts se sont limités à sa tenue à lui. Ouf!

Les paroles de la très belle chanson *Fix you* de Coldplay me poussent à serrer Ugo encore plus fort dans mes bras.

— Et toi, t'as aimé ta soirée? À part les amis de Max.

— Oui, oui, ça s'est tassé. J'espère juste que ça mettra pas trop Justin sur les *breaks*.

Je jette un coup d'œil du côté de l'amoureux d'Ugo, assis à une table avec Marianne. Chacun un verre de rouge à la main, ils semblent avoir une discussion animée. Ça me rappelle la promesse qu'Ugo m'a faite un peu plus tôt, entre *Laissez-moi danser*, chantée par Dalida, et *Réverbère*, d'Ariane Moffatt.

Quand je lui ai appris que je soupçonnais Marianne de refouler sa véritable identité sexuelle, il a confirmé mes doutes. Lui aussi s'en était rendu compte au cours de la soirée. Il m'a assuré que lui et Justin allaient s'occuper d'elle.

On continue de danser collés. En silence, pour mieux écouter la voix de Chris Martin. *Fix you*, c'est notre chanson fétiche à tous les deux.

Lights will guide you home,
And ignite your bones,
And I will try to fix you.

S'il y a un homme dans ma vie qui m'a réparée, restaurée, remise en état et raccommodée, c'est bien Ugo. Et plus d'une fois.

— Tu vas me manquer. Tellement.

— Toi aussi, chérie.

Je suis au bord des larmes. Ugo prend mon visage entre ses mains et me sourit.

— Surtout maintenant que je connais tes talents de danseuse de limbo.

— Niaiseux!

Et j'éclate de rire au souvenir du numéro de limbo que j'ai dû exécuter un peu plus tôt pour la caméra de Ji-Pi. Numéro que j'avoue avoir réussi haut la main grâce aux deux Kamikazes avalés coup sur coup juste avant, histoire d'enlever toute inhibition. Et après avoir retiré mes talons hauts.

— T'étais trop *hot*, Charlotte. T'es passée sous la barre à quoi? Un mètre du sol environ?

— Ouin, à peu près. C'est facile. Le truc, c'est d'y aller les jambes écartées... Tu comprends, pour assurer l'équilibre.

— Ouais, c'est ce que tu m'as dit de faire, mais ça a pas trop marché.

— Ben non, t'étais bon aussi. Merci d'avoir participé, chéri.

Je souris en repensant à ce moment rigolo du mariage. Après les applaudissements de mes invités, je les ai mis au défi de me suivre. Quel ne fut pas mon soulagement quand plusieurs d'entre eux ont accepté de se prêter au jeu ! En fait, pratiquement tout le monde s'est essayé au moins une fois. Sauf mon mari. Et la reine, bien entendu.

Finalement, c'était un très beau mariage. Et ça valait bien les… Combien déjà ? Vingt-cinq mille dollars ? Vingt-neuf ? Non, c'est vrai… Trente-quatre mille dollars… Comme me l'a volontairement rappelé maman avant de partir tout à l'heure, afin que je me sente encore plus redevable à son égard. Mille dollars pour chaque année de ma vie.

Maman en a profité aussi pour m'annoncer qu'elle débarquerait à Paris sous peu et que j'avais intérêt à inviter l'oncle de Maxou à souper en même temps qu'elle.

La chanson de Coldplay tire à sa fin. Et la plus belle journée de ma vie aussi. Demain sera un jour ordinaire. Plus de mariage à préparer, plus de menu à élaborer, plus de robe à choisir… Un peu triste, tout ça.

Mais je crois que je n'aurai pas beaucoup de temps pour me laisser aller à la nostalgie. Il me reste deux semaines en sol québécois. Deux semaines pour finir de préparer mon départ et pour profiter de chaque instant avec Ugo.

— Alors, madame Lhermitte…

— Ugo, appelle-moi pas comme ça.

— Désolé, mais va falloir que tu t'habitues, c'est comme ça qu'ils vont t'appeler, là-bas.

— T'es sûr ?

— À certaines occasions, oui.

— Bon, une autre affaire…

— Alors, je reprends. Madame Lhermitte, êtes-vous prête pour la grande aventure de votre vie ?

La dernière note de la chanson se fait entendre. Puis, le silence tombe dans la grande salle et les lumières s'allument. Je regarde mon meilleur ami droit dans les yeux.

— Je sais pas, Ugo. Je sais pas.

13

Paris, ville des amoureux. Vraiment ?

— *M*essieurs-dames, j'espère que vous avez fait un bon vol. Bienvenue à Paris–Charles-de-Gaulle. Il est présentement 10 h 36 et il fait dix-neuf degrés à l'extérieur. Bon séjour dans la capitale française.

Ça y est. J'y suis. Dans ma nouvelle ville. Dans ma nouvelle vie. Avec mon nouveau statut de femme mariée. Que de nouveautés en si peu de temps !

Je descends de l'avion, fébrile à l'idée de revoir Maxou après deux longues semaines de douloureuse séparation, d'autant qu'elle a eu lieu presque au lendemain de notre mariage. Ce n'est pas tout à fait ce que j'appelle un voyage de noces.

Les procédures pour entrer en territoire français s'éternisent. Le douanier qui m'a fait venir dans un petit bureau avec tous mes bagages me pose mille et une questions. Et, ça, même si j'ai tous les papiers nécessaires – pratique, un mari qui travaille pour le gouvernement français, n'est-ce pas ? Non, je n'ai aucune inquiétude de ce côté-là. Ils vont me laisser entrer.

Ce qui me préoccupe davantage, c'est le contenu de mes valises. Si les douaniers décident de les fouiller, ils vont me soupçonner de vouloir ouvrir une épicerie québécoise à Paris.

C'est que j'ai glissé dans mes bagages de multiples produits du terroir québécois. Question d'initier mes nouveaux compatriotes aux saveurs du Québec. Amandes au sirop d'érable, têtes-de-violon marinées au vin blanc, rillettes de maquereau de la Gaspésie, terrine de cerf rouge aux abricots, compote de chicoutais et quelques conserves de *smoked meat* de magret de canard. Sans oublier ces adorables petites brochettes de guimauves aux saveurs de myrtille, citron vert, érable pur et barbe à papa. Aussi originales que délicieuses !

Après de nombreuses discussions avec Ugo, je me suis finalement résignée à ne pas apporter de fromages québécois. Trop dangereux de se faire prendre à cause des odeurs. J'ai donc passé les deux dernières semaines à me gaver de cheddar Île-aux-Grues, de Bleubry, de Calumet, de Brise des Vignerons, d'oka L'Artisan et de Chevrochon. Un vrai délice !

Le douanier me laisse finalement passer, non sans me souhaiter bonne chance. Ouf ! Voilà une première étape de franchie. Je récupère mes bagages et me rue vers la sortie. Maxou doit m'attendre depuis un bon moment déjà.

Courir en traînant deux énormes valises à roulettes, mon sac à ordinateur sur une épaule et mon grand fourre-tout sur l'autre relève presque du sport extrême. Les couloirs de l'aéroport sont d'une longueur interminable et bondés de voyageurs qui semblent tous épuisés, soucieux et même irrités.

Il règne ici une agitation vraiment particulière. Une tension, dirais-je plutôt, que j'ai rarement ressentie dans un aéroport.

Courage, Charlotte, d'ici une minute, Maxou va tout prendre ça en main et tu vas pouvoir te reposer dans sa voiture. Après l'avoir longuement embrassé, bien entendu. Ah… les retrouvailles ! Y a rien de plus euphorisant !

J'arrive au bout du long couloir, face à l'entrée extérieure. Je regarde à gauche, à droite. Pas de Maxou en vue. Suis-je au bon endroit ? Je consulte le texto qu'il m'a envoyé hier. « Je t'attendrai à l'entrée du terminal 3. »

Bon, c'est bien ici. À moins que… Vérifions pour être certaine. J'interroge une dame qui entre en coup de vent dans l'aéroport.

— Madame, on est bien au terminal 3, ici ?

— Pardon ? Vous dites ? me répond-elle en ralentissant à peine le pas.

— Euh… Le terminal 3, c'est ici ?

— Oui, oui.

Et elle s'éloigne d'un pas décidé sans même que j'aie le temps de la remercier.

Première confirmation de tout ce que j'ai lu sur Paris : les gens sont terriblement pressés ici. Ce qui ne semble pas le cas de mon amoureux. Merde ! Qu'est-ce qu'il peut bien faire ? En retard le jour de mon arrivée. Pas fort…

Je m'appuie lourdement contre une de mes valises. Je sens maintenant toute la fatigue du voyage et du décalage horaire m'envahir. Et puis j'ai super faim, moi ! Je n'ai pas pu avaler une bouchée de l'infect repas servi pendant le vol. Je n'ai mangé que des bretzels en buvant du vin rouge *cheap*. Pas très nourrissant.

Bip ! La sonnerie de mon cellulaire se fait entendre. Un texto que je m'empresse de lire. « Désolée ma chérie. Retenu au boulot. Prends un taxi, maman t'attend à l'appart. »

Quoi ? Non seulement il ne sera pas là, mais en plus il m'impose la reine dès mon arrivée. Et il n'y a même pas de bisous à la fin de son message. Mon périple parisien s'annonce bien !

Je suis terriblement déçue. Ce n'est pas du tout comme ça que j'imaginais mon arrivée dans mon nouveau chez-moi. Seule, triste, fatiguée et affamée.

Raisonne-toi, Charlotte. Tu es dans la plus belle ville du monde. Enfin, c'est ce qu'on dit. Puisque, pour moi, c'est une première.

Je me lève quand, tout à coup, mon cellulaire sonne encore. Un deuxième texto. Encore Maxou. « Repose-toi bien. Je t'amène chez Joël Robuchon ce soir. xx » Ah, voilà un homme qui sait se faire pardonner.

L'idée de manger dans un des plus grands restaurants de Paris le soir même de mon arrivée me donne des ailes. Je me dirige prestement vers la station de taxis, un peu plus loin. Mais mes nombreux sacs et valises ont tôt fait de ralentir mon rythme.

Plusieurs voyageurs passent en trombe à côté de moi. Facile quand on tire seulement une petite valise. Je les vois se mettre en file les uns après les autres pour prendre un taxi. Plus je m'approche, plus la file s'allonge. Mon Dieu, je ne suis pas près d'être à la maison. La maison ! Ça me fait tout drôle de dire ça dans une ville qui m'est encore inconnue.

Je me place à la fin de la queue et j'attends patiemment mon tour. J'en profite pour mettre mes écouteurs et me laisser porter par la voix chaude de Bobby Bazini. Après tout, qu'est-ce qui presse tant ? Je peux bien faire attendre ma belle-mère un peu…

Une vingtaine de minutes plus tard, c'est mon tour. Le chauffeur de taxi s'apprête à soulever ma valise fleurie quand une question me vient à l'esprit.

— Combien ça va me coûter, d'ici à la rue de Grenelle ?

— Rue de Grenelle, dans le 7e… Environ 60 euros, madame.

Soixante euros ! Bon, je ne sais pas encore très bien faire la conversion en dollars canadiens. Mais 60 euros, plus le pourboire, ça doit bien représenter autour de 100 dollars. Quoi ? Cent piasses de taxi ! Oubliez ça !

Je préfère garder mon argent pour acheter la collection Glamour des mini-cocottes Le Creuset, que j'ai vue sur le site Internet de Kitchen Bazaar. Des mini-cocottes roses et mauves, c'est trop *cute*! J'imagine déjà tout ce que je vais pouvoir servir à mes invités dans ces adorables petits plats: confit de poireau et chèvre en entrée, œufs pochés sur mousseline de saumon pour le brunch, pommes de terre rattes à la crème de morilles en accompagnement d'un gigot d'agneau, crevettes au mélange cinq-épices chinois lors d'un souper aux saveurs exotiques et panna cotta à la vanille et son coulis de groseilles pour dessert... Les possibilités sont infinies.

Et je vais me priver de tout ça simplement parce que je suis trop paresseuse pour traîner mes valises jusqu'à la station de train? Ridicule! On nous a toujours vanté l'efficacité du transport en commun européen. Eh bien, voilà le temps de le tester.

— Désolée, dis-je en reprenant la poignée de ma valise. Ce sera pour une autre fois.

Je m'éloigne en suivant les indications qui mènent au R.E.R. J'entends la voix du chauffeur de taxi dans mon dos.

— Vous allez où, là, madame?

Non, mais de quoi il se mêle, celui-là? Il n'a qu'à faire monter le client suivant, ce n'est pas ça qui manque. Je ne lui ai pas fait perdre une course, à ce que je sache. Je lui réponds tout de même, pour ne pas le laisser sur l'impression que les Québécoises sont bêtes et froides.

— Ben, prendre le train.

— Ah non, vous pouvez pas.

— Comment ça?

— Ben, c'est la grève. Vous avez pas lu les journaux?

Je m'arrête subitement. Non, je n'ai pas lu les journaux. Non, je n'étais pas au courant. Mais j'en connais un qui l'était et qui ne m'en a jamais parlé. Et s'il n'y avait eu aucun taxi disponible, hein? Il m'aurait laissée ici, poireauter comme une belle dinde pendant des heures?

J'éprouve tout à coup un profond sentiment d'abandon. Quel mari laisse sa femme arriver toute seule dans une ville assiégée par des grévistes en colère? Et encore pire, par une population également furieuse? Si je me fie à ce que j'ai déjà vu aux nouvelles, Paris n'est pas très rassurante en temps de grève.

J'ai soudainement envie de faire payer mon mari pour son manque d'attention à mon égard.

— Vous savez quoi? Je vais le prendre, votre taxi. Vous allez me conduire rue de Grenelle. J'y déposerai mes bagages et, ensuite, vous m'amènerez chez *Ladurée*, sur les Champs-Élysées. Ça vous va?

— À votre service.

— Et je vais prendre un reçu au nom de Lhermitte, s'il vous plaît. Maximilien, le prénom.

∗∗∗

— Deux macarons à la lavande et un paris-brest, s'il vous plaît.

— Et pour boire?

— Un café crème.

Je remets le menu au serveur et j'observe les lieux avec satisfaction. Me voilà enfin dans le salon Mathilde, chez *Ladurée*, où je rêve de m'asseoir depuis des années.

J'avais tellement imaginé ce moment dans ma tête que je savais exactement quoi commander. Et quel vocabulaire utiliser. Ici, les *latte* n'existent pas: ça s'appelle un café crème. Pas question que je me fasse rabrouer par des garçons qui ne comprennent pas ce que je veux.

Et dire que j'ai failli prendre mon premier repas à Paris en compagnie de ma belle-mère. Je me rappelle son air outré quand j'ai déposé mes valises dans le couloir en lui disant que je reviendrais d'ici quelques heures.

— Mais où allez-vous ? Vous ne voulez pas visiter l'appartement ? m'a-t-elle demandé.

— Plus tard, si ça vous dérange pas. Là, je m'en vais dîner sur les Champs-Élysées. Mon taxi m'attend et je ne veux pas prendre le risque de le perdre.

— Écoutez, Charlotte, je n'ai pas que ça à faire, vous attendre. Je ne suis pas à votre disposition.

— Ben, vous n'avez qu'à me donner les clés.

— Je viens avec vous, plutôt.

— Euh… Écoutez. C'est que, après ça, je vais magasiner un peu.

— Magasiner ? Mais qu'est-ce que ça veut dire ?

— Ben… Faire du *shopping*, si vous préférez. Et je pense pas que vous allez vouloir aller dans les mêmes boutiques que moi, n'est-ce pas ?

Une réplique qui, heureusement, l'a dissuadée de m'accompagner. J'espère seulement qu'elle ne me fera pas constamment expliquer mes expressions québécoises. Ça va être chiant à la fin.

Et maintenant, je peux savourer tranquillement mes premières heures à Paris. Je ne connais pas la ville, mais déjà j'ai l'impression que je vais rapidement me sentir chez moi.

Depuis toujours, je m'amuse à donner des genres aux grandes villes du monde. Même sans les avoir visitées. Je m'inspire des revues que j'ai lues, des films que j'ai vus ou des récits de voyage de mes amis. Et, pour moi, Paris est une ville assurément féminine.

À cause de son côté romantique, de la splendeur de son architecture, de l'élégance de ses habitants, de sa mode avant-gardiste, de ses parfums enivrants, de ses pâtisseries raffinées, de son art de vivre unique. En fait, Paris, c'est la capitale du luxe. Et, moi, je suis faite pour vivre dans le luxe.

Bon, c'est certain que, si je veux profiter de tout ça, je vais devoir trouver une façon de gagner ma vie ici. Ce qui m'angoisse au plus haut point quand je me mets à y réfléchir. Je refuse toutefois d'y penser aujourd'hui. Profitons plutôt du moment.

Les macarons sont divins. Tout comme le gâteau et le café. Je flotte littéralement. Oubliés, la fatigue du voyage, le décalage horaire, mon ressentiment envers Maxou.

Je reprends la lecture que j'avais commencée dans l'avion. Un livre que j'ai commandé sur Internet avant mon départ. *La Parisienne*, d'Inès de la Fressange. J'ai aussi acheté *Une vie de Pintade à Paris*, que je viens tout juste de terminer.

Avec tout ça, je devrais en savoir assez sur ce qu'on appelle la « parisienne attitude ». Ce dernier mot étant prononcé à l'anglaise, bien entendu. Une attitude qu'il me faut développer le plus rapidement possible pour ne pas avoir l'air d'une touriste dans ma propre ville.

J'ai compris que j'allais être condamnée à me chausser de talons hauts tous les jours, mal aux pieds ou pas. À vernir mes ongles avec une couleur foncée et opaque. À porter un manteau noir, une veste noire, des pantalons noirs. À posséder une tonne d'accessoires différents, dont de nombreux sacs à main. À ne pas sortir sans maquillage, ni sans avoir coiffé mes cheveux, mais pas trop. Et, ça, même pour aller acheter une baguette à la boulangerie. À rester mince et à ne pas prendre un seul kilo.

Et surtout, surtout, à circuler dans la rue d'un pas rapide, le nez légèrement en l'air. Je dois donner l'impression de savoir parfaitement dans quelle direction je m'en vais. Finies, les balades, l'air insouciant.

Ce sont des changements esthétiques que je suis prête à faire pour m'adapter. Par contre, pas question de me mettre à parler avec un accent français et de râler sur tout, comme les Parisiennes semblent le faire. Ah, là, non ! Je veux rester la gentille Québécoise que je suis.

Rassasiée, je sors du restaurant et je décide de retourner chez Maxou... euh... chez moi. Histoire de piquer un somme avant notre grande sortie de ce soir. Et de découvrir mon nouveau logis, dont je n'ai vu que quelques photos.

J'essaie de mettre en pratique tout de go mes nouvelles habitudes parisiennes. Je commence à marcher d'un pas rapide vers... vers la droite, tiens. Peu importe la direction, puisque tout ce que je cherche, c'est un métro. Ah non, c'est vrai : pas de transport en commun à Paris aujourd'hui.

Bon, une bonne marche ne me fera pas de tort. Mais c'est par où, le 7e arrondissement, déjà ? J'essaie de me rappeler par quel chemin je suis arrivée tout à l'heure en taxi. Humm... J'étais tellement éblouie de découvrir Paris que je n'ai pas remarqué du tout le nom des rues dans lesquelles nous avons circulé.

Et là, je suis sur la rive gauche ? Ou sur la rive droite ? Il me semble bien avoir traversé la Seine, mais je n'en suis plus du tout certaine. Je décide de faire demi-tour pour essayer de trouver un repère et j'aperçois au loin l'Arc de triomphe. Wow ! Impressionnant !

La vue doit être tout simplement spectaculaire, tout là-haut. Humm... Bien tentant tout ça. Ah... Et puis au diable la sieste ! J'aurai bien le temps de dormir dans une autre vie. Allons plutôt explorer ma nouvelle ville.

***

— T'es où, là, Charlotte ? Ça fait des heures que je te cherche, me demande Maxou à la minute où je réponds à mon cellulaire.

— Je suis dans Montmartre.

— À Montmartre ? Mais qu'est-ce que tu fous là ?

— Ben, je visite, qu'est-ce que tu penses ?

Dans les faits, j'ai plutôt passé l'après-midi à magasiner, comme en témoignent les nombreux sacs que je traîne avec moi. Mais il est inutile de le préciser pour l'instant, n'est-ce pas ?

— Pis là, je suis complètement crevée. J'ai passé ma journée à marcher et à chercher des taxis. Mais j'en ai jamais trouvé.

— Ouais, bon, c'est la grève, hein ? Faut pas s'attendre à des miracles.

— Franchement, Maxou, t'aurais pu te libérer pour venir me chercher, ce matin. Tu savais qu'il y avait une grève et tu m'as quand même laissée me débrouiller toute seule.

— Excuse-moi. Je n'ai vraiment pas pu faire autrement.

— Tu mériterais juste que je prenne le prochain avion pour Montréal.

— Non, mais attends. Je savais qu'à l'aéroport ce ne serait pas compliqué d'avoir un taxi. Il y en a toujours, grève ou pas. Je n'ai juste pas pensé que tu irais te balader ensuite.

— Ouin… On va dire que je te crois, dis-je, trop épuisée pour m'obstiner.

— Mais oui, je t'assure. Et le vol, ça s'est bien passé ?

— Comme un charme… Bon, tu peux venir me chercher maintenant ?

— J'arrive. T'es où exactement ?

Je lui dis que je vais l'attendre au *Café des 2 Moulins*, que je viens d'apercevoir à ma droite. Le célèbre café d'Amélie Poulain, celui où elle travaillait dans le film. Quel coup de chance ! Ou de bol, devrais-je dire.

Je raccroche, je vais m'asseoir à la terrasse et je commande un verre de rosé. Pendant un instant, je revois dans ma tête quelques images du célèbre film, que j'ai tant aimé.

J'imagine Audrey Tautou qui vient me servir un café. Elle s'assoit à mes côtés. On placote des heures, en mangeant une crème brûlée. Elle m'apprend tout de Paris. Et on devient les meilleures amies du monde. Trop *cool*.

La fumée de cigarette que je reçois en plein visage me tire de ma rêverie. C'est qu'ici on est vraiment près de nos voisins de table. Collés même. En fait, je suis prise en sandwich entre un couple à l'air blasé et deux filles qui viennent de déballer chacune un paquet de Philip Morris. Navrant.

Quarante-trois minutes et deux verres de vin plus tard, je vois mon amoureux arriver à la terrasse. Le pas rapide, l'air préoccupé et le cellulaire à la main, comme toujours à la fin d'une journée éreintante. Rien de bien nouveau, donc. Alors pourquoi ai-je l'impression qu'il est encore plus stressé qu'à l'habitude?

— Salut, mon amour, lui dis-je.

Et voilà son visage qui s'illumine d'un large sourire. Je me lève et il me prend tendrement dans ses bras.

— Je suis vraiment heureux de te retrouver.

— Moi aussi.

On reste comme ça quelques instants, en silence, blottis l'un contre l'autre. Plus rien ne me dérange. Ni la fumée de cigarette, ni le cabas Chanel de ma voisine – exactement celui dont je rêve depuis toujours –, ni la gigantesque ampoule qui s'est formée derrière mon talon à force de marcher.

— J'étais inquiet, Charlotte. J'ai essayé de te joindre je ne sais plus combien de fois cet aprèm. Pourquoi tu ne répondais pas?

— Euh… J'avais fermé mon téléphone sans faire exprès. Je m'en suis rendu compte y a une heure seulement.

Pas besoin d'avouer que j'ai intentionnellement ignoré ses appels dans le seul but de lui faire payer son absence à l'aéroport, hein? Une chicane le jour même de notre nouvelle vie à deux n'est pas vraiment ce que j'appellerais un *must*.

— Alors, t'as aimé l'appart?

— Euh, oui, oui, dis-je du bout des lèvres, n'osant pas reconnaître que je n'ai pas encore fait le tour du propriétaire.

— Et qu'est-ce que t'as acheté? me demande Maxou en s'éloignant de moi pour se pencher et prendre mes sacs.

— Bah… Des trucs pour la cuisine.

— Pour la cuisine?

— Ben oui, des mini-cocottes, un couteau en céramique, un bol à salade blanc à pois bleus, une passoire rétro rose pâle et deux ou trois autres babioles.

— Mais j'ai déjà tout ça, Charlotte. Et t'as vu la grandeur de la cuisine? Y a de la place que pour le nécessaire. Pas plus.

— Ben, il va falloir faire de la place, Max. Parce que, moi, j'ai pas l'intention de cuisiner avec les vieilles affaires de tes ex-blondes.

— Hé! Oh! Il y a mes trucs à moi, aussi.

— À toi? Voyons, Maxou, tu ne cuisines jamais.

— Peut-être, mais je sais acheter des verres à vin.

— Ça, j'en doute pas. Eh bien, c'est simple. Tu me montreras ce que, toi, tu as choisi. Et le reste, on s'en débarrassera.

Je vois bien que Maxou n'est pas d'accord, mais il n'ose rien dire. Il y a longtemps que mon chum a compris que le *boss* de la cuisine, c'est moi.

— De toute façon, on a pas le choix. J'ai deux autres valises qui arrivent demain. Pleines de vaisselle.

Je ne m'attarde pas à son air découragé et je le suis jusqu'à la voiture, tout en lui parlant avec enthousiasme de ma toute première balade dans les rues de Paris.

14

« Avec les cuisines minuscules qu'ils ont ici,
c'est pas étonnant que les Parisiens
mangent toujours au resto. »
Un Nord-Américain en visite dans la Ville lumière

— *E*t puis, ta première semaine ? Ça s'est passé comment ?

— Extraordinaire !

Assise à l'indienne sur mon lit, l'ordinateur devant moi, je *skype* avec Ugo. Il a été tellement occupé ces derniers jours, avec l'ouverture d'une deuxième boucherie dans le Vieux-Longueuil, que c'est la première fois que nous réussissons à nous parler depuis mon départ.

— Ah oui ? Raconte.

— Ben, tout d'abord, le premier soir, on est allés manger à *L'Atelier* de Joël Robuchon.

— Est-ce que c'est aussi bon qu'on le dit ?

— Encore mieux. La caille au foie gras est débile. Je pense que j'ai jamais rien mangé d'aussi bon dans ma vie.

— Ouin, il te gâte, ton mari.

— Ouais, pas mal. Je suis chanceuse.

Je me replonge un instant dans l'atmosphère douce et tendre de cette soirée magique. Je revois les plats spectaculaires arriver les uns après les autres à notre table. Tellement sophistiqués que j'aurais peine à les décrire.

Je me souviens aussi du regard amoureux de Maxou, des projets que nous avons faits pour notre première semaine à Paris. Je lui ai demandé de venir visiter la tour Eiffel avec moi, le samedi. Il a accepté, à contrecœur, en me disant qu'il y était monté déjà trop de fois.

Il m'a ensuite proposé d'aller voir le nouveau film de Bertrand Blier, le mercredi soir, et nous avons convenu d'assister au spectacle de Rachid Badouri, le jeudi soir. Mon humoriste préféré qui se produit en France. Trop *hot*!

Sauf qu'une semaine plus tard je me rends compte que nous n'avons fait ni l'une ni l'autre de ces activités, Maxou étant trop occupé au boulot. Bon, j'imagine qu'il ne sera pas dans le jus éternellement.

— À part ça? me demande Ugo.

— Ben… Je me suis beaucoup promenée dans la ville, au bord de la Seine. C'est tellement beau. Et j'ai passé beaucoup de temps à m'installer. Tu veux que je te fasse visiter ma nouvelle maison?

— OK.

Je commence à me promener dans l'appartement en tenant mon ordinateur à l'envers, la lentille de la caméra web tournée vers les murs. Avec beaucoup d'entrain, je décris les pièces une à une. Ma chambre, la chambre d'amis qui sert aussi de bureau, le salon double, la salle à manger, la salle de bain et, finalement, la cuisine.

— Ça, c'est mon univers, dis-je en entrant dans la minuscule pièce.

— Ah… ben… ça a l'air *cute*.

— Oui, oui, c'est *cute*… J'ai essayé d'arranger ça pour que ça me ressemble.

Ugo ne dit pas un mot pendant que je lui fais faire le tour de la pièce. Ce qui dure deux secondes finalement. La cuisine est super propre, rénovée, moderne et éclairée. Je ne peux pas trop me plaindre. C'est juste qu'elle est vraiment, mais vraiment petite.

En tout, il y a deux tiroirs pour les ustensiles et six petites portes d'armoire. Incluant le garde-manger. Le comptoir est tout juste assez grand pour accueillir un grille-pain et une cafetière. C'est tout. Les électros en *stainless* sont certes étincelants, mais ils viennent, eux aussi, en taille réduite.

Une mini-table et deux chaises droites nous permettent de déjeuner rapido le matin. En plus de me servir d'endroit pour couper mes légumes. J'ai installé une tablette sous la fenêtre pour y mettre mes livres de cuisine et j'ai accroché des paniers à fruits qui descendent du plafond, dans lesquels je mets bien entendu des fruits, mais aussi mes petits pots du terroir québécois.

Je dépose mon portable sur la table afin de faire face à nouveau à Ugo. Il a le visage impassible et, malgré toute la distance qui nous sépare, je sens son malaise.

— Quoi, qu'est-ce qu'il y a?

— Rien, rien.

— Ugo, niaise-moi pas. Je sais qu'il y a quelque chose.

— Non, c'est juste que je me demandais comment tu trouvais ça, de cuisiner dans si petit?

— C'est pas si pire…

— T'es sûre?

Ahhhh… Pourquoi Ugo ne peut-il pas me laisser me bercer dans mes illusions tranquilles? Pourquoi veut-il que je regarde la réalité en face? Réalité que je m'efforce d'ignorer depuis mon arrivée. Il vient tout gâcher, là!

— Bon, OK, c'est pas évident, mais je vais m'y habituer. Après tout, c'est partout comme ça, ici, tout le monde a un petit frigo, une petite cuisine. C'est pour ça qu'on fait les courses tous les jours. Moi, ça me pose pas problème, c'est ce que je faisais déjà au Québec... Bon, on prend-tu un apéro?

— Charlotte, il est seulement 11 heures du matin ici.

— Ah, c'est vrai. Fait que tu m'accompagneras pas? T'es donc ben plate.

Je lui tourne le dos pour ouvrir la porte du frigo et y prendre la bouteille de rouge que j'ai entamée... à midi.

Je me devais bien de faire honneur à l'excellent plat de canard fumé au thé, acheté au *Grenelle de Pékin* à l'heure du lunch. Sinon j'aurais commis un sacrilège, pas vrai? Et puis, comment peut-on résister à un vin tout à fait potable qui se vend à un prix aussi bas que 6 dollars la bouteille?

— Je pense pas que je vais prendre un verre en plein avant-midi juste pour te faire plaisir, chérie...

— Bon, bon, pas la peine de te fâcher. Parle-moi de toi plutôt. Comment ça va à ta succursale dans le 450?

— Ça va super bien.

— Ah oui? Raconte.

Ugo commence à m'expliquer que sa promotion d'ouverture «Trois pièces de viande pour le prix de deux» fonctionne à merveille. Les clients se bousculent aux portes de sa nouvelle boucherie décorée à la provençale, surtout que la saison du barbecue vient de commencer au Québec.

Je l'écoute attentivement en buvant quelques gorgées de coteaux-du-languedoc. J'éprouve une sincère admiration pour Ugo et son sens aiguisé des affaires. Dans ce domaine-là, il réussit tout ce qu'il entreprend. Et je l'ai toujours soutenu et encouragé.

Je ne peux toutefois pas m'empêcher de ressentir un léger sentiment de jalousie. Léger? En fait, un profond sentiment de jalousie. Envers qui au juste? Envers tous ceux qui l'accompagnent dans cette formidable aventure. Même son fournisseur d'huile d'olive de Nice AOC !

J'ai le douloureux sentiment d'être écartée du revers de la main. Comment se fait-il qu'il brille de tous ses feux même sans mon aide ? Même quand je ne suis pas là ? C'est quoi mon utilité de meilleure amie si ça ne change strictement rien, dans les faits, que je sois à ses côtés où à cinq mille kilomètres de distance ? Hein ?

— C'est Justin qui a eu l'idée de cette promo-là.

— Ah ouin.

Ugo m'informe ensuite que son local est tellement grand qu'il a décidé de s'associer avec un autre commerçant. Il a divisé l'endroit en deux et en a sous-loué une partie à un nouveau partenaire d'affaires.

— C'est qui ?

— Devine.

— Ben, je sais pas, moi. C'est quel genre de commerce ?

— Des fleurs, des plantes, des arbu…

— T'es pas sérieux, là, Ugo ? Tu t'es pas associé avec Justin ?

— Ben, pourquoi pas ? Ah… T'es vraiment de mauvaise foi.

— Juste prudente, Ugo, juste prudente. Qu'est-ce que vous avez tous à faire des affaires avec vos amoureux ? Aïsha, toi… C'est sûr que ça va mal tourner, ces histoires-là.

— Ben non.

— Ben oui. C'est pas parce que Justin a sa chronique horticole à la télé qu'il est capable de faire marcher une *business* de fleurs.

— Eille, t'es encourageante pas à peu près !

La dernière remarque d'Ugo et son ton excédé me ramènent à de meilleures dispositions. Je n'ai pas le droit de lui demander de mettre sa vie au neutre parce que je ne suis plus là. Après tout, ce n'est pas lui qui a choisi de venir vivre en France. Un peu de maturité, Charlotte.

— Ah… Excuse-moi. C'est juste que tout ça me manque un peu, tu comprends. J'ai pas encore d'amis ici.

— Ouin, mais ça va venir, Charlotte, laisse-toi le temps. Et Max est là, non?

— Ben oui, mais y est quand même assez occupé. Avec la job, son entraînement au soccer…

— Hein? Il joue au soccer?

— Ben, au foot, comme ils disent ici. Ouais, tous les mercredis soir. Et ça finit super tard parce que, après ça, il va prendre une bière avec ses amis. Mais les autres soirs, il est là, par exemple. Sauf qu'il finit jamais de travailler avant 8 heures. Souvent 9 heures. Ça fait qu'on mange tard.

— Ouin… Va falloir que tu te trouves des occupations si tu veux pas mourir d'ennui.

— Ah, t'en fais pas. J'ai plein de projets.

— Ah oui? T'as quelque chose en vue pour le boulot?

— Non. J'ai décidé de me donner quelques mois, je vais attendre à l'automne pour chercher une job. De toute façon, j'ai pas tous les papiers encore. Faut que je fournisse dix mille preuves. Et que je remplisse quinze mille formulaires.

— Mais ça doit être moins compliqué vu que t'es mariée?

— Mariée avec un membre du gouvernement français, je te rappelle. Ouais, c'est sûr que tout ça aide… mais c'est long pareil. Bof… Dans le fond, ça me dérange pas tant que ça. Ça fait même mon affaire.

— Tu m'étonnes, là. T'es pas habituée de rien faire.

— Non, mais là, je vais essayer d'en profiter. Imagine, ça va me donner tout l'été. Un été juste à moi… Je pense que ça m'est pas arrivé depuis le secondaire.

— Chanceuse… Et qu'est-ce que tu vas faire de tout ton temps?

— Visiter. Et essayer de me faire des nouveaux amis. Surtout de nouvelles amies. Des filles.

— Pourquoi tu dis ça?

— Ben, parce que je me rends compte que j'en ai pas eu beaucoup dans ma vie. Bon, oui, y a eu Aïsha, mais ça a toujours été compliqué. Là, j'ai envie d'un truc plus simple, plus clair, moins… Comment je pourrais bien dire ça? Je voudrais ne pas être une adversaire pour l'autre, qu'on soit moins…

— Moins en compétition.

— C'est ça. Moins en compétition l'une envers l'autre. Un peu comme ça l'était avec Marianne quand on était petites.

— Ouais… Mais ça, c'était avant. Quand les gars comptaient pas encore.

— Quoi? Qu'est-ce que tu veux dire exactement?

— Ben, je pense que tu as toujours… Ah, laisse faire, oublie ça, c'est pas important, répond Ugo, préférant visiblement ne pas s'aventurer sur ce terrain.

Pas question de le laisser s'en tirer comme ça. D'autant plus qu'il a réveillé mon mécanisme de défense.

— Eille, dis-moi le fond de ta pensée. Tu crois que je suis en compétition avec mes amies pour attirer l'attention des gars? C'est ça?

— Ben, un peu… Mais t'es pas toute seule comme ça, Charlotte. Y en a plein, des filles comme toi. C'est juste un peu normal, je pense.

— Ben, tu sauras que c'est beaucoup plus les autres qui sont comme ça avec moi. C'est pas moi qui me mets en compétition, ce sont elles!

— Bon, bon, peut-être.

— C'est pas de ma faute. Je fais rien, moi, pour mériter ça. Regarde Roxanne, c'est elle qui a un problème avec moi. Pas le contraire. Même chose pour maman. Avant qu'on devienne plus proches à cause du mariage, c'était elle aussi qui me jalousait. Pas moi.

— Hum, hum… OK, si tu le vois comme ça, Charlotte.

Je me lève, je prends mon verre de vin et lui tourne le dos pour éviter son regard inquisiteur. Même à travers l'écran de mon ordinateur, je sens bien qu'il trouve que mes propos manquent de nuance. Mais tant pis pour lui. Je n'ai pas l'intention de me remettre en question sur ce sujet-là aujourd'hui. Ni demain d'ailleurs.

— Charlotte, tu peux me montrer autre chose que tes fesses, là ?

— Non, dis-je d'un ton boudeur.

— Bon, t'es fâchée ?

— …

— Arrête de faire l'enfant.

— …

— S'il te plaît.

— …

— Bon, ben, je vais y aller d'abord. Je suis débordé et il faut que je me trouve un nouveau producteur de lapins. Je ne suis plus satisfait du mien.

Cher Ugo, il savait bien qu'il allait capter mon attention avec son histoire de lapins. Ma viande blanche préférée. Grillée sur le barbecue avec des épices indiennes, mijotée sur la cuisinière avec des pruneaux ou cuite en tajine avec des citrons confits.

Lapin farci aux canneberges, ragoût de lapin aux morilles, cuisses de lapin au prosciutto. Miam ! Ça me donne envie d'en cuisiner un. Là, tout de suite ! Est-ce qu'on en trouve facilement ici ? Et surtout… est-ce qu'il est abordable ?

Je me retourne et me rassois tranquillement face à mon ordinateur.

— Faut que tu fasses affaire avec les éleveurs de lapins de Stanstead. Ce sont les meilleurs. T'achèteras leurs confits aussi. Ils sont écœurants.

— Faut ben te parler de bouffe pour que tu cesses de bouder.

— Excuse-moi. Je suis un peu susceptible ces temps-ci.

— Seulement ces temps-ci ?

— Ah… Recommence pas.

— OK, OK, j'arrête. Promis... Miss SPM permanent.

— UGO !

— C'est beau. J'ai rien dit. J'ai rien dit.

On continue la conversation quelques minutes, jusqu'à ce que les obligations d'Ugo nous contraignent à y mettre fin. Je referme l'écran de mon ordinateur et regarde l'heure affichée sur le four à micro-ondes. 17 h 35. Encore trois heures à tuer avant le retour de Max.

Je soupire bruyamment avant de terminer mon verre de vin. J'enfile ma tenue de Parisienne : talons hauts, pantalon noir et veste en cuir rouge ajustée, achetés aux Galeries Lafayette hier midi. Et je sors de l'appartement pour aller prendre un deuxième apéro à la terrasse d'un café du boulevard Saint-Germain.

15

Menu *strip-tease* :
Asperges du printemps, vinaigrette crémeuse aux herbes.
Les escarpins de Madame, les souliers de Monsieur.
Crevettes sautées au poivre de Cayenne.
Les bas jarretières de Madame,
les chaussettes de Monsieur.

Cet avant-midi, je suis prête pour une nouvelle aventure : une visite au marché de la rue Mouffetard. Un endroit, semble-t-il, des plus animés, où j'espère pouvoir me faire de nouveaux amis. Ou plutôt de nouvelles amies.

Me voici donc devant un bel étalage de fruits en plein air, à choisir des oranges et des figues. J'adore l'atmosphère bon enfant du marché, sa rue étroite qui m'incite à m'approcher des autres clients, ses odeurs de poisson, de fromage et de pain chaud.

Je quitte le kiosque des fruits avec mon petit sac en papier brun et je me fie à mon nez pour trouver la boulangerie. Je m'offre une bonne baguette, que je m'empresse de commencer à grignoter dans la rue.

J'entre ensuite chez un marchand de vin, où je me procure deux bonnes bouteilles de rouge. Depuis que je suis arrivée en France, j'achète du vin de manière compulsive tellement je suis heureuse de payer si peu pour mes bouteilles. Maxou a beau me dire qu'il n'y a plus d'espace dans l'armoire qui nous sert de bar, je ne peux pas m'en empêcher. Comme si j'avais peur que, du jour au lendemain, les prix « reviennent à la normale ». *Stupid girl !* C'est ici, ta vie normale, maintenant.

Je poursuis mes courses tranquillement, mais je me rends rapidement compte que ce n'est pas ici que je pourrai me faire des amies. Les gens semblent terriblement occupés. Ils n'ont pas le temps pour une jasette, c'est certain. Il y a bien certaines personnes qui flânent un peu plus, mais, visiblement, ce sont des touristes. Et j'ai envie d'avoir une amie d'ici, une Parisienne qui pourrait tout m'apprendre de la vie dans la plus belle ville du monde. Bon, ce sera pour une autre fois. Devant ce triste constat, je décide de rentrer à la maison, pressée de me débarrasser de tous mes paquets. J'accélère le pas.

— Madame ! Hé ! Oh ! Vous voulez goûter à ma Ch'ti de Printemps ?

Je m'arrête soudainement, intriguée par les paroles que je viens d'entendre derrière moi. Ma quoi de printemps ? Je fais demi-tour.

Un jeune homme accoudé au comptoir d'un kiosque me fait un signe invitant de la main. Son sourire franc m'incite à le rejoindre. Il a devant lui des bouteilles de différentes bières et des feuillets explicatifs sur ses produits.

— Là, vous me faites plaisir, madame. Vous allez savourer la meilleure bière de tout le Pas-de-Calais.

— Merci, c'est gentil, mais je ne suis pas très bière. J'étais seulement intriguée par le nom que vous lui avez donné.

— Oh, allez… C'est ma Ch'ti de Printemps.

— Ahhhh… La Ch'ti. Comme Dany Boon.

— C'est ça. Allez… Je vous en offre un p'tit verre ?

— OK, une goutte.

— Et une goutte de Ch'ti de Printemps pour madame, dit l'inconnu en remplissant un verre à ras bord.

— Hé, hé, pas tant que ça.

— Bah, une p'tite bière, ça n'a jamais fait de mal à personne.

Je l'observe pendant qu'il essuie méticuleusement la mousse qui coule le long du verre. Son geste est lent et sensuel. Ses doigts sont habiles et délicats, et son regard évoque tout l'amour qu'il porte à son produit. Seulement à le regarder faire, je suis convaincue que ce gars-là sait cuisiner. Et qu'il le fait avec passion.

— Êtes-vous un Ch'ti?

— D'origine, oui.

— Comme dans *Bienvenue chez les Ch'tis*?

— Ah… Ce putain de film. Maintenant, tout le monde croit qu'on picole au boulot.

— Ben voyons, c'était super bon. Super sympathique.

— Ouais, je sais bien. Mais attention, hein, on ne livre pas le courrier complètement bourrés!

— On pense pas ça, voyons… Mais tu parles pas pantoute comme Dany Boon, dis-je, décidant du coup qu'il n'est pas assez vieux pour que je continue de le vouvoyer.

— C'est parce que je n'y vis plus depuis longtemps.

— Ah. Et tu vis où maintenant?

— Un peu partout. Là où le vent me mène. Aujourd'hui, je suis ici pour faire découvrir mes produits. Demain, je vais en Bretagne. Après… qui sait?

Je bois une gorgée de bière en réfléchissant à ce qu'il vient de dire. Wow! Quelle liberté tout de même! Errer d'un endroit à l'autre, selon les rencontres, le soleil, les opportunités. Ça prend du *guts*! Je lui attribue un premier morceau de robot.

— Et toi, t'es québécoise?

Bon, enfin. Le premier Français qui ne me dit pas que je suis canadienne. Un deuxième morceau de robot pour l'inconnu au sourire craquant.

— Ouais, je viens juste d'arriver ici.

Je passe les minutes suivantes à lui parler de moi. Le grand amour, le mariage et l'exil en France.

— Comme ça, ton mari, il est parisien ? Un vrai Parigot ?

— Ben oui, il est né ici.

— Ah ben, bonne chance, hein ?

— Pourquoi tu dis ça ?

— Les Parigots, je les déteste. Ils sont chiants et râleurs. Et pour eux, y a que Paris. Le reste de la France, c'est de la merde !

— Bah, t'exagères, là.

— Pas du tout… Tu verras.

Notre conversation est interrompue par une touriste américaine qui demande à mon bel inconnu de lui faire goûter une de ses bières.

— *It will be a real pleasure, madam… Here is the* Ch'ti de Printemps. *It's a nice light refreshing beer that goes down easy, it practically drinks itself!*

Il me fait un clin d'œil complice et continue de charmer la quinquagénaire, qui l'écoute attentivement. Il lui présente ensuite un bon de commande, qu'elle commence à remplir.

J'en profite pour le détailler. Pas très grand, une belle carrure et un léger bedon. Les cheveux presque noirs, coupe hérisson – un peu trop années 1980 à mon goût –, les yeux bruns profonds, avec de longs cils, le sourire enjôleur, malgré des incisives qui auraient besoin d'être légèrement alignées. Le genre de petit détail qui peut fatiguer à la longue, mais qui pour l'instant fait partie de son charme. Parce qu'il est évident que ce gars-là a un charisme incroyable.

— *Enjoy Paris, honey !* dit-il à sa cliente, qui s'éloigne tout sourire. Ah… Ces Américaines ! Un sourire, un surnom mielleux et c'est dans la poche.

— Coudonc, qu'est-ce que tu lui as vendu ?

— Quatre caisses de bière, qu'on va livrer à son appart-hôtel demain matin… Ça va lui coûter plus cher de livraison que de bière.

Il éclate d'un beau rire franc, visiblement satisfait de lui.

— Ouin, t'es un p'tit vite, toi.

— Quand t'as bourlingué comme moi, t'apprends vite à te débrouiller.

— Et tu parles parfaitement l'anglais. Avec à peine un accent. C'est plutôt rare, ça, ici.

— Ouais, ben, j'ai vécu en Californie quelques années.

— Ah oui ? Qu'est-ce que tu faisais là-bas ?

— De la compétition de surf… C'était avant que je commence à vendre de la bière, dit-il en tapant affectueusement sur son petit bedon avec ses deux mains.

Je lui souris avant de me forcer à prendre une seconde lampée de Ch'ti de Printemps. Non, décidément, je ne suis pas une fille à houblon. Mais restons polie, tout de même.

— Elle est bien bonne, ta bière, mais je dois y aller.

— Déjà ?

— Ouais, j'ai des trucs à faire.

Ce qui n'est vraiment pas le cas. Je n'ai strictement rien de prévu. Mais c'est une amie de fille que je recherche, pas un nomade de la vie. Un gars qui semble profiter de tout sans trop se poser de questions. Pour qui rien ne semble grave. Hum… Beaucoup trop détendu pour moi, tout ça !

— Bon, ben, tu me laisses ton *mail* ? me demande-t-il.

— Mon courriel ? Euh, d'accord.

On échange nos adresses de courriel sur le bord du comptoir. Le sien est pour le moins évocateur : arnaud_vagabond@hotmail.fr.

— Vagabond, c'est pas ton nom de famille, ça ?

— Ben non, c'est Chevalier. Ça a de la classe, hein ? Arnaud, votre preux chevalier. Pour vous servir, madame.

Arnaud exécute une mini-révérence avant de prendre ma main dans la sienne et d'y déposer délicatement ses lèvres.

Légèrement intimidée, je baisse les yeux au sol et fixe mes nouveaux escarpins noirs de femme fatale. Quand je redresse la tête, je lis un léger amusement dans les yeux d'Arnaud.

— Et toi, c'est... Charlotte Lavigne, dit-il en regardant le bout de papier sur lequel je viens d'inscrire mon adresse courriel plutôt conventionnelle : charlotte.lavigne@videotron.ca.

— Oui, Lavigne... C'est pour ça que je préfère le vin... à la bière.

— Comme toutes les filles.

— Bon, les généralités.

— Allez, je te fais la bise.

Il fait le tour du comptoir pour venir me rejoindre. Il m'embrasse sur les deux joues et me fait ensuite une accolade. Ces longs bisous rapprochés me donnent le temps de bien sentir son parfum... Un soupçon d'agrumes dans une forêt de cèdres. Curieux mélange troublant qui me déstabilise un instant.

— Bon... ben... c'est ça. Fais-moi signe quand tu seras à Paris.

— Promis, ma belle. Allez, à bientôt.

Je m'éloigne vers le métro et je songe qu'il est grand temps que Max et moi, on remette ça. Neuf jours d'abstinence, c'est trop pour moi. Surtout quand je suis oisive comme ces jours-ci !

***

La sieste que j'ai faite cet après-midi m'a remise en pleine forme. Je suis maintenant prête pour la soirée de rêve que j'ai préparée pour mon amoureux et moi. Et on va commencer en grand avec du champagne à l'apéro. Vingt-trois dollars la bouteille, ce n'est rien quand on pense qu'au Québec elle coûte pratiquement trois fois le prix !

Je finis d'imprimer le menu cinq services que j'ai improvisé avec, comme principaux ingrédients, des asperges, du poivre de Cayenne, du gingembre et du chocolat noir… Miam ! Un souper aux saveurs aphrodisiaques ! Et qui a pour but de nous amener à nous retrouver tous les deux complètement nus à la fin du repas !

Comme l'idée de ce souper a germé dans mon esprit après ma visite au marché, j'ai dû retourner faire des courses et je suis allée à la plus extraordinaire des épiceries que j'aie jamais vue : La Grande Épicerie de Paris. J'y ai trouvé absolument tout ce que je cherchais. Et j'ai cuisiné le repas d'avance, afin d'être totalement disponible pour mon amoureux.

Pour faire durer le plaisir de ce souper, je nous ai imposé quelques règles à respecter. Tout d'abord, le déshabillage doit se faire lentement, progressivement, à la manière d'un *strip-tease*. C'est pourquoi j'ai ajouté des informations capitales après chacun des plats servis.

Mon menu se lit donc ainsi :

Asperges du printemps,
vinaigrette crémeuse aux herbes
Les escarpins de Madame, les souliers de Monsieur

Crevettes sautées au poivre de Cayenne
Les bas jarretières de Madame,
les chaussettes de Monsieur

Tataki de bœuf sésame et gingembre
Le déshabillé de Madame, le pantalon de Monsieur

Gouda légèrement piquant et figues fraîches
Le soutien-gorge de Madame,
la chemise de Monsieur

Carrés de chocolat noir à la menthe
La petite culotte de Madame, le boxer de Monsieur

À la fin du souper, nous nous retrouverons donc prêts à sauter l'un sur l'autre comme les jeunes mariés que nous sommes. J'ai tellement hâte. Depuis mon arrivée, il y a presque deux semaines, nous avons fait l'amour une seule fois, Maxou et moi. Assez inhabituel en ce qui nous concerne.

Donc, ce soir, c'est le grand soir. Rien n'arrêtera nos élans. Ni les appels incessants du bureau. Ni l'arrivée impromptue de ma belle-mère. Ni une partie de foot à la télé. J'ai tout prévu !

Je cache le menu cinq étoiles sous le canapé. Je le sortirai à l'apéro, pour lui mettre l'eau à la bouche.

Je finis ensuite de me préparer en enfilant un à un mes Dim Up semi-transparents noir satiné et mes escarpins lustrés… rouges. Rien de moins. L'effet est sensationnel, dois-je admettre en m'admirant dans le miroir. Voilà, je suis prête. Montrez-vous le bout du nez, cher mari, que je vous fasse vivre le souper le plus excitant de votre vie.

J'entends une clé qui tourne dans la serrure de la porte d'entrée. *Yes…* Il arrive ! Heureusement, j'ai verrouillé à triple tour, ce qui me donne assez de temps pour me placer tout juste devant la porte, en prenant une position aguichante. Une main sur la hanche, l'autre qui s'amuse à délier tranquillement la cordelière de mon déshabillé, lui aussi noir et semi-transparent.

Merde ! J'ai oublié le rouge à lèvres ultra-rouge pour aller avec mes chaussures. Tant pis, trop tard ! Le dernier tour de serrure se fait entendre. J'affiche un sourire coquin.

— Non, mais t'as vu l'article de *Libé* ? C'est pas possible, ils nous prennent vraiment pour des cons.

La voix et le ton irrité de mon amoureux me parviennent de derrière la porte, qui s'ouvre tranquillement. Il est encore au cellulaire ! Merde, ça va gâcher toute ma surprise. Il ne peut pas le quitter deux minutes, son *fuc&#$%* de téléphone ? Je ne vois qu'une solution : le lui enlever des mains avec toute la sensualité dont je suis capable, dès qu'il me verra.

En fait, c'est moi qui le vois en premier et j'ai la désagréable surprise de constater qu'il n'a aucun téléphone collé à son oreille. Il a le visage tourné vers l'arrière… comme s'il parlait à quelqu'un d'autre. Je me sens tout à coup très, très nue. Vous savez, comme dans un rêve où l'on se retrouve à poil sur scène devant un public silencieux ?

La porte s'ouvre un peu plus grand et je distingue maintenant un second personnage. Non… Tout, mais pas sa mère ! Je m'apprête à me retourner et à courir m'enfermer dans la salle de bain quand deux paires d'yeux commencent à reluquer mes jambes et à remonter lentement un peu plus haut.

Je croise le regard de mon mari et j'y lis une foule de sentiments mélangés. Tout d'abord, la surprise, suivie d'un début de désir qui se transforme vite en un profond malaise.

Embarrassée moi aussi, je baisse les yeux et j'entends un sifflement d'admiration. En voilà au moins un que je ne gêne pas.

— Dis donc, Max, tu m'avais jamais dit que ta nana, elle était aussi bien roulée ! s'exclame Boris, le macho fini.

L'air aussi suffisant que le soir de notre mariage, Boris, dois-je l'avouer, est toutefois très séduisant avec son écharpe *charcoal* nouée autour du cou, son pardessus noir en cachemire et ses chaussures italiennes en cuir. Très classe. C'est juste dommage que tout se gâche quand il parle.

— Eh bien, merci, cher Boris, dis-je, retrouvant rapidement un peu d'aplomb grâce à sa remarque flatteuse.

Je tiens la porte pendant qu'ils entrent dans le vestibule. Maintenant plus à l'aise devant Boris, je suis moins pressée d'aller me changer. Après tout, ce n'est jamais mauvais de rappeler à son chum qu'il y a d'autres hommes que lui sur la Terre à nous trouver désirable.

— Je pensais faire une surprise à Max, mais c'est moi qui l'ai eue, la surprise… T'aurais pu m'avertir, mon amour, que tu rentrais avec Boris.

— Ah non, surtout pas, lance Boris. Je n'aurais pas eu le plaisir d'assister à un si beau spectacle.

Tout en ajoutant de ne jamais me gêner à l'avenir, il se penche pour m'embrasser sur les deux joues. Un peu trop longuement au goût de Maxou.

— Boris, dégage.

— Hé! Oh! Ça va, Max… C'est qu'un petit bisou, là.

— Non, mais c'est que je te connais, toi.

Toujours agréable de constater qu'on peut – même mariée – créer la discorde entre deux hommes. À condition que ça ne dégénère pas.

— Bon, ça suffit, là. On n'en fera pas tout un plat. Je vais me changer et, pendant ce temps-là, occupez-vous donc de l'apéro. Y a du champagne au frais.

Je m'éloigne vers ma chambre, le sourire aux lèvres. J'adore ça, quand Max fait son jaloux. Et puis, je viens certainement de gagner quelques soupers en tête à tête au resto.

De retour quelques minutes plus tard, je constate que la conversation s'est orientée vers un sujet qui me laisse de glace: le football. Mais puisque je désire m'adapter, autant essayer de mieux connaître ce qui pousse les Français à en faire une véritable religion.

— J'aimerais ça, aller voir un match. Est-ce que c'est compliqué d'avoir des billets?

Maxou et Boris me dévisagent comme si je venais de leur dire que ma nouvelle activité préférée était d'aller mendier sous les ponts de Paris.

— Assister à une partie? s'indigne Maxou. Non, mais ça ne va pas? T'as envie de te mêler à la plèbe? Dans une loge, à la limite, mais sinon… Quelle horreur!

Il m'arrive de penser que mon chum a un p'tit côté raciste. Mais qu'il l'applique aux classes sociales. J'avais commencé à le constater quand nous vivions au Québec. Un soir, j'ai eu le malheur de l'amener manger dans un bistro hyper sympathique... dans Hochelaga-Maisonneuve.

Tout se passait très bien, la bavette au bleu était succulente, l'ambiance électrisante, la clientèle branchée. Jusqu'à ce qu'il me demande dans quel arrondissement on se trouvait. Je le lui ai dit.

— Hochelaga-Maisonneuve... Ça me dit quelque chose. Ah oui, je me souviens maintenant. C'est Camille qui m'en a déjà parlé, m'a-t-il dit.

Son visage a tout à coup changé d'expression. Je l'ai vu devenir inquiet.

— Je me trompe ou ce n'est pas un quartier très rassurant? a-t-il ajouté.

— Qu'est-ce que tu veux dire?

— C'est un secteur assez pauvre, non?

— Beaucoup moins qu'avant. Ça se « gentrifie ». Regarde, ici, c'est chouette. C'est une belle *crowd*, non?

— Humm, humm... Mais tu crois que la voiture est en sécurité là, dans la rue?

— Ah, Max, franchement.

— C'est bon, j'ai rien dit.

Nous avons continué de savourer notre repas en silence pendant quelques minutes, jusqu'à ce qu'il revienne à la charge.

— Je t'avoue, Charlotte, que je préférerais qu'on s'en tienne à l'avenir aux quartiers que je connais pour nos sorties.

Je me souviens que j'ai un peu perdu patience à ce moment-là et que je l'ai traité de snob. Comme à son habitude, il a répliqué. Non, il n'est pas snob, non, il ne faisait pas la tête. Il est tout simplement plus à l'aise dans les quartiers qui ressemblent à celui où il a grandi. Comme Outremont.

Nous ne sommes jamais retournés dans HoMa, mais j'ai refusé de ne sortir qu'à Outremont. Nous avons convenu de fréquenter le « 21e arrondissement de Paris », c'est-à-dire le Plateau, surnommé ainsi à cause du nombre de plus en plus grandissant de Français qu'on y rencontre. Majoritairement des immigrants tout heureux d'envahir l'avenue du Mont-Royal.

Ce soir-là, je me suis endormie dans les bras de Maxou en me disant que nous avions eu une enfance bien différente, lui et moi.

Sur ces pensées qui me rendent un peu triste, j'avale une gorgée de champagne. J'écoute ensuite Boris raconter à Maxou pourquoi il a rompu avec sa dernière copine. Elle était trop insipide, trop dépendante, trop amoureuse.

J'ai toujours eu horreur des gens qui dénigrent leur ex en public. Quel manque de classe, me dis-je tout en songeant à la meilleure façon de mettre Boris dehors.

— Je t'avoue, Max, que j'en ai un peu marre des filles qui ne sont qu'une image, qui n'ont pas de personnalité. J'ai besoin de quelqu'un qui me *challenge*, tu vois. Comme Charlotte avec toi.

Boris se tourne vers moi avec un grand sourire. Non, mais quel être imbu de lui-même ! J'ai rarement vu ça. Il en veut, du *challenge*, il va en avoir !

— Oui, mais c'est toi qui les choisis ces filles-là, Boris. Si tu répètes le même *pattern* toutes les fois, c'est peut-être parce que, pour toi, c'est plus important d'avoir un pétard à tes côtés qu'une fille qui a quelque chose à dire.

Maxou me sourit, l'air très fier de moi. Il s'adresse ensuite à son ami.

— C'est que tu te fais parler, hein, Boris ?

— Bah... Écoute... C'est pas ça. C'est le hasard, c'est tout.

— Le hasard ? dis-je en croquant une olive de Kalamata épicée. Ben voyons... Ça n'existe pas, ce genre de hasard-là. Dans le fond, Boris, t'as peur d'avoir une blonde comme moi.

— Peur ? Peur de quoi ?

— De perdre le pouvoir, c'est clair.

À voir l'expression du visage de Boris, je sens que je viens de taper en plein dans le mille. Tout pour m'inciter à continuer.

— Je gage que, toutes tes blondes, elles font toujours beaucoup moins d'argent que toi. Ça aussi, ça te permet de garder le contrôle. J'ai raison, non ?

— Hé ! Oh ! Ça suffit. On ne fera pas mon procès ce soir.

Un procès ? Bonne idée ! Je me sens d'attaque aujourd'hui. Surtout que mon souper *strip-tease* risque de tomber à l'eau. Autant m'amuser un peu.

— Pourquoi pas ?

— Parce que je « dizagris », réplique Boris.

— Tu quoi ?

— Je « di-za-gris » !

— Tu « dizagris » ?

— Oui, je « dizagris ».

Ah, mon Dieu ! Celle-là, je ne l'avais pas entendue encore ! Je *disagree*. Du verbe *disagree* en anglais. Qui veut dire : « Je ne suis pas d'accord. » Pourquoi ne pas le dire en français, alors ? C'est quoi cette manie de toujours ponctuer ses phrases de mots en anglais, en les déformant complètement avec un accent parisien ? Et parfois même en les transformant pour en faire de faux anglicismes incompréhensibles !

Ici, les courriels n'existent pas ! Ce sont des *mails*. Ici, on ne dit pas « J'aime ». On dit « Je *like* ». Ici, on ne personnalise pas votre achat, on le *customise*. Eille ! Ça va faire ! On voit bien qu'ils ne sont pas entourés d'une mer d'anglophones qui menace de les engloutir à tout moment.

Ils n'ont aucun respect pour la langue française et ça me met dans tous mes états. À un tel point que j'ai juste envie de les traiter de bande d'enfoirés !

Maxou sait très bien ce que j'en pense. Nous en avons discuté plusieurs fois et il a compris mon irritation. C'est pourquoi il a accepté de faire attention à ne pas trop utiliser d'anglicismes. Et peut-être aussi parce qu'il en avait assez que je le reprenne chaque fois.

Je croise le regard de mon amoureux et j'y lis un avertissement. S'il me parlait, il me dirait de fermer ma gueule, j'en suis convaincue. Eh bien, monsieur *Politically correct*, ce n'est pas ce soir que je vais commencer à me taire.

— Boris, franchement. Tu parles la plus belle langue du monde et tu la massacres avec des anglicismes impossibles à comprendre.

— Charlotte, s'il te plaît…, intervient Maxou.

— Laisse tomber, Max, dit Boris. Je peux me défendre moi-même. Alors je te précise, ma chère Charlotte, que c'est très *hype*, cette façon de parler.

— Ah oui… C'est *hypeeee*. Tu parles… dis-je en imitant leur façon de parler, en ajoutant des *e* partout. Depuis mon arrivée, je ne cesse d'entendre «bonjoureeeee», «madameeeee», «chouetteeeeee».

— En effet, car, ici, nous n'avons pas le complexe du colonisé comme vous.

C'en est trop! Moi, une colonisée! Pour qui se prend-il? Je regarde Maxou dans l'espoir qu'il vole à mon secours. Autant compter sur le chat mort du voisin.

— Boris, tu m'excuseras, mais j'en ai assez entendu!

Je me lève pour quitter la pièce et aller me réfugier dans ma minuscule cuisine dans le but d'avaler n'importe quoi qui me tomberait sous la main. Le grignotage fait malheureusement partie des mauvaises habitudes que j'ai prises depuis mon arrivée à Paris pour chasser l'ennui. Mais là, j'en ai besoin pour dépomper!

— Bah… Te fâche pas, là. On discute, c'est tout.

Discuter, discuter… Je n'ai pas envie de discuter, moi. J'avais prévu autre chose ce soir. Autre chose…

comme faire l'amour, peut-être ? Une activité qui semble reléguée aux oubliettes ces temps-ci. Ce qui me met encore plus à fleur de peau.

Je me rassois, mais je ne réponds pas. Peut-être qu'une telle attitude le fera fuir. Le silence dure quelques secondes et c'est Maxou qui brise la glace.

— Est-ce que tu as prévu quelque chose pour le dîner, Charlotte ? Ou bien on descend au café ?

Ah ! Parce qu'il pense qu'il va m'imposer Boris pour le repas aussi ? *Noooooo…* Pas question !

— Tout est prêt, mon amour. Sauf qu'il y en a juste pour nous deux.

Maxou me foudroie du regard et Boris se lève aussitôt.

— Ça va, j'ai compris, dit-il en se dirigeant vers l'entrée.

Maxou s'empresse d'aller le reconduire et je l'entends dire à son ami : « Désolé, mec, je ne sais pas ce qui lui arrive. » Je ne saisis pas bien ce que Boris lui répond, sauf les mots « gaffe » et « baiser ». Qu'est-ce qu'il peut bien lui dire ?

Je décide alors que de me brouiller avec le meilleur ami de mon mari n'est peut-être pas la façon idéale de m'adapter à ma nouvelle vie. Je récupère d'une main agile le menu que j'avais caché sous le canapé et je me dépêche d'aller les rejoindre dans le vestibule.

— Boris, attends.

Il se retourne et me regarde en silence.

— Excuse-moi, je voulais pas être méchante. C'est juste que…

Je m'approche de lui en tenant le menu serré contre ma poitrine. Je lui mets le document sous le nez, pendant que Maxou s'avance pour voir de quoi il s'agit. D'une main autoritaire, je lui fais signe de rester en place.

Boris commence à lire le menu en me jetant de temps en temps des coups d'œil qui expriment l'amusement et l'envie.

— Pas pire, hein ? dis-je en lui arrachant la page des mains.

— Charlotte, c'est quoi, ces secrets ? demande Max.

Boris ne me quitte plus des yeux. Son regard insistant me met mal à l'aise. Je crois bien que je viens de réveiller quelques vieux fantasmes chez ce coureur de jupons, que je suppose peu habitué aux femmes qui ont de l'initiative.

— Putain, Charlotte, ce n'est pas *fair*. Tu me montres ça et tu me laisses partir tout seul chez moi. Avec toutes ces images en tête.

— Bah, t'as juste à aller à Pigalle.

— Vous allez me dire ce qui se passe ? se fâche Maxou.

— Max, répond Boris, t'as vraiment de la chance. Fais-y gaffe, à ta meuf, c'est une petite perle.

Et sur ces paroles qui me font vraiment plaisir, Boris sort de l'appartement, non sans me préciser que Pigalle, c'est pour les touristes. Aussitôt la porte fermée, Maxou me tombe dessus.

— C'est quoi, ce comportement à la con, Charlotte ?

Les paroles de mon mari me mettent dans tous mes états. À un point tel que je me défoule rageusement sur le menu, que je transforme en boule de papier. Je la lance ensuite au sol de toutes mes forces.

J'en ai assez ! Assez d'être seule dans un superbe mais minuscule appartement de Paris. Je préférerais mille fois un logis plus poche, mais où l'on vit à deux.

— Ce comportement à la con, comme tu dis, c'est celui d'une fille qui est mariée à un fantôme ! T'es jamais là, Max. Pis quand tu te ramènes, c'est avec un de tes chums.

Maxou reste silencieux, figé par mon ton à la fois colérique et pleurnichard.

— Tu sais combien de fois on a fait l'amour depuis que je suis arrivée ? Combien, hein ?

— Euh… Je ne sais pas… Je n'ai pas l'habitude de compter.

— Eh bien, moi oui. Une seule fois. Ça, ça veut dire une seule fois depuis notre mariage. Et ça fait presque un mois de ça.

— Non, tu te trompes sûrement. Ce n'est pas possible.

— Eille, tu vas pas te mettre à m'obstiner là-dessus aussi ! Après le jour du mariage, on n'a pas eu le temps, t'es parti pour ici. Donc, on s'est pas vus pendant deux semaines. Et depuis que je suis là, on l'a fait une seule fois. En vitesse, avant que tu partes travailler mardi de la semaine dernière.

— T'es certaine ?

— Oui. Et je te parle même pas de tout ce qu'on devait faire ensemble et qu'on a pas fait encore. Comme aller à la tour Eiffel.

Je me mets à pleurer en lui disant que ce n'est pas comme ça que j'imaginais notre vie. Maxou semble dévasté par mes paroles. Il se laisse tomber sur le canapé. Je ramasse la boule de papier au sol et je la lui lance doucement. Elle atterrit sur ses genoux.

— Tiens, c'est ça que j'avais prévu ce soir. Pas un souper à trois avec un de tes chums.

Je m'éloigne, tête basse, vers la chambre, je claque la porte et je me laisse tomber sur le lit en pleurant toujours. Au bout d'une minute, je me sens plus calme. J'empoigne le téléphone et je compose le numéro du cellulaire d'Ugo. Je tombe sur sa boîte vocale et je raccroche sans laisser de message. Je recommence à pleurer.

La porte de la chambre s'ouvre tranquillement. Maxou vient s'asseoir sur le bord du lit. Il me tourne le dos.

— Charlotte, je n'ai pas d'excuses… Sauf celle d'être un con fini.

Je l'écoute sans dire un mot. Les larmes continuent de couler et d'inonder ma taie d'oreiller en satin. Un tissu que je trouve hyper inconfortable, mais que j'endure pour des raisons esthétiques. J'ai lu que le satin aide à prévenir le teint fripé au réveil.

— Le problème, tu vois, c'est que j'étais tellement content de retrouver ma vie ici que je t'ai négligée. Et ça, c'est inacceptable.

Il se tourne pour me regarder et commence à me caresser les cheveux. Il continue à me parler doucement. Son ton m'apaise et ma colère commence à fondre.

— Mais maintenant, ça va changer. Je serai plus présent, je t'assure.

Sa main essuie tendrement mes larmes sur mes joues et sur mes lèvres. Elle caresse ensuite ma nuque, descend tout le long de mon dos, relève légèrement mon chandail pour s'attarder au creux de mes reins.

Je sens une grande chaleur envahir tout mon corps. J'ai tellement envie de lui, de sentir sa peau douce contre la mienne, d'embrasser tous les recoins de son corps.

— C'était pas mal, ton idée de dîner *strip-tease*… On a encore le temps, si tu veux.

Je l'attrape par le col de sa chemise pour amener son visage tout près du mien. Je l'embrasse avec toute la passion que je ressens pour cet homme qui, malgré tous ses défauts, me fait complètement perdre la tête. Quand je détache mes lèvres des siennes, c'est pour lui dire dans un seul souffle :

— Plus tard, le souper. Là, tu me baises comme tu m'as jamais baisée.

16

« C'est fini, les Bretonnes, ma chère Suzanne ;
aujourd'hui, tout le monde
a une Espagnole à son service. »
NICOLE (MURIEL SOLVAY) à SUZANNE (SANDRINE KIBERLAIN)
dans le film *Les Femmes du 6ᵉ étage.*

— Depuis ce temps-là, ça va super bien entre nous deux, dis-je à Ugo, en regardant l'écran de mon ordinateur.

— Ah ben, tant mieux. Je suis content pour toi.

Nous avons pris l'habitude de *skyper* au moins une fois par semaine, Ugo et moi. À cause du décalage horaire, ce n'est pas toujours évident. Il m'est arrivé d'attendre son appel jusqu'à 2 heures du matin. Mais au moins, on garde le contact. Ce qui est primordial pour mon équilibre mental.

— On est même allés à la tour Eiffel.

— Très bien.

— Comment ça, très bien ?

— Euh... Je veux dire... C'est beau d'en haut, hein ?

— Ben, je sais pas. On est pas montés... Y avait une file d'attente de trois heures.

— Ah bon.

— Ugo, tu réponds comme un automate. T'es pas là. Qu'est-ce qui se passe?

— Rien… rien.

— Ben voyons, essaie pas. C'est Justin, encore?

— Un peu, mais je suis surtout très fatigué. J'ai travaillé quatre-vingts heures par semaine pour ouvrir ma deuxième boucherie.

— Ça a pas de bon sens, ça.

— Oui, oui, mais là, c'est correct. J'ai engagé une gérante pour m'aider. Une fille super.

— Ah ouin…

Je ressens un pincement au cœur à l'idée qu'une autre fille partage le succès de mon meilleur ami. J'aurais vraiment préféré qu'Ugo engage UN gérant.

— C'est qui? Je la connais?

— Non, pas vraiment. Elle était chez un de mes fournisseurs. Ça faisait longtemps que je voulais lui offrir de venir travailler avec moi. Elle est super compétente. En plus, on s'est toujours bien entendus.

J'aime de moins en moins ce que j'entends, mais je laisse mon ami poursuivre sans l'interrompre.

— Fait que dès que j'ai eu assez de travail pour un gérant à temps plein, c'est elle que je suis allé chercher. Elle a commencé la semaine passée et, déjà, je me sens plus relax.

J'entends tout à coup le cellulaire de mon ami sonner. Ugo me fait signe de l'attendre un instant. Je le vois porter son téléphone à son oreille et disparaître de l'écran pour aller parler plus loin.

Je l'attends impatiemment en tapant du pied sur le plancher de bois verni acajou. Les secondes passent et j'attends toujours. J'attrape un magazine qui traîne sur la table à café du salon et je commence à le feuilleter.

Ici, toutes les filles lisent *Elle* et s'en inspirent pour leur look. Alors je fais comme les Parisiennes. Toujours dans l'espoir de me faire de nouvelles amies. Ce qui, pour l'instant, n'est pas très concluant. Et ce n'est pas faute d'avoir essayé.

L'autre midi, au café, j'ai tenté de me joindre à la conversation de deux filles qui parlaient de leur nouveau coiffeur, qu'elles adoraient. Elles ont été très courtoises, m'ont fourni les coordonnées dudit coiffeur, mais ça s'est arrêté là. Elles sont reparties sans même que je puisse obtenir leur courriel.

J'ai aussi voulu devenir amie avec la caissière de l'épicerie du coin de la rue. Une Asiatique aux yeux magnifiques. Je me disais que ça allait être facile, puisque nous nous voyons presque tous les jours. Mais son visage, habituellement ouvert et rieur, s'est complètement fermé quand je lui ai proposé de venir prendre l'apéro à la maison. Elle a refusé poliment.

J'en ai été profondément blessée. Maxou m'a ensuite expliqué qu'ici, et particulièrement dans le quartier où nous vivons, les classes sociales se mélangent difficilement. J'ai trouvé ça complètement nul! Mais je ne changerai pas la société française, hein?

Quoi qu'il en soit, Maxou m'a promis qu'on inviterait à la maison quelques-uns de ses collègues. Et leurs copines, bien entendu. Dans ma tête, j'ai déjà commencé à concocter mon menu. Je vais en profiter pour servir mes rillettes de maquereau de la Gaspésie. Avec une baguette française, ça va être un délice.

Mais qu'est-ce qu'il fait, Ugo? C'est donc bien long, son coup de fil. Je n'ai pas que ça à faire, moi, attendre que Monsieur règle des trucs avec sa collaboratrice! Parce que ça doit être elle. C'est sûr. Ma nouvelle ennemie, dont je ne connais même pas le prénom.

Trois minutes plus tard, toujours pas d'Ugo en vue. Je suis exaspérée. Je ferme le clapet de mon ordinateur. Tant pis pour lui! Je reste assise quelques instants à ruminer ma colère. Non, en fait, ma tristesse. C'est plutôt de la tristesse que je ressens. Et elle est causée par trop de solitude.

Maxou a beau tout faire pour rentrer plus tôt, n'empêche que, pendant la journée, je suis seule. Pour une fille comme moi, habituée à côtoyer tous les jours une équipe de télévision vivante et colorée, l'adaptation n'est pas facile.

C'est bien beau de visiter le musée d'Orsay, le musée Rodin, les catacombes, etc. Mais ça devient lassant à la fin de s'extasier toute seule devant *La Nuit étoilée* de Vincent Van Gogh, la collection Camille Claudel ou les centaines de milliers d'ossements des anciens cimetières de la Ville lumière.

Je regrette maintenant ma décision de me trouver une job seulement à l'automne. Et si je m'y mettais dès maintenant? Ah non, c'est vrai… Il me manque toujours quelques foutus papiers!

Tout à coup, j'entends la porte d'entrée s'ouvrir. Maxou? À 4 heures de l'après-midi? Il doit être souffrant, c'est certain!

— *Señora* Charlotte? appelle une voix féminine que je reconnais.

C'est Mme Daniela, notre femme de ménage. J'avais oublié que, les mercredis, elle passe en fin de journée pour vider les poubelles. J'ai beau lui dire que je suis capable de faire ça toute seule, elle y tient. Elle vient aussi le samedi matin – toujours pour les poubelles – et le lundi, toute la journée, pour le grand ménage. Elle est adorable.

— Bonjour, madame Daniela, dis-je en me levant pour aller l'accueillir. Comment ça va aujourd'hui?

— Bien, bien, *muchas gracias*.

Mme Daniela est originaire d'un tout petit village de la Costa del Sol en Espagne. Elle parle un français impeccable, qu'elle agrémente parfois de quelques mots de sa langue maternelle. La cinquantaine avancée, les cheveux encore tout noirs qui frisottent dans son cou et le regard franc et pétillant. Surtout quand elle parle de ses petits-enfants.

Ces dernières semaines, j'ai dû la croiser ici au moins une dizaine de fois. Mais ce n'est que mardi dernier que j'ai finalement réussi à établir un vrai contact avec elle. Mme Daniela fait partie de ces femmes qui croient qu'on ne peut pas être amie avec « la patronne », comme elle le dit. C'est moi, ça, la patronne? Ça sonne tout drôle à mes oreilles…

J'ai donc inventé que je faisais un travail d'université sur l'immigration des Espagnols en France pour qu'elle accepte de commencer à me raconter son histoire. J'ai ainsi appris qu'il y a deux ans, Mme Daniela s'est réfugiée à Paris pour fuir un « mari pas gentil du tout ». Elle n'est pas entrée dans les détails, mais j'ai compris que l'homme en question était plutôt du type violent.

Elle a attendu que ses six enfants soient confortablement installés dans leur vie pour quitter la somptueuse maison de son mari, une nuit chaude de juillet, emportant avec elle un petit sac avec deux ou trois vêtements de rechange et ses bijoux, qu'elle allait vendre pour survivre.

Elle a sonné à la porte de sa sœur, qui habitait une lointaine banlieue au nord de Paris. Pendant les premières années, son riche industriel de mari a tout fait pour la retrouver. Mais Mme Daniela et sa sœur ne cessaient de changer de logement pour brouiller les pistes.

Puis, quand tout s'est calmé, elle a commencé à offrir ses services de femme de ménage aux résidants du 7e. Elle qui avait engagé des domestiques toute sa vie se voyait contrainte de laver les toilettes des autres. Mais comme elle me l'a si bien dit, ce travail, c'est sa liberté.

Tout ce qui manque à son bonheur, c'est de revoir ses enfants et ses petits-enfants. Au fil des ans, elle leur a donné des nouvelles, mais sans jamais leur révéler où elle habitait. De peur qu'ils le disent à leur père.

L'histoire de Mme Daniela m'a émue à un point tel que j'ai décidé de l'aider à revoir ses proches. Ne serait-ce qu'à travers un écran d'ordinateur. Et je suis très contente de la croiser aujourd'hui parce que j'ai tout un cadeau pour elle.

Je l'entends s'activer dans la cuisine pendant que je prépare ma surprise en ouvrant mon ordinateur. Je clique sur mon onglet Facebook et je me rends sur la page de mes amis. Ces derniers jours, j'ai envoyé des demandes d'amitié à chacun de ses enfants. Ils ont été faciles à trouver, puisqu'ils travaillent tous pour la compagnie de leur père.

Sa fille Maria et son fils Javier – aussi séduisant que Javier Bardem, si je me fie à la photo – ont répondu à ma demande. C'est fou ce que les gens peuvent être imprudents sur Facebook en acceptant des amis qu'ils ne connaissent ni d'Ève ni d'Adam.

En devenant amie avec Maria et Javier, j'ai eu accès à des tonnes de photos d'eux et de leurs enfants.

J'affiche une photo de Maria, entourée de deux gamines à l'air espiègle. Je verse du porto dans deux verres, que je dépose sur la table de la salle à manger, à côté de mon ordinateur portable, dont je rabats l'écran.

— Madame Daniela, venez ici, s'il vous plaît.

— Oui, *señora* Charlotte. Qu'est-ce que je peux faire pour vous? dit-elle en entrant dans la pièce.

— Fermez vos yeux et donnez-moi la main.

À la fois méfiante et intriguée, Mme Daniela hésite quelques secondes avant de m'obéir. Elle me tend finalement une main rugueuse, mais dont les ongles sont colorés d'un beau rose vif.

Je la guide vers la table, la fais asseoir sur une chaise et j'ouvre mon ordinateur, tout en lui ordonnant de garder les yeux fermés. Une fois la photo de sa fille et ses petites-filles bien en vue, je lui dis d'ouvrir les yeux.

Mme Daniela met quelques secondes à réaliser ce qu'elle voit. Puis, tout doucement, elle touche l'écran du bout de son index. Tout d'abord, elle met le doigt sur la joue de sa fille, puis le déplace vers celles des deux enfants. Je vois les larmes qui commencent à couler sur ses joues à elle.

Je m'éloigne de quelques pas pour la laisser vivre ce moment en toute intimité. Je l'entends murmurer quelques mots en espagnol. Son ton doux et rempli de tendresse me touche et me fait réaliser à quel point j'ai de la chance de pouvoir parler à ceux que j'aime en toute quiétude. Même s'ils sont à plus de cinq mille kilomètres d'ici.

J'indique à Mme Daniela comment avoir accès aux autres photos de sa fille. Je prends mon verre de porto et je lui demande de faire de même avec le sien. On frappe nos deux verres l'un contre l'autre et je vois dans ses yeux toute la reconnaissance du monde.

Je m'éloigne tranquillement en buvant une première gorgée. Je m'en vais de ce pas dans ma chambre appeler Ugo pour m'excuser de mon comportement enfantin de tout à l'heure.

Dix minutes plus tard, je sors de ma chambre à coucher, un grand sourire aux lèvres. Mme Daniela est toujours rivée à mon ordinateur, mais la tristesse a quitté son visage et ses yeux sont redevenus pétillants.

— Madame Daniela, madame Daniela, devinez quoi?

— ¿ *Señora, que pasó?*

— C'est mon ami Ugo! Il débarque le mois prochain! Il vient passer cinq jours avec moi! Yahou!

17

Beau programme en perspective :
tour Eiffel, Louvre, bateau-mouche,
cathédrale Notre-Dame, les Invalides
et un nouveau resto tous les soirs.

Voilà à peine deux mois que je vis ici que, déjà, je reçois ma première visite outre-mer. Honnêtement, je n'en demandais pas tant à la vie. J'en ai, de la chance !

En attendant Ugo au terminal 3 de l'aéroport Charles-de-Gaulle, je réfléchis à la visite de mon ami. Il doit vraiment avoir besoin de changer d'air pour laisser ses deux commerces entre les mains de cette fille ! Et avoir drôlement confiance en elle aussi.

Bon, allez, Charlotte, tu ne peux pas être la seule femme dans la vie d'Ugo Saint-Amand. Et puis, cette fille, il la connaît depuis un an ou deux seulement. Alors que, moi, ça fait maintenant sept ans.

Sept ans d'une amitié qui ne m'a jamais déçue. Avec Ugo, tout est toujours facile. Et, ça, depuis le début de notre relation. Il n'y a pas de *game* et il n'y en a jamais eu. Pourquoi est-ce que je suis si attachée à lui ? Je crois qu'il est le frère – ou la sœur – que je n'ai jamais eu. Et, pour lui, c'est pareil.

Une chose est certaine, s'il n'avait pas joué pour l'autre équipe, c'est avec Ugo que je serais mariée aujourd'hui. Est-ce que nous en serions à notre *seven year itch*? J'espère que non… Enfin, cette stupide théorie ne s'applique pas à l'amitié, non?

Autant cette visite me réjouit, autant elle m'inquiète. Si Ugo a senti le besoin de débarquer à Paris pour venir me voir, c'est que tout ne tourne pas rond dans sa vie, j'en suis convaincue.

S'il avait été simplement épuisé par des semaines de travail harassantes, il serait allé deux jours dans un spa des Cantons-de-l'Est et on n'en aurait plus parlé! Ça lui aurait coûté trois fois moins cher qu'un aller-retour Montréal-Paris acheté pratiquement à la dernière minute.

Les voyageurs québécois commencent à circuler dans l'allée «Arrivées». Je reconnais tout de suite mes compatriotes. À leur accent, bien entendu, mais aussi parce qu'ils sont plus souriants que la majorité des gens que je croise depuis deux mois. Je scrute la foule, à la recherche de mon ami que j'ai terriblement hâte de serrer dans mes bras.

C'est la première fois, depuis que nous nous connaissons, que nous passons autant de temps sans nous voir. Et ça me fait tout drôle de penser que je vais le revoir bientôt. Une sensation étrange de fébrilité mêlée à un peu d'appréhension, que je m'étonne de ressentir. Et si notre séparation nous avait éloignés? Même juste un peu? Bah… Voyons donc, Charlotte… C'est d'Ugo que tu parles. Ton meilleur ami.

Et le voilà justement qui s'amène, marchant d'un pas las parmi les touristes québécois à l'air un peu éreinté, eux aussi. Décalage horaire oblige.

— Ugo! Ici! dis-je en lui faisant un grand signe de la main.

Il m'aperçoit et un sourire chaleureux illumine son visage. Je cours me jeter dans ses bras.

— Ahhh, que je suis content de te revoir, dit-il en laissant tomber sa valise pour m'enlacer.

— Moi aussi! Je me suis tellement ennuyée, si tu savais...

Tous les deux, on reste collés l'un contre l'autre quelques secondes, mon visage enfoui dans sa poitrine. Je m'éloigne ensuite pour mieux le regarder et je constate qu'il a maigri.

Ses joues, habituellement bien rondes, sont maintenant creuses. Son jeans Parasuco tient en place grâce à sa ceinture. Et son t-shirt noir de la même marque n'est plus aussi ajusté qu'il l'a déjà été. Hummm... Tout ça est de bien mauvais augure.

— T'as donc ben maigri! Qu'est-ce qui s'est passé?

— Trop de travail.

— Ben, ça se peut pas que ce soit juste ça. T'es pas malade, au moins?

— Mais non, voyons. J'avais juste pus le temps de manger. Inquiète-toi pas!

Non, mais il me prend pour une tarte ou quoi? Comment peut-il prétendre ne pas avoir eu le temps de se nourrir? Rien de plus simple pourtant quand on travaille dans une boucherie et qu'on a juste à étirer le bras pour attraper un sandwich dans le comptoir des mets préparés.

Non, cet argument ne tient pas. La vérité, c'est qu'il n'avait pas envie de manger. Et mon devoir de meilleure amie, c'est de découvrir pourquoi. En y allant doucement. Après tout, rien ne presse... Je dispose de cinq jours.

— En tout cas, le régime français va te faire beaucoup de bien. On commence dès ce soir. J'ai réservé chez *Bofinger*, je sais que tu adores la choucroute.

— Bonne idée. On y va avec Max?

— Non. C'est son soir de soccer. De toute façon, j'ai envie de t'avoir à moi toute seule. Je te partage pas avec personne pendant cinq jours. Je te kidnappe.

Ugo éclate de rire et, tous les deux, on se dirige vers la voiture en prenant notre temps. Il me donne des nouvelles d'Aïsha et de P-O, qui filent le parfait bonheur, semble-t-il.

Il me raconte qu'il a vu maman la semaine dernière à sa nouvelle boucherie de Longueuil. Rayonnante et en pleine forme. Hein? La reine du condo de Laval égarée sur la Rive-Sud? Ugo me rassure en me disant qu'elle est venue lui porter une enveloppe qu'il doit me remettre. Chouette! Un cadeau pour moi.

C'est tout juste si Ugo ne me donne pas des nouvelles de son nouveau comptable, qu'il a engagé récemment. Il évite soigneusement les sujets délicats : Justin et sa nouvelle gérante.

J'apprends que mon ex-animatrice a déposé une poursuite en cour contre les producteurs de *Totalement Roxanne*, qui ont officiellement mis fin à l'émission. Elle leur réclame 150 000 dollars pour dommages moraux.

— Franchement, sur quoi se base-t-elle pour les poursuivre? dis-je en m'installant au volant de la voiture de Maxou.

— Ah… Des niaiseries. Elle dit qu'elle a été traumatisée de l'avoir appris dans les journaux. Qu'elle a dû engager un coach de vie, qui l'a amenée suivre des ateliers de croissance personnelle à Sedona, en Arizona.

— N'importe quoi!

— Mets-en. Elle dit qu'elle n'avait pas le choix d'aller sur place pour y apprendre la méthode Sedona.

— *Quessé* ça?

— Fouille-moi. Une espèce de méthode de lâcher-prise émotionnel, comme elle l'a dit dans les magazines à potins.

— Ah, parce qu'elle a donné des entrevues là-dessus?

— Ben oui, qu'est-ce que tu penses! Elle a joué les victimes larmoyantes, disant qu'elle n'avait rien fait pour mériter ça.

— Mériter quoi? Y ont juste tiré la plogue parce qu'elle ne pognait plus! Ça fait partie de la *game*, c'est tout! De toute façon, ils ne lui devaient rien, son contrat était terminé.

— Ouin, je suis pas certain qu'elle va gagner. Va falloir qu'elle les assume elle-même, les frais de son séjour dans un hôtel cinq étoiles de l'Arizona.

— C'est juste ça qu'elle mériterait, la *bitch*… Moi, je lui ai toujours pas pardonné les *cupcakes* avec des têtes de chien.

— Ahhh… Ouache… C'était dégueu, ça.

Le silence s'installe dans la voiture. Je reste plongée quelques instants dans les souvenirs de mon mariage. Je revois Maxou, l'air rieur et détendu, comme je l'ai rarement vu. Et encore moins depuis que nous vivons ici.

Plus le temps avance et plus je me rends compte à quel point Maxou est chez lui, ici. Il ressemble tant à ces gens qui marchent d'un pas rapide dans la rue sans se soucier des autres. Qui se bousculent le matin pour rentrer dans le métro. Et qui ont toujours le cellulaire, pardon, le portable collé à l'oreille.

À Montréal, je n'avais pas remarqué qu'il était d'une nature aussi stressée… Ici, ça me saute aux yeux. À moins que ce soit Paris qui produise un tel effet sur son comportement. Tout ça mérite réflexion.

— Charlotte, t'es certaine que t'as pris le bon chemin? me demande Ugo, me ramenant tout à coup sur l'autoroute.

— Euh… Ben oui. Pourquoi?

— C'est que, Paris et Bruxelles, c'est pas tout à fait dans la même direction.

— Comment ça, Bruxelles?

— Ben oui, regarde sur le panneau, en haut, là.

Je lève les yeux et j'aperçois le panneau qui indique le nom de la capitale belge en lettres majuscules.

— Hé, merde! C'est quoi ce putain de bordel?

— Coudonc, c'est rendu que tu jures à la française, maintenant.

— Oui, pis j'adore ça. C'est super le *fun*. Ça sacre ben mieux qu'en québécois. Essaie, tu vas voir.

— Bah, non, j'y tiens pas vraiment, là.

— De toute façon, j'ai pas le choix. Faut que je parle comme eux si je veux me faire comprendre. J'ai même commencé à intégrer des expressions françaises, mais je les dis avec mon accent québécois… Ils trouvent ça trop mignon.

— Charlotte, faudrait penser à virer de bord… À moins que t'aies l'intention de m'amener manger des moules à Bruxelles.

— Ah, excuse-moi, Ugo. C'est la première fois que je prends l'auto. D'habitude, je me promène en métro. Ça fait que je suis pas trop habituée. En plus, ça m'énerve parce que tout le monde conduit trop vite. Je sais pas ce qu'ils ont tous à être pressés de même.

— C'est pas qu'ils sont pressés… C'est leur façon de conduire, c'est tout. Je peux prendre le volant, si tu veux. T'as juste à te tasser dès que tu pourras.

— Ouin, mais tu dois être fatigué après le voyage…

— C'est pas si pire.

— OK, si ça te dérange pas… T'es fin.

Ugo me sourit, mais son sourire a quelque chose d'inhabituellement triste. Humm… Vivement qu'on arrive à l'appartement et que je lui serve cet excellent bordeaux que j'ai déniché hier à l'épicerie du coin pour seulement 9 dollars, accompagné de pâtes aux tomates cerises, au basilic et à la pancetta. Il va bien finir par ouvrir son cœur. Bon, le menu est peut-être un peu lourd pour le lunch, mais aux grands maux les grands remèdes !

Préoccupée, je roule en silence jusqu'à ce que je puisse me stationner en toute sécurité dans une aire de repos. Je passe le volant à Ugo et je ressens un énorme soulagement. Il y a longtemps que j'ai compris que j'étais faite pour avoir un chauffeur. Je suis une très mauvaise conductrice et je m'assume.

On reprend tranquillement la route et, cette fois-ci, j'ai pensé à activer le GPS de mon cellulaire. Il était temps. Qu'est-ce que je peux être nounoune parfois !

— Que veux-tu faire pendant tes cinq jours de vacances ?

— Dormir.

Ah non ! Là, ça ne va pas du tout ! Ce n'est pas lui, ça ! Ugo fait partie de ces gens que j'envie. Ceux qui n'ont besoin que de cinq ou six heures de sommeil par nuit pour fonctionner. Qu'il m'annonce qu'il veut passer son séjour à roupiller me met sur un pied d'alerte.

— Bon, OK, aujourd'hui, on se repose. Mais demain, on pourrait aller à la tour Eiffel.

— Suis déjà allé.

— OK… Au Louvre, d'abord ?

— Trop de monde.

— Ben, on a juste à y aller tôt.

— T'as envie, toi, de suivre une gang de touristes américains obèses qui ne savent pas c'est qui, Léonard de Vinci ? Et que tout ce qui les intéresse, c'est de voir l'endroit où Tom Hanks a joué dans *Da Vinci Code* !

Je pouffe de rire. L'image est trop sublime. Au Louvre, j'imagine une horde de touristes américains venus du Texas, vêtus de t-shirts sur lesquels on peut lire : *USA, best country in the world.* Ils suivent une guide à l'accent nasillard, qui tient dans les airs un mini-drapeau des États-Unis. Ils lui demandent à tout bout de champ : « *Sweetheart, where is* La Joconde ? » Et, à la fin de la journée, ils se réfugient au McDonald's du Carrousel du Louvre pour y engloutir des trios Big Mac.

— OK… Pas de Louvre. Une promenade en bateau-mouche peut-être ?

— Ça dépend s'il fait beau…

— Ben là, c'est ben compliqué, donc !

— Bon, bon, OK, on fera ce que tu voudras, lance Ugo, visiblement pour se débarrasser.

— C'est ça, on va faire ce que je veux… Compte sur moi.

Ugo me regarde d'un drôle d'air avant de se concentrer à nouveau sur la route. Il me pense possiblement très égoïste. Mais ce qu'il ignore, c'est que je viens de me faire la promesse de le remettre sur pied. Pas question qu'il quitte la France avec cet air abattu et sans avoir gagné quelques kilos.

***

Trois heures plus tard, je regarde Ugo qui vient de s'assoupir dans la chambre d'amis. Ni la bouteille de bordeaux, ni ses pâtes préférées, ni mes questions incessantes ont réussi à le faire sortir de sa coquille.

Non, il n'y a pas de problème entre lui et Justin… Oui, tout va bien au boulot… Oui, il est seulement fatigué et a besoin de repos… Oui, il continue de prendre ses multivitamines… Oui, il va recommencer à aller au gym dès son retour… Tout ça est très louche. Et me tracasse beaucoup.

Je quitte la chambre sur la pointe des pieds et je m'installe au salon. J'essaie d'occuper mon esprit en naviguant sur Internet à la recherche de nouvelles recettes. Bof… Rien de bien inspirant. Je n'arrive pas à me concentrer, mes pensées reviennent toujours à Ugo.

Tiens, si je vérifiais mes courriels? Peut-être qu'Aïsha a finalement répondu à mon dernier message. Mon ex-meilleure amie et moi sommes restées en contact depuis mon départ, mais je pense que le cœur n'y est plus vraiment.

Même si je soupçonnais qu'il en serait ainsi, j'avoue que ça me fait plus mal que je le croyais. Nous avons été si proches autrefois. Et, ici, isolée dans la plus belle ville du monde, c'est à ces moments de complicité que je repense. Et ça me manque terriblement.

Ah, voilà! Elle a répondu. Il était temps! Ça faisait maintenant six jours que je lui avais écrit.

Salut Charlotte,
Contente de voir que tu sembles bien t'amuser à Paris. Désolée de ne pas t'avoir écrit avant. Ici, ça ne lâche pas. P-O et moi, on travaille très fort. Le nouveau

resto-traiteur dans HoMa est toujours bondé et on songe à en ouvrir un autre à Brossard, au Dix30. Mais on verra, puisque je ne veux pas laisser complètement de côté ma carrière de styliste à la télé.

En plus, P-O et moi, on vient de s'acheter un condo dans la Petite Italie. Je t'enverrai des photos, c'est magnifique.

Bon, je te laisse, j'ai plein de trucs à faire.

À bientôt,

Aïsha xx

Je ferme le message de mon amie, convaincue qu'elle ne m'enverra pas lesdites photos. Son ton plutôt impersonnel me fait penser qu'elle a envie de tourner la page. Je suis à la fois triste et vexée. Est-ce que je devrais faire la même chose ?

Après tout, c'est ici, à Paris, que je dois faire ma vie. Je ne peux pas toujours vivre dans la nostalgie. Dans l'attente d'une visite du Québec. Ou de mon prochain séjour à Montréal. Tu es ici pour y rester, Charlotte.

Je continue de vérifier mes courriels. Parmi les messages de mes boutiques d'alimentation, auxquelles je suis abonnée et qui me font part de leurs rabais de la semaine, un courriel retient mon attention. Il vient de arnaud_vagabond@hotmail.fr. Tiens, des nouvelles du Ch'ti ! Je m'empresse d'ouvrir le message.

Salut Charlotte,

Tu te souviens de moi ? On s'est croisés au marché de la rue Mouffetard.

Je serai à Paris la semaine prochaine. On déjeune ensemble ?

Bisous,

Arnaud

Humm… Pendant un court instant, j'éprouve un étrange sentiment. Une forme d'intuition qui me dicte d'appuyer sur l'onglet « Supprimer ». Comme si mon inconscient me mettait en garde. J'approche mon curseur de l'onglet en question, mais je n'appuie pas dessus. Je pointe maintenant l'onglet « Répondre ». Mais toujours sans appuyer. Je fais l'aller-retour entre les deux à quelques reprises, en ne parvenant toujours pas à me décider. Qu'est-ce qui m'empêche d'aller dîner avec ce mec? C'est vrai que je voulais UNE nouvelle amie, mais un ami, c'est mieux que rien, non? Et je réponds finalement à Arnaud, lui disant que j'accepte son invitation avec plaisir. Avec grand plaisir, en fait.

18

L'acte de fouiller dans les affaires
de quelqu'un d'autre est totalement justifié
s'il est dicté par un réel sentiment d'inquiétude.
CHARLOTTE LAVIGNE, qui ne connaît pas
toujours bien le sens du mot « réel ».

— *T*iens, j'avais oublié de te donner ça.
Ugo me tend une enveloppe sur laquelle mon
nom est inscrit. L'écriture de maman.

— Merci, dis-je en la déposant sur la table du
salon, où nous sommes assis tous les deux en ce matin
ensoleillé.

Encore vêtus de nos robes de chambre, on fait la
grasse matinée en savourant un deuxième café. J'adore
paresser l'avant-midi. Il y a maintenant quatre jours
qu'Ugo est arrivé à Paris. J'ai finalement réussi à le
traîner à quelques endroits touristiques, dont le cime-
tière du Père-Lachaise, où on a cherché la tombe de
Jim Morrison pendant des heures… Bon, des minutes
peut-être, mais elles m'ont semblé des heures.

Ensuite, il a voulu voir celles de Chopin, d'Édith Piaf,
de Molière. Chaque fois, il s'est recueilli quelques instants en silence. Devant le monument érigé à la mémoire
de Chopin, j'ai même vu ses yeux se remplir d'eau.

Et là, j'ai senti mon cœur se serrer jusqu'à ce que, moi aussi, j'aie les larmes aux yeux. Pas à cause de Chopin, on s'entend. La tombe d'un bonhomme mort depuis plus de cent cinquante ans – virtuose ou pas – ne me bouleverse pas à ce point-là !

Non, moi c'est Ugo qui m'inquiète. Et surtout le fait que je n'arrive toujours pas à le faire parler. Ça ne nous est jamais arrivé de ne pas être capables de se confier l'un à l'autre. Jamais. C'est pour ça que je soupçonne un drame national. Et que j'invente dans ma tête les pires scénarios.

— Tu l'ouvres pas ? me relance Ugo en désignant l'enveloppe.

— Plus tard.

Je change de place pour aller m'asseoir à côté de lui, sur le canapé. J'appuie ma tête contre son épaule et je prends sa main dans la mienne.

— Réponds-moi franchement, Ugo. Est-ce que tu es malade ?

Il me donne un petit bisou dans les cheveux en murmurant un « Non » presque inaudible. Il se lève ensuite en me disant qu'il va prendre sa douche.

OK, là, c'est assez ! Je dois savoir. Je n'en peux plus de vivre dans le doute comme ça. D'imaginer les pires catastrophes. Je n'ai pas le choix : je dois passer outre à la règle du respect de la vie privée !

Dès que j'entends la douche couler, je me précipite dans la chambre d'amis. Et j'adopte un comportement que je réserve habituellement aux amoureux que je soupçonne d'être infidèles : je fouille dans ses affaires.

Bon, rien de bien intéressant dans sa trousse de toilette. Rasoir de voyage dans un petit étui en cuir couleur cognac, crème à raser bio, déodorant pour hommes Givenchy, *kit* de produits pour le visage Biotherm. Pas de médicament, c'est bon signe.

La valise, maintenant. Des fringues, des fringues, rien que des fringues ! Le tout rangé méticuleusement en piles bien droites, comme Ugo aime les faire. Ce n'est pas là que je vais trouver réponse à mes questions. Je m'assois sur le bord du lit, découragée. Ne me dites pas qu'il va repartir demain sans que j'en aie le cœur net! Je ne survivrai jamais.

Je me lève pour retourner au salon, complètement abattue, quand j'aperçois quelques objets sur la table de chevet. Dont son cellulaire. Ding! Allume, Charlotte! Un cellulaire, ça contient toujours quelques secrets.

Je m'en empare, tout en écoutant d'une oreille si j'entends toujours la douche ruisseler. C'est bon, le champ est libre. Je commence à vérifier ses appels entrants.

Isabelle: lundi 14 h 37, durée: sept minutes

C'est qui, elle?

Clinique d'esthétique Suzanne: lundi 16 h 12, durée: une minute

Confirmation de son rendez-vous pour l'épilation au laser de son torse, je suppose.

Isabelle: mardi 7 h 12, durée: trois minutes

Encore? À 7 heures du mat?

Les Viandes Biologiques de Charlevoix: mardi 10 h 34, durée: six minutes

Un fournisseur… Le meilleur poulet bio que j'aie jamais mangé… Ah, que je m'en ennuie tout à coup.

La Fromagerie du Pied-de-Vent: mardi 11 h 28, durée: quatre minutes

Un autre fournisseur… dont j'adore le fromage.

À sa prochaine visite, il faut absolument qu'Ugo en cache dans sa valise.

Isabelle : mardi 22 h 32, durée : seize minutes

C'est qui, cette fatigante ? Ahhhh… Ça doit être la nouvelle gérante. Coudonc, elle appelle à des heures impossibles ! Elle ne sait pas respecter la vie privée, elle ? De plus, il devait être sur le point de monter dans l'avion. Elle ne peut pas le laisser prendre des vacances tranquilles ? Avec sa « vraie » amie !

Charlotte : mercredi 13 h 29, durée : une minute

Mon appel à sa descente de l'avion pour lui dire à quel endroit je l'attendais.

Depuis, plus rien. Aucun appel. Ni de Justin ni de la fameuse Isabelle. Bon, je n'ai pas appris grand-chose là non plus. Regardons ses courriels maintenant.

Rien de bien pertinent ici non plus. D'autres messages pour sa *business*, dont quatre ou cinq d'Isabelle. Décidément, elle ne le lâche pas, celle-là. Un courriel du concessionnaire Volvo, qui lui rappelle l'importance de faire la mise au point estivale de sa voiture. Un autre de son magasin de disques préféré, qui l'informe que le coffret de musique classique qu'il a commandé est arrivé.

Et puis, finalement, un message de Justin, qu'il a archivé. Je regarde la date d'envoi et ça remonte au mois dernier, tout juste avant qu'il m'annonce sa venue.

Un message de rupture, peut-être ? Je m'empresse de l'ouvrir. Ah, tiens donc, c'est un courriel que son chum lui a transféré. À l'origine, ça vient de kevin.chase@aol.com. Je le lis attentivement.

Ugo, regarde ce que je viens de recevoir d'un des gars avec qui je suis allé à New York… Dis-moi que ça se peut pas…

Dear Justin, I just found out I'm HIV-pos. I don't really know how long it's been since I've contracted the virus. I'm unsure if it was before or after we met. You'd better take a test. Sorry about that. Kev

Pendant un court instant, je reste complètement figée, le souffle coupé. Est-ce que j'ai bien lu ? Non, c'est impossible... *HIV-pos*. Séropositif... Un amant de Justin ? Et Ugo, lui ? Non, non, non, non, non, noooooooon ! Pas Ugo, pas Ugo, pas Ugo !

Mon cœur s'emballe et bat de plus en plus fort. Ma respiration est maintenant saccadée, j'ai l'impression de manquer d'air. Une sensation de vertige m'envahit et mes mains tremblent tellement que j'en échappe le cellulaire d'Ugo sur le sol.

Je me lève précipitamment et sors de la chambre à toute vitesse, complètement paniquée. J'étouffe. Je suffoque comme si on était en train de m'étrangler, de m'enlever la vie. J'ai besoin d'air, il me faut de l'oxygène. Tout de suite.

Je sors en trombe de l'appartement, je dévale les trois escaliers qui mènent au rez-de-chaussée, j'ouvre la porte de l'immeuble et je sors sur le trottoir. Pendant un instant, je me sens complètement désorientée. Je cherche des repères. Où sont les escaliers extérieurs des maisons ? Les écureuils dans les arbres ? Le *stand* de Bixi ? Les travaux routiers dans la rue ? L'odeur de *smoked meat* ? L'avenue du Mont-Royal ?

J'entends soudainement des cloches qui sonnent. Je cherche des yeux d'où vient le bruit quand j'aperçois le clocher d'une église. La basilique Sainte-Clotilde, rue Las-Cases, 7e arrondissement, Paris, France.

Paris, 2012. Je vis ici. Je suis mariée à Maximilien Lhermitte et je viens d'apprendre que mon meilleur ami a peut-être le sida. Le mal du siècle des années 1980-1990. Celui qu'on croyait pratiquement disparu tellement on n'en entend plus parler.

Non, maintenant, on s'occupe de la dépression, du *burn-out*, des troubles bipolaires. Mais le sida, lui ? On l'a relégué aux oubliettes, nous faisant pratiquement croire qu'il n'existait plus qu'en Afrique.

Mais là, la menace est bien réelle. Le sida n'est plus seulement une vague statistique dans un journal. Il est là, dans ma vie, prêt à faire des ravages. À m'enlever mon meilleur ami.

Épuisée, je me laisse choir sur une des deux marches qui mènent à l'entrée de la maison où j'habite et je prends de grandes respirations pour retrouver mon calme.

Une dame âgée passe devant moi et me jette un coup d'œil méprisant. Quoi ? Qu'est-ce que je vous ai fait, vous ? Elle poursuit sa route, non sans m'avoir dévisagée de la tête aux pieds. Je m'observe à mon tour et je constate que ma tenue n'est pas vraiment appropriée pour une sortie dans les rues du Outre-mont de Paris. Ma robe de chambre en satin turquoise a beau être super belle... elle n'est pas dans le ton.

Je commence à pleurer tout doucement en me demandant ce que pourrait être ma vie sans Ugo. J'essuie mes larmes du revers de la main, complètement imperméable aux regards des passants qui circulent dans la rue. Et qui, de toute façon, ne s'arrêtent pas pour me consoler. Ou même s'informer de mon état. Bienvenue dans la capitale de l'individualisme.

Je me sens tout à coup complètement nulle. Je découvre que la santé de mon ami est menacée et la seule chose que je suis capable de faire, c'est de penser à ma petite personne. Au mal que ça me fait, à moi, d'envisager qu'Ugo pourrait être gravement malade. Ou même mourir.

Il faut que je me ressaisisse. Je dois aller le retrouver et lui dire qu'il pourra toujours compter sur moi. Lui proposer de venir se faire soigner à Paris. Comme ça, je pourrais être là tous les jours pour lui. Je pourrais même essayer de lui trouver une Française prête à le marier pour qu'il ait les papiers.

Lui dire aussi que, s'il choisit de recevoir ses traitements à Montréal, je suis prête à prendre l'avion n'importe quand. Oui, c'est ça que je dois faire. Le rassurer. Lui dire qu'il n'est pas seul dans cette épreuve. Courage, Charlotte !

Je secoue la tête énergiquement pour chasser mes larmes, je respire un bon coup et je m'apprête à me lever quand la porte de l'immeuble s'ouvre derrière moi. Je me retourne. Ugo est là, son cellulaire à la main. Le regard triste et un brin mécontent. Sans dire un seul mot, il me tend la main pour m'aider à me lever. Paralysée par la peur, je ne bouge pas.

— Viens-t'en, insiste-t-il.

Je prends sa main et je réussis à me mouvoir péniblement. J'essaie de retenir les larmes qui veulent à nouveau couler sur mes joues. Je fixe le sol, incapable de regarder Ugo dans les yeux sans flancher.

Il lâche ma main pour entrer dans l'immeuble et je le suis dans un silence oppressant. En remontant lentement l'escalier – ici, l'ascenseur est non seulement minuscule, mais aussi en panne un jour sur deux –, je me prépare à la conversation que nous aurons.

Je dois me montrer forte et faire preuve d'une grande écoute. C'est lui qui a besoin de moi actuellement. Et non l'inverse.

Ugo pousse la lourde porte de l'appartement. En traînant les pieds, je me rends jusqu'au salon et je m'écrase sur le divan de cuir brun. Mon ami s'assoit à côté de moi.

— T'aurais pas dû fouiller dans mes affaires, Charlotte.

— M'excuse. Je le referai plus.

Je lui dis ça, même si je n'en pense pas un traître mot. Pff… S'il croit qu'il va me faire sentir coupable, il se trompe. J'ai bien fait et je ne le regrette pas un iota.

— J'étais pas prêt à t'en parler.

— Comment ça, pas prêt à m'en parler ? Pourquoi t'es venu à Paris, d'abord ?

— Pour pas penser à ça tout le temps, pour me changer les idées.

— Pour faire comme si la vie était normale ?

— Si on veut.

— Mais la vie ne sera plus jamais normale, Ugo.

— Wo, wo, wo… Y a rien de certain, là. Je suis peut-être même pas séropositif. Et Justin non plus.

— Lui, on s'en fout complètement. C'est de sa faute, tout ça.

— Charlotte, s'il te plaît…

— Mais là, t'as passé un test ? Tu l'es ou tu l'es pas ? Pourquoi tu veux pas me le dire, hein ? Pourquoi ?

Les questions se précipitent dans ma tête. Tout s'entremêle. Je ne vois plus clair dans cette histoire. Je me lève et commence à faire les cent pas dans le salon.

— Je comprends pas, Ugo, je pensais que tu te protégeais avec Justin. Pis lui ? Il s'est pas protégé avec ces gars-là ? Y est ben innocent, donc ! C'est un meurtrier, c'est ça qu'il est ! Je savais que c'était pas un gars pour toi… Il a gâché ta vie !

— EILLE ! On se calme. T'as pas entendu ce que j'ai dit ?

Quand Ugo hausse le ton, je fige sur place. Et comme ça lui arrive rarement, je comprends qu'en ce moment, il est vraiment exaspéré. Je me rassois tranquillement à ses côtés.

— Excuse… Qu'est-ce que t'as dit ?

— Que je ne suis même pas certain d'avoir le virus.

— C'est quoi les possibilités ? Quand est-ce que tu vas le savoir ?

Ugo m'explique qu'il faut attendre de trois à six mois après la relation à risque avant de pouvoir détecter le VIH dans le sang.

— Ça veut dire que tu vas passer le test quand exactement ?

— Dans un mois.

— Un mois ? Je pourrai jamais attendre jusque-là.

— Va ben falloir.

Tous les deux, on reste silencieux quelques instants. Je suis encore sous le choc. Ugo m'informe ensuite que Justin s'est toujours protégé, mais qu'avec Kevin le condom s'est brisé.

— Et tu le crois ?

— Ça arrive, tu sais.

— Ouin… Moi, je pense plutôt qu'il veut pas te le dire, mais qu'il était ben soûl ou ben fait sur l'ecstasy, et qu'il n'a pas pris ses précautions.

— C'est possible… Mais est-ce que c'est vraiment important ?

— T'as raison. *Anyway*, c'est un salaud.

Ugo soupire, mais ne dit rien.

— Mais toi, avec lui, tu t'es toujours protégé, hein ? Tu m'as déjà dit que, vu que tu savais qu'il couraillait, t'aimais mieux pas prendre de chance… Ça fait que, dans le fond, y a pas grand risque pour toi, hein ?

Ugo ne souffle mot. Je le regarde, pleine d'espoir. Vivement qu'il me confirme qu'il a toujours utilisé le condom avec son chum et qu'on écarte pour toujours ce grand malheur de nos vies. Que tout redevienne normal. Que tout redevienne comme avant. Ugo se racle la gorge et détourne le regard.

— C'est arrivé une fois où on l'a fait sans protection. Juste une fois.

Je ferme les yeux et je comprends que ma vie vient d'être suspendue et qu'elle ne pourra reprendre que dans un mois.

19

Thérapie culinaire…
Encore une?

*P*our chasser mon angoisse, j'ai décidé de me lancer dans la préparation d'un grand souper pour ce soir. C'est la dernière soirée d'Ugo à Paris et je veux qu'elle soit mémorable.

Je l'ai donc mis dehors quelques heures, le temps que je concocte quelques trucs. Il m'a proposé son aide, mais j'ai refusé, prétextant que la cuisine est bien trop petite. Ce qui est vrai.

Mais ce qui est surtout vrai, c'est que j'avais besoin de me retrouver en tête à tête avec mes chaudrons. Je veux laisser toute la place à la peine, la peur et la rage que j'éprouve depuis que j'ai lu ce fameux courriel. Quelques heures d'une bonne thérapie culinaire et je serai de nouveau prête à faire face à la vie. Et à passer une soirée sous le signe de la fête.

Le problème pour ce soir, c'est que nous serons seulement trois. Ugo, Maxou et moi. Pas très festif, tout ça! Il me faut trouver d'autres invités… Mais où?

Je termine la cuisson de mon confit d'oignons, qui va accompagner le foie gras acheté chez mon nouveau boucher, en songeant aux personnes qui m'entourent ici, à Paris. Qui donc pourrais-je bien appeler à la dernière minute pour venir manger à la maison ?

Hum… Certainement pas la reine Victoria ! Ni cette Camille Valentin, l'adjointe de Maxou, qui l'a finalement suivi jusqu'ici malgré toutes les réticences que j'ai exprimées à son endroit. Mon mari n'a jamais voulu les écouter. Elle est l'adjointe parfaite, semble-t-il… Et il se dit convaincu qu'elle n'est pas amoureuse de lui. Me semble…

Bon, qui d'autre pourrait se joindre à nous ? Dommage qu'Arnaud soit ici seulement la semaine prochaine… Il aurait peut-être fait un bon invité.

Et si j'en parlais à Maxou ? Je prends le téléphone et compose son numéro de cellulaire. Merde, c'est sa boîte vocale.

« Salut, mon chéri ! Écoute, j'organise un souper pour le départ d'Ugo. Je sais, c'est un peu dernière minute, mais je viens juste d'y penser. Faut absolument que tu trouves des amis à inviter. Deux ou trois, comme tu veux. Mais pas ton adjointe. Du monde le *fun*, OK ? Dis-leur d'être ici à 8 heures. Je t'aime ! »

Je raccroche, fière de mon coup et certaine qu'il va me trouver de bons invités. Maxou est hyper populaire au bureau.

J'entame la préparation de mon dessert, un gratin de poires aux amandes, mais je n'ai pas l'esprit tranquille. Une étrange sensation d'avoir oublié quelque chose m'habite. Quoi donc ? Ah oui… Je sais maintenant. Je recompose le numéro de mon chum et je lui laisse un deuxième message.

« C'est encore moi. J'ai oublié de te dire que je ne voulais pas que tu invites la fille des comm' avec qui on a mangé l'autre midi. Anna-Sophie, je pense. Sa face me revient pas, à elle. Ni l'autre fille qui fait les bulletins économiques. Comment elle s'appelle déjà ?

Ah oui, Maëlle. Mais sinon tu peux inviter qui tu veux, y a pas de problème. OK, merci encore, Maxou. Je t'aime ! »

Bon, voilà. J'ai éliminé les plus belles filles de l'entourage de Maxou. Maintenant, je peux me concentrer sur le menu de ce soir. Donc, foie gras au torchon en entrée, suivi d'un potage à l'oseille et de filets de saint-pierre. Un délicieux poisson blanc que j'achète compulsivement depuis que je suis ici et que je servirai avec de la sauce Bercy et accompagné d'une jardinière de légumes.

Un maroilles, un roquefort et une tomme du Jura composent mon assiette de fromages. Pour terminer, mon dessert aux poires. Assez traditionnel comme menu, mais efficace.

Pendant que je citronne mes poires coupées pour éviter qu'elles noircissent, je songe à ce que m'a annoncé Ugo au sujet de sa relation avec Justin. C'est-à-dire… qu'il ne l'a pas quitté. Ils sont toujours ensemble. Je n'en reviens tout simplement pas. Comment peut-il continuer à fréquenter un homme qui l'a ainsi trahi ?

Bon, d'accord, ils ont cessé toute activité sexuelle jusqu'à ce qu'ils aient les résultats. Ça m'a rassurée, même je ne comprends toujours pas. Et je ne comprendrai jamais. Même si Ugo me parle d'amour profond, de soutien dans l'épreuve, de solidarité masculine… Foutaise, tout ça !

Il m'assure que Justin, depuis l'épisode new-yorkais, se tient tranquille. Qu'il est fidèle, attentionné et très amoureux. Foutaise également ! Il est trop tard pour les bonnes intentions, maintenant.

Heureusement, Ugo m'a promis de reconsidérer sa relation après l'annonce des résultats, qu'ils soient positifs ou négatifs. J'ai donc un mois pour lui faire entendre raison.

Si je voulais, je pourrais trafiquer des photos qui montreraient Justin dans les bras d'un amant quelconque. Et prétendre que je l'ai fait suivre par un détective privé. Ou bien me créer un compte Facebook au nom d'un gars qui pourrait s'appeler quelque chose comme Martin Thivierge et mettre des messages énigmatiques sur le babillard de Justin.

Je pourrais écrire des trucs du genre : « Merci pour la belle soirée d'hier. J'espère qu'on se reprendra bientôt. » Ou bien : « Content de t'avoir rencontré en personne, tu es encore plus beau qu'à la télé. » Ou encore : « Mon chat s'ennuie déjà de toi et te réclame. Ce soir, peut-être ? » Et je m'organiserais ensuite pour qu'Ugo lise tous ces messages… Et ce n'est pas seulement un faux compte que je pourrais créer… mais bien trois. Pour les photos de ces individus, je n'aurais qu'à mettre celles d'un chat, d'un gars en voilier qu'on voit de très loin et d'un gars qui fait des bye bye dans son auto sport, la main lui cachant le visage.

Voilà ! Pas plus compliqué que ça. L'opération *Destruction Justin* pourrait s'enclencher aussitôt que son amoureux mettra les pieds à l'aéroport Charles-de-Gaulle, demain matin. Bon, je sais bien, au fond, que je n'en ferai rien, mais juste de l'imaginer, ça fait du bien ! Je me sens plus sereine tout à coup. Plus en paix avec moi-même. Et prête à attaquer la préparation de mon potage à l'oseille.

Le reste de la journée défile à toute allure avec la cuisson de mes plats, le retour d'Ugo les bras chargés de sacs des Galeries Lafayette – ma foi, il a dû dévaliser le rayon des hommes au grand complet – et l'arrivée de Maxou, à peine vingt minutes avant celle de nos « invités mystères ».

Mon mari et moi sommes dans la chambre, en train de nous préparer, pendant qu'Ugo fait une petite sieste dans la sienne pour se remettre de son après-midi dans les magasins. J'ai tellement envie de tout raconter à Maxou, mais j'ai promis à Ugo de garder le secret.

Comme je sais que j'en serai totalement incapable, j'ai décidé que j'en parlerais quand même à mon chum. Mais seulement à lui. Et pas avant qu'Ugo ait mis les deux pieds dans l'avion. Question que Maxou ne s'échappe pas devant lui. J'ai donc inventé une banale peine d'amour vécue par Ugo pour justifier ma fête de dernière minute.

Il nous reste donc moins de vingt minutes pour finir de nous préparer, dresser la table, allumer les chandelles et ouvrir les bouteilles de vin pour les laisser respirer.

Je suis encore en sous-vêtements, en train d'enfiler ma paire de bas de nylon. Maxou, de l'autre côté du lit, enlève sa chemise rayée blanc, noir et gris pour la remplacer par une tenue un peu moins formelle. Les bas maintenant bien en place, j'ouvre la porte de ma penderie, à la recherche de la robe parfaite pour ce soir.

J'hésite entre la traditionnelle petite robe de cocktail noire ou la bleu nuit au décolleté plongeant. Est-ce que je me sens sage ou coquine ?

— Qui t'as invité finalement pour ce soir ? dis-je à Maxou en lui tournant le dos.

— …

— Maxou, tu m'as entendue ?

Toujours pas de réponse. Je me retourne et l'image que je vois me trouble un instant. Mon chum est étendu de tout son long sur le lit, complètement nu et déjà prêt à faire l'amour.

— Maxou, range ça. On a pas le temps.

— Oh, allez… Un petit coup… Dix minutes, pas plus.

— Non, dis-je en perdant peu à peu mon sérieux et de plus en plus tentée par sa proposition.

— Et puis, t'es ma femme maintenant.

— Ça veut dire quoi, ça, que je suis ta femme maintenant ? Que t'as tous les droits sur moi ?

— Forcément… Sinon à quoi ça sert, le mariage ? répond-il à la blague.

Il m'arrive parfois de me demander s'il n'y a pas un fond de vérité derrière ses paroles de macho. Mais, pour l'instant, mon esprit n'est pas à l'argumentation. J'ai plutôt le goût de jouer un peu avec lui.

— Et pourquoi je céderais, hein ?

— Parce que j'en ai très envie.

— Très, très envie ? dis-je en me rapprochant doucement d'un pas langoureux.

— T'as pas idée… J'ai pensé à toi toute la journée. Et, là, putain que t'es belle dans cette lingerie.

— Tu trouves ?

Je m'approche encore, je suis maintenant tout près du lit. J'appuie un premier genou sur le matelas et commence tout doucement à me pencher vers lui. Mais j'arrête mon geste et je recule, en prenant un air coquin.

— Allez, cesse de me torturer.

J'éclate de rire devant son air implorant, ses yeux doux et sa main qui cherche à attraper la mienne. Je lève les yeux au ciel en signe de fausse exaspération et je m'entends dire :

— Bon… OK… Mais cinq minutes, pas plus… T'as pas d'allure.

Exactement sept minutes plus tard, tout est terminé. Monsieur a eu son bonbon, j'ai eu le mien. On peut passer à autre chose. J'attrape une nouvelle paire de bas de nylon dans mon tiroir, l'autre n'ayant pas survécu à cette baise expéditive.

— Eh, merde, j'ai même pas le temps de prendre une douche avec tout ça. C'est de ta faute ! On va sentir le sexe à plein nez.

— Bah… Ça va juste mettre un peu d'ambiance. On va exciter nos invités.

Coudonc, qu'est-ce qui lui prend, lui ? Monsieur image-parfaite-je-suis-rasé-de-près-et-je-sens-le-parfum-pour-hommes-de-Chanel !

— Justement, c'est qui, là, nos invités ?

— Ah oui… C'est Boris.

Je referme brusquement le tiroir de mon chiffonnier. Je sens que je blêmis à vue d'œil.

— T'es pas sérieux?

— Mais si. Ugo le connaît, non? Ils étaient assis à la même table au mariage, si je me rappelle bien.

— Oui, mais, Max, ça marche pas pantoute, là.

— Écoute, Charlotte, tu m'interdis d'inviter à peu près toutes les filles que je connais, alors j'ai…

— Faut le décommander, ça presse, dis-je en lui coupant la parole.

— Ah non, ça ne se fait pas. En plus, il va nous présenter sa nouvelle copine.

— Max, tu comprends pas. Boris, il est homophobe.

— Mais non. Des sottises, tout ça. C'est un mec, c'est tout. Et puis, c'est mon pote.

— Non, je te jure, c'est vrai.

— Bon, j'en ai assez entendu.

Le ton sans appel de Maxou me fait comprendre que j'ai perdu la bataille.

— Eh, merde! Tu viens de nous mettre dans un beau pétrin.

— Mais non, tout va bien se passer, dit-il pour me rassurer.

— On va voir, je suis pas sûre… Tu peux aller préparer l'apéro maintenant?

— Je peux faire ça, oui. T'as pensé à acheter du champagne, j'espère?

— Ben oui, mon chéri. Et y a des olives pour grignoter.

Pour Maxou, une soirée entre amis débute nécessairement avec un champagne à l'apéro. Une tradition à laquelle je me suis rapidement habituée. Surtout que c'est lui qui paie les bouteilles. Comme à peu près tout ce que je consomme depuis que je suis ici. Mon minuscule petit coussin québécois a malheureusement fondu à vue d'œil.

Je l'entends sortir de la chambre et refermer la porte derrière lui. Je ne peux pas croire qu'il a fait ça!

Inviter un ami homophobe. Quel manque de jugement ! Je lui avais pourtant dit que Boris n'aimait pas les gais. Visiblement, il ne m'a pas crue. Ou il n'a pas voulu me croire. Mon chum a de ces œillères parfois ! Et ça me choque terriblement.

Maintenant, c'est moi qui suis prise avec une bombe à retardement autour de la table ce soir. Et une nouvelle pétasse que je ne connais pas, par-dessus le marché ! Laquelle sera certainement avantagée par la nature. Du genre le *body* de Monica Bellucci, les lèvres d'Angelina Jolie et le regard coquin de Carla Bruni. Et il y a fort à parier qu'elle sera de la trempe de ces Parisiennes chiantes qui savent tout sur tout.

Si je n'étais pas si bien élevée, je me sauverais en catimini avec Ugo et je laisserais Maxou se débrouiller avec ses invités. Mais puisque je possède quand même quelques notions de savoir-vivre, je vais rester et faire face à la réalité. Après tout, Ugo est un grand garçon, il saura peut-être remettre Boris à sa place. Ce qui risque d'être fort amusant, finalement.

Bon, allez ! À la guerre comme à la guerre ! Je sors de la chambre à coucher après avoir finalement décidé d'enfiler ma robe bleu nuit. Celle avec le décolleté plongeant.

Ugo est assis au salon, le magazine *Télérama* entre les mains. C'est LA bible de la télé en France.

— Dis donc, Charlotte, t'en as du choix à la télé ici, me dit-il, vaguement impressionné.

— Peut-être, mais c'est loin d'être tout bon. En variétés, ils sont complètement nuls. Et les téléromans, c'est l'horreur. Je suis prise pour écouter des séries américaines doublées en français de France. C'est vraiment poche.

— Ouin, ça va être beau quand tu vas travailler en télé.

— J'aime autant pas y penser... Je vais peut-être essayer de faire du documentaire. Là-dedans, ils sont bons.

Ugo me regarde d'un air interrogateur. Je lis le doute dans ses yeux.

— Ben oui, du docu. Quoi ? Je suis capable !

— J'ai rien dit, chérie. J'ai rien dit.

Je ne suis pas convaincue de sa sincérité, mais je n'ai pas le temps pour argumenter. Je m'assois à ses côtés et je lui arrache la revue des mains.

— Écoute, Ugo, faut que je te dise…

Ding ! Ça sonne à la porte. Ah non, déjà ? Je n'ai même pas eu le temps de préparer Ugo à ce qui s'en venait. La voix de Maxou me parvient depuis la cuisine.

— Charlotte, tu vas ouvrir, s'il te plaît ? Je suis occupé ici, moi.

Je jette un regard douloureux à Ugo et je l'implore de m'excuser à l'avance. Il me demande pourquoi. Pour toute réponse, je lui dis que c'est la faute de Maxou. La sonnette de l'entrée se fait à nouveau entendre. Je me précipite dans le hall, suivie d'Ugo, intrigué par mes propos. J'ouvre la porte de l'appartement et je découvre le sourire hypocrite de Boris.

— Bonsoir, Charlotte.

— Bonsoir, Boris. Tu es venu seul, finalement ? dis-je en l'embrassant sur les deux joues.

— Non, ma copine vient nous rejoindre. Elle devrait être là d'une minute à l'autre.

Je jette un coup d'œil derrière moi. Ugo a le visage complètement fermé. Oh, qu'il n'est pas content !

— Boris, tu connais Ugo. Vous vous êtes vus au mariage.

— Ah oui, je me souviens, dit-il en serrant la main de mon ami.

Bon, tout de même. Un premier signe encourageant. Ugo semble un peu plus rassuré.

— Entre, Boris.

— Attends, je crois que j'entends l'ascenseur. Ça doit être elle qui arrive.

La porte du minuscule ascenseur se trouve tout juste en face de notre appartement. Pratique, mais pour ça, il faut qu'il fonctionne. Ce qui semble être le cas ce soir.

— OK, on va attendre.

Le silence s'installe quelques instants. Seul le bruit de l'ascenseur qui monte se fait entendre. Soudainement, la voix de Maxou retentit derrière moi.

— Hé, Boris, content de te voir.

Maxou embrasse son bon ami sur les deux joues. Une habitude qui me laisse encore perplexe, même si elle fait désormais partie de mon quotidien. Pour moi, ça reste une dichotomie. Ça ne cadre pas du tout avec l'attitude macho de la plupart des Français que j'ai rencontrés jusqu'ici.

— Mais qu'est-ce que vous foutez tous dans le couloir ? demande Maxou.

— On attend la blonde de Boris, elle est en train de monter, dis-je.

— Et je crois qu'elle arrive, ajoute Boris en entendant le bruit de l'ascenseur, qui s'arrête à notre étage.

La porte s'ouvre sur une magnifique blonde aux yeux verts. Une femme au sourire enjôleur et aux yeux de rapace. Une femme que je pourrais reconnaître entre dix mille blondes aux yeux verts. Une femme que j'espérais ne jamais revoir de ma vie : Béatrice Bachelot-Narquin.

Celle qui fut le premier grand amour de mon mari salue tout le monde de son sourire ensorceleur. Mais c'est sur Maxou que son regard s'attarde.

— Maxou, ça fait tellement longtemps !

Longtemps, longtemps, ça fait pas si longtemps que ça... C'était il y a moins d'un an, la dernière fois où t'as couché avec mon mari... Espèce de *bitch* finie !

— Béatrice. Quelle surprise !

Et voilà que Maxou s'approche d'elle pour l'embrasser et lui faire l'accolade. Grrrr. Je jette un coup d'œil à Ugo : son visage n'exprime pas du tout ce à quoi je m'attendais de la part de mon meilleur ami. Il a l'air de se bidonner. Aucune solidarité ici. J'en suis d'autant plus frustrée. Je continue de détailler Béatrice pendant que Maxou s'occupe des présentations.

Cette femme, je ne l'ai vue qu'une fois. Mais j'ai tout de suite compris que je ne pouvais pas lui faire confiance. Elle est beaucoup trop belle, trop flamboyante, trop sûre d'elle-même. De plus, elle a la même énergie sexuelle que Sharon Stone dans *Basic Instinct*.

— Dis donc, Boris, t'as le cul bordé de nouilles ! lance Maxou.

— Ça gère, hein ? répond Boris.

— Les mecs, vous êtes trop chou, roucoule Béatrice. Bon, j'ai rien compris !

— Maxou, qu'est-ce que t'as dit ? C'est quoi cette expression bizarre ?

— Euh…

— Il a tout simplement dit, intervient Béatrice, que Boris avait beaucoup de chance.

Et la voilà qui se colle contre son homme en continuant de sourire à Maxou. Qui, lui, vient de se rendre compte qu'il aurait mieux fait de se taire.

— Et « ça gère », poursuit Béatrice, ça signifie « génial ». Il faudra vous habituer à nos expressions, ma chère Charlotte, si vous voulez vivre ici encore longtemps. Bon, on entre maintenant ?

Béatrice n'attend pas ma réponse. Elle s'engouffre dans le couloir en s'accrochant au bras de Maxou devant un Boris qui a l'air de trouver ça complètement normal. Je les laisse prendre un peu d'avance et j'attrape Ugo par la manche de sa nouvelle chemise en coton couleur sable, agrémentée d'une petite bordure de fleurs au poignet. Chemise que j'adore – soit dit en passant – et que je vais m'empresser d'aller acheter pour Maxou dès demain.

— Je suis certaine qu'elle l'a fait exprès. Elle sort avec Boris juste pour se rapprocher de Max.

— Ben voyons, Charlotte. T'inventes des histoires.

— Je te le dis.

— Ça va bien aller, tu vas voir, répond-il en m'entraînant vers le salon, où les trois amis sont assis, à attendre que je commence le service du champagne.

Mais ce soir, mon cher Maxou, les rôles sont inversés. Je m'assois avec eux, je presse Ugo de faire de même et je demande à Maxou de nous servir l'apéro.

— Eh bien, on voit qui mène, ici. Hein, Max? lance Boris.

— Non, ça va. J'ai tout préparé.

Tout préparé! Non, mais qu'est-ce qu'il ne faut pas entendre! Il a sorti cinq flûtes à champagne de l'armoire et il a mis des olives dans un plat de service. Grosse préparation.

— Je vais t'aider, propose Béatrice en se levant *subito presto*.

Ça, je ne l'avais pas prévu. Je la vois s'éloigner dans son jeans moulant coupe cigarette et ses sandales Marc Jacobs aux talons vertigineux. Qu'est-ce qui m'a pris de l'envoyer en cuisine? Enfin, c'est maintenant l'heure de l'interrogatoire de Boris… Histoire de valider ma théorie.

— Boris, dis-moi… Comment as-tu rencontré Béatrice?

— Ah, ouais, c'est une chouette histoire. C'est elle qui m'a retrouvé sur Facebook.

— Ah, parce que vous vous connaissiez déjà?

— Ouais, je l'ai connue à l'époque où elle était avec Max. Lui et moi, on était déjà amis à ce moment-là.

— Ah, je vois…

Je jette un coup d'œil à Ugo pour lui signifier que j'avais bel et bien raison. Mais il ne semble pas sauter aux mêmes conclusions que moi. Au même moment, j'entends Béatrice éclater d'un grand rire séducteur dans la cuisine. Personne ne bronche. Est-ce que je suis la seule ici à me rendre compte qu'elle est accro à Max? Et puis, c'est quoi, cette histoire de meilleurs amis qui voient d'un bon œil qu'un des deux sorte avec l'ex de l'autre ? C'est louche, non ? J'essaie de continuer à en savoir plus sur la prétendue relation entre Boris et Béatrice.

— Et puis vous vous êtes revus et vous êtes tombés en amour ? Juste comme ça ? Vingt ans plus tard ?

— Ben… oui. Comme ça. Ça arrive, quoi. Tu ne crois pas au coup de foudre, Charlotte ?

— Ça dépend. Je crois aussi au coup de foudre calculé.

Boris me regarde d'un drôle d'air, mais le retour de Maxou et de la *bitch* dans la pièce crée une diversion et met un terme à cette conversation. Maxou distribue les flûtes de champagne à chacun d'entre nous et dépose les olives au milieu de la table à café.

Il me regarde ensuite et je comprends qu'il m'informe avoir fait sa part et que c'est à mon tour de prendre le relais. Je lui fais un petit signe pour lui dire que j'ai compris. Ça ne sert à rien de m'obstiner avec lui devant tout le monde. Mais je me promets d'avoir une conversation dans le blanc des yeux avec mon cher mari sur les rôles de la femme et de l'homme.

C'est fou comment tout change entre nous depuis que nous vivons ici. Bon, c'est vrai, Maxou a toujours aimé se faire servir. Mais, au Québec, il ne se faisait pas prier pour participer aux tâches domestiques. Alors qu'ici, pff… Je dois lui tordre un bras pour qu'il me donne un coup de main. Mais je viens de décider que ça ne pouvait plus durer.

***

— Vous avez lu le dernier Guillaume Musso ? demande Boris.

Bon, ça y est ! Ils vont parler de leur sujet préféré : la littérature. Et ils vont faire semblant d'avoir tout lu, même s'il n'en est rien. Typique.

— Ouais, tu parles de *L'Appel de l'ange*? demande Maxou.

— Exact.

— Ah oui, j'adore cet auteur, ajoute Ugo, qui décide de prendre part à la conversation en ayant soin de parler avec un tout léger accent français.

My God! Il veut vraiment les impressionner!

Pas bête comme approche.

Béatrice et Boris se tournent vers lui, un peu surpris par l'intervention de mon ami, qui ne se laisse toutefois pas démonter par leur réaction.

— Je l'ai acheté cet après-midi et j'ai commencé à le feuilleter. Quelle écriture riche et sensible! J'ai lu tous les livres de Guillaume Musso.

— Moi aussi, seconde Béatrice en demandant à Ugo quels sont les autres écrivains qu'il affectionne.

Et les voilà qui s'engagent tous les deux dans une interminable discussion sur les livres que tout le monde devrait avoir lus dans sa vie. De leur côté, Maxou et Boris échangent leurs impressions sur le dernier match du Paris-Saint-Germain. Et moi, je bois du champagne et j'observe le tout.

Je constate tout d'abord que Boris n'a pas l'esprit tranquille. Il écoute d'une oreille distraite Maxou se plaindre du manque de leadership de leur équipe de foot favorite. Son attention est ailleurs. Je le vois regarder de temps en temps du côté de sa blonde et d'Ugo.

Et c'est sur mon ami que ses yeux s'attardent particulièrement. J'essaie de lire dans son regard le sentiment homophobe qu'Ugo a détecté le soir du mariage, mais je n'y arrive pas. Je ne saisis pas bien l'expression de son visage. Il affiche certes un air suffisant et désabusé, mais je ne le qualifierais pas de méprisant pour autant. Peut-être Ugo s'est-il trompé.

Je continue d'analyser Boris entre une gorgée de champagne et une olive au romarin. Il y a quelque chose qui n'est pas clair dans son attitude envers Ugo.

Non, plus je le regarde, moins je pense que c'est de l'homophobie. Je n'arrive pas à me l'expliquer, mais je sens chez Boris une forme de peur.

Est-ce qu'il manque de confiance au point d'avoir peur qu'un gai lui enlève sa blonde? Non, c'est ridicule. Et puis, j'ai l'impression que Béatrice n'a rien à voir avec son curieux sentiment de crainte.

Je me tourne maintenant vers Ugo et Béatrice. Assise sur le bout de son siège, le corps penché en avant, elle parle à mon ami à quinze centimètres de son visage. Je déteste quand les gens entrent dans ma bulle comme elle le fait! Et Ugo aussi. Enfin, c'est ce que je croyais. Parce que, si je l'étudie le moindrement, il est facile de constater qu'il ne semble pas du tout indisposé par le comportement de la maudite Française. Bien au contraire. Je l'écoute.

— Vous me renversez, là, Béatrice. Avoir lu toute la collection de Marcel Proust, et même sa correspondance, c'est très exigeant. Où avez-vous trouvé le temps?

Ugo écoute ensuite religieusement Béatrice lui raconter qu'elle se fait un devoir de lire tous les jours, malgré son horaire chargé de présidente de compagnie. Non seulement il ne semble pas du tout la trouver trop envahissante, mais il affiche même ce petit air gaga caractéristique des hommes tombés sous le charme d'une femme. Ça suffit! Pas question que je me retrouve sans au moins un allié ce soir. J'avale ce qui reste dans ma coupe de champagne et je me lève.

— Ugo, j'ai besoin d'aide dans la cuisine.

— Un moment, Charlotte, dit Béatrice en levant la main, comme pour m'interdire de m'approcher d'eux, sans même me jeter un regard. Ugo, terminez votre histoire, je vous en prie.

— Si vous permettez, lui dit-il, je vais plutôt aller en cuisine.

— Mais non, j'ai très envie d'entendre la suite.

Je me racle la gorge bruyamment, ce qui crée un silence dans la pièce. Même Maxou et Boris cessent de parler. À mon tour maintenant. Il est temps de sortir tes griffes de lionne, ma Charlotte.

— Ma chère Béatrice, je ne sais pas comment vous fonctionnez ici, en France. Mais chez nous, c'est très impoli de contredire l'hôtesse quand elle demande l'aide de quelqu'un. Alors vous allez me laisser mener la soirée à ma manière et tout va bien se passer.

Je fais un signe de tête à Ugo. Un peu embarrassé, il s'excuse auprès de Béatrice, se lève et me suit jusqu'à la cuisine. J'ai tout juste le temps d'apercevoir le regard noir que pose Maxou sur moi. Mais je m'en fous. Totalement.

La garce avait besoin d'une leçon. Et plus j'aurais attendu le moment de la remettre à sa place, moins elle m'aurait prise au sérieux.

Dès qu'Ugo met les pieds dans la cuisine, je lui ordonne de fermer la porte derrière lui. Il obéit immédiatement, provoquant ainsi un vacarme infernal qui nous fait tous sursauter.

Tous les objets que je range derrière la porte et contre le mur viennent de tomber sur le sol dans un grand fracas. Le balai, le petit escabeau, deux cabarets et mon nouveau chariot turquoise avec des pois noirs pour faire les courses. Et sur lequel on peut lire : « Devinez ce que je transporte dans mon *caddie* de fille ? » Oh là là ! Quel bordel !

— Charlotte, ça va ? me demande Max de l'autre côté de la porte.

— Oui, oui, tout est beau.

Je l'entends s'éloigner pour aller rejoindre les autres. Je commence à ramasser le tout en jurant contre la petitesse de la cuisine, qui m'oblige à ranger des objets dans des endroits inappropriés.

La soirée est à peine commencée que je suis déjà épuisée. Accroupi lui aussi sur le sol, Ugo me donne un coup de main. J'évite de le regarder, trop furieuse contre lui. En colère et en même temps profondément blessée.

— En tout cas, dit Ugo, tu ne lui as pas envoyé dire, à Béatrice, hein ? J'aurais pas voulu être à sa place.

— …

— Bon, t'es fâchée, là ?

— J'en reviens pas… Comment peux-tu me faire ça ?

— Te faire quoi au juste ?

— Tu sais très bien ce que je veux dire.

J'appuie rageusement contre le mur tous les objets que nous venons de ramasser. Et j'essaie de les faire tenir du mieux que je peux.

— C'est parce que j'ai parlé avec Béatrice ? C'est ça ?

— C'est pas parce que t'as parlé avec elle. C'est COMMENT t'as parlé avec elle. Tu buvais ses paroles. T'avais l'air d'un petit chien devant un gros tas d'os !

J'entends Ugo soupirer longuement avant de s'asseoir lourdement sur une des petites chaises de la cuisine. Je continue à me débattre avec les objets domestiques en lui tournant le dos. Et je lui lance un ultimatum.

— T'es avec moi ou t'es contre moi ! Choisis, Ugo.

— Charlotte, viens ici deux minutes.

Le ton doux d'Ugo m'apaise un peu. Je laisse tomber mon travail de rangement et je vais m'asseoir à ses côtés. Il prend ma main dans la sienne.

— C'est moi qui va être inquiet, là.

— Pourquoi ?

— Parce que tu vas pas bien, Charlotte.

— Ben non, je suis correcte.

— Je pense pas, moi. C'est pas normal d'être aussi jalouse. Et aussi insécure.

— Ben, j'ai toujours été comme ça, tu le sais.

— Jamais aussi pire, voyons. C'est rendu que t'as peur que je te laisse tomber pour Béatrice. Franchement, Charlotte, comment tu peux penser ça ? C'est toi, mon amie. Pas elle.

— M'excuse. T'as raison, je sais pas ce qui me prend ces temps-ci.

— Ben moi, je pense que je le sais.

— Ah ouin? C'est quoi?

— T'as besoin de travailler, Charlotte. C'est pas toi, ça, passer tes grandes journées à rien faire. Faut que tu te valorises par le travail.

— Ouin, peut-être.

— C'est pour ça aussi que tu te sens si insécure face à Béatrice. C'est pas juste parce qu'elle est un pétard. C'est parce qu'elle a un statut social.

— Et moi, j'en ai pas. T'as raison. D'autant plus qu'ici c'est encore plus important que chez nous…

— Attends pas d'avoir tous les papiers. Commence tout de suite à te faire des contacts. Va voir des producteurs. Offre-leur de faire un stage, au moins. Il faut que tu fonces.

— OK, OK, OK. J'ai compris. Je m'y mets dès demain.

— Bon, ça, c'est ma Charlotte. Tu le sais bien, au fond, que t'es aussi capable que n'importe quelle Béatrice de ce monde.

— Hum, hum…

— Ça va? Je peux y retourner?

— Oui, oui. Apporte ça sur la table en même temps.

Je lui mets dans les mains les petits plats de condiments que j'ai déjà préparés. Cornichons français, confit d'oignons maison et gelée de poivron, maison aussi. Je sors le foie gras du frigo pour le découper en belles rondelles.

— OK… Et maintenant, est-ce que je peux parler avec Béatrice ou si c'est interdit?

— Niaiseux… Oh, attends, je vais t'ouvrir la porte.

Mais juste avant de le faire, une autre question me vient à l'esprit.

— Ugo, t'es certain que Boris est homophobe? Je l'ai regardé et je suis pas sûre de ça pantoute.

— Ouin. Moi non plus, finalement. Mais je commence à avoir ma petite théorie là-dessus. Je t'en reparlerai plus tard.

— Non, tout de suite. C'est quoi?

— Non, je suis pas assez sûr de mon coup. Tantôt.

— J'haïs ça quand tu me *tease* comme ça.

— Ben non, t'aimes ça au boutte!

J'éclate de rire, je lui ouvre la porte et je commence la préparation de mon entrée en répétant dans ma tête que je vaux autant que Béatrice. Et même plus!

20

ALEX, de *Liaison fatale*, ALEXIS, de *Dynastie*,
EDIE, de *Desperate Housewives*, CRUELLA,
LYNE-LA-PAS-FINE et BÉATRICE BACHELOT-NARQUIN.

— *T*on poisson était vraiment délicieux, Charlotte.
— Merci, Boris.

Je viens tout juste de servir l'assiette de fromages et je dois avouer que la soirée s'est somme toute bien déroulée. Jusqu'à présent, du moins. Après ma mise au point, Béatrice a semblé comprendre que je n'étais pas le genre de fille à me laisser marcher sur les pieds. Elle a montré un peu plus de respect à mon égard et les tensions se sont dissipées.

D'autant plus que c'est Ugo qui a volé la vedette ce soir en nous racontant avec beaucoup d'humour ses débuts comme boucher. Et toutes les prouesses qu'il a dû faire, lui, l'ex-coiffeur gai, pour qu'on l'accepte dans cet univers pour le moins traditionnel.

J'ai été surprise qu'Ugo parle aussi aisément de son homosexualité devant des gens qu'il ne connaît pas. Non pas qu'il ne s'assume pas – bien au contraire –, mais il a l'habitude d'être plus discret.

Et, tout au long de son récit, Ugo n'a cessé de jeter des regards à Boris. Comme s'il voulait vérifier l'impact de ses propos et lui faire passer un test. Mais un test de quoi, au juste ? Bizarre, cette histoire. La voix de Béatrice me tire de mes pensées.

— Maxou, est-ce que je t'ai dit que j'ai revu ta maman ?

Hein ? Depuis quand la reine Victoria fréquente-t-elle Béatrice ? Qu'est-ce que c'est que cette histoire ?

— Ah non. À quelle occasion ? lui demande mon mari.

— Tu sais qu'elle a perdu son chien ? Sir Lancelot ?

— Ouais, ouais, elle m'a dit ça. Elle m'a tenu au téléphone pendant une heure pour me parler de son foutu clébard qui s'est fait écraser par un scooter. Ah, la barbe…

— Maxou, tu n'es pas très gentil, là. Ta maman a eu beaucoup de peine. Et c'est pour ça qu'on est allées prendre un café.

Je jette un coup d'œil inquiet à Ugo. Il y a quelque chose qui cloche ici. Ce n'est pas normal que ma belle-mère se tourne vers l'ex de Maxou pour se faire consoler. Ce qui est encore moins normal – je viens tout juste de le constater –, c'est qu'elle ne s'est pratiquement pas manifestée depuis mon arrivée. Elle mijote quelque chose, c'est certain.

— Alors, poursuit Béatrice, nous nous sommes rencontrées sur les Champs pour le déjeuner. Et, honnêtement, elle est très malheureuse.

— Ben voyons donc !

Oups, ça m'a échappé. Tous les regards se tournent maintenant vers moi. Et celui de Maxou est particulièrement indigné. Je fais un petit geste qui signifie d'oublier ce que je viens de dire. Et je demande à Béatrice de continuer son histoire.

— Et… Non pas que je veuille te faire la leçon, mon cher Maxou, c'est ta vie après tout. Mais elle m'a aussi dit que tu la négligeais.

— Bah… À ses yeux, je la néglige toujours. Ce n'est pas nouveau.

— Oui, mais elle semble croire que tu l'as laissée tomber. Surtout depuis que… depuis que… ben, depuis que t'es marié, quoi!

Je me lève d'un bond. J'affirme qu'il n'en est rien, que ce n'est pas vrai. Et je cherche l'approbation dans le regard de Maxou. Mais je ne la trouve pas.

— À bien y penser, Charlotte… il est possible que Béatrice ait raison. Nous ne l'avons pas vue beaucoup depuis que tu es arrivée ici.

Je capte le signal silencieux d'Ugo. Il m'incite à me calmer. Ce que je fais en prenant une grande respiration – également silencieuse – avant de me rasseoir tranquillement.

— T'as juste à l'inviter à souper. La semaine prochaine, tiens. Un soir où TU seras là.

Nouveau signal d'Ugo. OK, j'arrête. Après tout, pourquoi donner des munitions à Béatrice? Et puis, je suis un peu injuste en disant cela. Maxou est tout de même plus présent à la maison qu'il l'était à mon arrivée. Même s'il y a eu un relâchement dernièrement. Un *rush* au bureau, m'a-t-il dit.

— Je vais faire mieux que ça, dit Maxou sans se soucier de la petite pointe que je viens de lui envoyer.

— Ah oui? Qu'est-ce que tu vas faire, mon amour? dis-je, en ajoutant ce surnom affectueux pour bien montrer à Béatrice que nous sommes un couple uni.

— Je vais l'inviter à venir en vacances avec nous.

— En Toscane?

— Hum, hum.

— Pendant les deux semaines?

— Pourquoi pas? Ça lui fera un bien immense.

— Quelle bonne idée! lance Béatrice.

Notre séjour dans une villa en Italie cet été vient de prendre un tout autre sens. Et tout ça est loin de me plaire.

Le plan était pourtant parfait. La première semaine, nous devions être en amoureux, seulement tous les deux. Et la deuxième semaine, sa fille venait nous rejoindre. Ce qui nous permettait de faire connaissance toutes les deux dans une ambiance détendue. Question de démarrer cette relation du bon pied.

Mais l'arrivée de ma belle-mère va tout gâcher. Mes vacances en amoureux. Et ma rencontre avec Alixe. Il faut qu'on s'en reparle, Maxou et moi. Ce soir, sans faute.

Je vois Béatrice qui sort fièrement son cellulaire de sa pochette Louis Vuitton. Et qui tape un numéro de téléphone. Quelle impolie tout de même !

— Victoria, bonsoir. C'est Béatrice ! s'écrie-t-elle quelques secondes plus tard.

Tous mes sens sont maintenant en alerte. Qu'est-ce qu'elle fait là ? J'implore Maxou du regard. Il doit empêcher que survienne la catastrophe que je pressens. Mais il ne semble pas comprendre ce qui s'en vient. Je me tourne vers Boris, l'air de lui dire : « Contrôle ta pétasse. » Mais il ne semble pas s'en préoccuper pour deux sous.

— J'ai une bonne nouvelle pour vous, Victoria !

C'en est trop, je dois intervenir. Je fais signe à Béatrice de ne rien dire. J'agite mon index de gauche à droite en disant non tout bas.

— Là, il y a votre belle-fille qui veut garder la surprise, mais je crois qu'il est préférable de vous le dire. Ça va vous remonter le moral. Votre fils vous emmène en Toscane. C'est pas génial, ça ? Oui, oui, avec Alixe aussi… Deux semaines, oui…

Ah, la *bitch*… la *fuc&#$% bitch* ! Je ne peux pas croire qu'elle vient de me faire un coup aussi bas ! Elle sait très bien que je ne suis pas d'accord ! J'enrage et elle le voit bien. Mais elle continue de parler avec ma belle-mère comme si de rien n'était.

— Moi ? Ah non, Victoria, je n'y serai pas. Non, je ne suis pas invitée. C'est un truc de famille, là… Ouais, je sais, moi aussi je trouve que je fais un peu partie de votre famille, mais bon… Une autre fois peut-être?

Elle raccroche et je continue de la fusiller du regard. Elle se tourne vers Maxou en lui disant qu'il lui en doit une, puisqu'elle a tout arrangé. Je me tais, j'avale deux grandes gorgées de bordeaux coup sur coup et j'attends impatiemment que cette soirée d'horreur – non, cette journée au grand complet – se termine.

***

— Ça devait être notre voyage de noces!

J'éclate aussitôt que la porte se ferme sur nos « amis ». Je vois Ugo qui file comme une petite souris à sa chambre pour me permettre d'engueuler Max à ma guise.

Je n'ai pas osé lui rappeler tout à l'heure devant nos invités que la Toscane, c'était la destination de notre voyage de noces. Surtout pas devant Béatrice, qui se serait fait un grand plaisir de l'apprendre.

— J'en reviens pas, Max! On planifie une semaine pour célébrer notre union. Une seule petite semaine ensemble, tous les deux, et t'invites ta mère.

Les larmes me montent aux yeux. Je me sens trahie. Je suis épuisée et j'ai la tête qui tourne. Trop de champagne, trop de vin et trop d'émotions pour une seule journée.

— Écoute, Charlotte, j'avais complètement oublié que ça devait être notre voyage de noces. Et je ne pensais pas que ça te gênerait autant. Du coup, je n'ai pas réfléchi. Je me suis senti coupable envers ma mère et Béatrice en a profité pour l'inviter. C'est tout.

Je lui tourne le dos et je m'éloigne d'un pas rapide en direction des chambres à coucher. Il me suit et tente de me ralentir en attrapant ma main. Mais je le repousse.

— Je suis vraiment, vraiment désolé, Charlotte.

Je m'arrête devant la porte de la chambre d'amis, je pousse un long soupir et je me retourne pour le regarder. Ses yeux sont tristes comme je ne les ai jamais vus. Il en fait presque pitié.

Ahhh… Pauvre chou ! Il ne l'a pas fait exprès, après tout… Et il a l'air tellement malheureux. Je m'apprête à lui tendre la main, puis je change d'idée. Non, non et non ! Pas question de faiblir ! Il est allé trop loin cette fois-ci et il a bien du chemin à parcourir avant de se faire pardonner. J'ai beau être sous l'influence de l'alcool, je dois garder la tête froide.

— Désolé, désolé… Ça nous donne pas plus de temps à nous, ça… J'ai besoin de t'avoir à moi toute seule. Tu comprends ça, j'espère ?

— Oui, oui, murmure-t-il, de plus en plus conscient de la bêtise qu'il vient de faire.

Nouvelle tentative pour me prendre la main. Nouveau refus de ma part.

— Autre chose, Max. « Elle », je veux plus jamais la revoir de ma vie.

— Tout ce que tu veux, ma chérie.

— Et toi non plus, tu ne la verras plus jamais. Compris ?

— Écoute…

— Max, cette fille-là, elle est amoureuse de toi.

— Je ne crois pas, non. Elle est amoureuse de Boris.

— Non. De toi, je te dis.

— Bon, d'accord. Si c'est ce que tu souhaites, je ne la fréquenterai plus. Promis. Et pour le voyage de noces, on va se reprendre.

— Où ça ? Quand ? Tu travailles comme un malade, Max.

— Je vais prendre une autre semaine. Et on va partir tous les deux. Tu choisis la destination. On va où tu veux. D'accord ?

— Je vais y réfléchir. Bonne nuit, Max.

J'entre dans la chambre d'amis et je referme la porte aussitôt, devant un Maxou stupéfait et troublé par ma désertion du lit conjugal. Qu'à cela ne tienne, il mérite une bonne leçon.

Ugo est étendu sur le lit défait, son nouveau livre de Guillaume Musso entre les mains. Il ne porte qu'un boxer DIM noir hyper moulant qui laisse entrevoir à quel point la nature a été généreuse avec lui. En entendant la porte s'ouvrir, il s'empresse de rabattre le drap sur le bas de son corps.

— Depuis quand tu te caches avec moi?

Il ne répond pas, referme son livre et me demande si je dors avec lui.

— Ça te dérange-tu?

— Mais non, tu sais bien. Viens.

Je me déshabille, lui demande de me prêter un t-shirt, que j'enfile un peu maladroitement à cause de l'alcool, et je me glisse sous les draps.

Depuis le couloir, j'entends Maxou qui ferme la porte de notre chambre. Je me rapproche d'Ugo et je dépose ma tête sur sa poitrine, maintenant sans aucun poil grâce à son épilation au laser. C'est lisse, c'est doux et j'adore ça.

— Quelle journée de cul!

— Mets-en!

— Je m'excuse, Ugo, de t'avoir fait subir ça. Ta dernière soirée à Paris, en plus.

— C'est pas grave. Tu veux que je t'en conte une bonne?

— Envoye donc, dis-je en me redressant dans le lit et en m'assoyant à l'indienne.

— Ton Boris, là…

— Bon, premièrement, c'est pas mon Boris…

— Peu importe… Mais t'avais raison, c'est pas de l'homophobie pure. Pas comme celle qu'on voit chez des gars qui haïssent vraiment les gais.

— Ben, c'est quoi d'abord?

— C'est un « bi-curieux ».

— Un quoi?

— Un hétéro un peu mêlé qui rêve juste de coucher avec un gars.

— Nooon! Voyons donc!

— Je te le dis. Et lui, il n'ose pas le faire, mais ça le travaille.

— Ah non, c'est trop bon! Boris le macho en train de faire une pipe à un mec. Je veux voir ça.

On rigole de bon cœur tous les deux quelques instants. Je sens toutes les tensions de la soirée se dissiper peu à peu. Après des heures passées les dents serrées, je suis finalement détendue. Et pompette tout juste comme j'aime l'être.

— Dommage que tu partes demain, Ugo, t'aurais pu lui faire une proposition.

— Euh… Non, pas vraiment, Charlotte. Ma vie sexuelle est au neutre, tu le sais bien.

— Ah, j'avais oublié… Excuse-moi.

Je me rallonge à ses côtés, la tête posée au creux de son épaule. Le silence s'installe quelques instants et une certaine tristesse envahit la chambre.

— Tu peux rien, rien faire? Même en te protégeant?

— J'aime mieux pas prendre de risque.

— Ouin… Le prochain mois va être long, hein?

— C'est sûr, mais je ne veux pas que tu t'en fasses, OK? Tu vas voir, ça va aller.

— Ça va aller, ça va aller… Je suis pas sûre de ça pantoute, dis-je, soudainement un peu en colère. Si tu jouais pour la bonne équipe, aussi… T'aurais pas tous ces problèmes-là.

— Ahhhh… Charlotte, tu vas pas remettre ça sur le tapis?

Je me relève tout à coup dans le lit. J'adopte une position fermée à la discussion, en ramenant mes genoux contre ma poitrine.

— N'empêche que c'est vrai! Tu serais ben mieux avec une fille.

— Ben oui, comme si c'est moi qui décidais.

— On aurait pu faire un super beau couple, pis je serais pas pognée ici, en France, à essayer de faire plaisir à un mari qui est jamais là.

— C'est comme ça que tu te sens, «pognée»?

— Ça m'arrive, oui… Ah, oublie ça… Je dis n'importe quoi ce soir.

— Allonge-toi, là.

Je pousse un soupir de découragement avant de lui obéir. Il m'enlace.

— Là, tu vas me promettre quelque chose avant que je parte.

— Quoi donc?

Tout délicatement, il écarte une mèche de cheveux qui vient de tomber dans mes yeux.

— Non seulement tu vas te chercher un travail, un stage, n'importe quoi pour t'occuper, mais tu vas aussi te trouver des amis à qui tu peux parler.

— T'es là, toi.

— Charlotte, on vit dans deux pays différents. C'est bien beau, *skyper*, mais t'as besoin d'amis ici. Ta vie est ici maintenant.

— OK… Toi aussi, tu vas me promettre quelque chose.

— Quoi donc?

— Tu vas me promettre que tu vas pas mourir.

Il répond en me donnant un petit bisou dans les cheveux et je commence à pleurer en silence. Quand je finis par m'endormir, il est très tard et pratiquement l'heure d'aller le conduire à l'aéroport.

21

« En France, la cuisine est une forme
sérieuse d'art et un sport national. »
JULIA CHILD, *The New York Times*, 1986.

Quelques jours plus tard, j'ai tenu mes promesses
faites à Ugo. J'ai tout d'abord envoyé plein de
C.V. à des producteurs de télévision. Bon, pour l'instant, je n'ai eu aucun résultat tangible, mais je ne me
décourage pas.

Ensuite, je me suis fait un nouvel ami en la personne
d'Arnaud. Que je m'en vais rejoindre de ce pas à l'école
de cuisine Le Cordon Bleu, où il donne des cours. En
fait, il est ce qu'on appelle le « second ». Il assiste donc
un chef renommé qui, lui, enseigne la cuisine.

J'ai trouvé ça trop *cool* quand Arnaud m'a offert
de mettre mon nom en douce sur la liste des élèves
qui allaient suivre un atelier intitulé « Une soirée en
l'honneur de Julia Child ». Un cours de cuisine gratuit
pour meubler un long après-midi de semaine, *what's
not to like* ?

Je presse le pas parce que je suis en retard ; c'est
que j'ai dû faire un détour par la rive droite pour aller

porter une enveloppe. Celle que maman m'a fait parvenir par Ugo.

Je l'avais complètement oubliée, jusqu'à ce que Mme Daniela la retrouve sous une pile de magazines dans le salon hier midi. Impatiente de voir ce qu'elle contenait, je l'ai décachetée en vitesse et son contenu m'a fait bondir de joie.

Un billet d'avion pour Montréal! Départ dans trois jours. Youpi! Décidément, j'ignorais que maman s'ennuyait à ce point-là!

J'ai commencé à lire les détails, puis mon sourire s'est effacé. Le billet aller-retour en classe affaires pour un séjour de trois semaines était au nom de… Normand Martin. L'oncle de Maxou!

Quelle déception! Moi qui me faisais une joie d'aller passer la fête nationale avec les miens. Et d'organiser une dégustation de homards de la Gaspésie pour l'occasion. Grrr… Elle n'aurait pas pu lui envoyer par courriel, son fichu billet! Au lieu de me faire rêver à l'impossible.

En plus, ça aurait été vraiment chouette parce que j'aurais pu être là quand Ugo aura les résultats de son test de VIH… Depuis son départ, je n'ai pas cessé de penser à lui. Je me suis même surprise à prier en silence pour que la malédiction ne s'abatte pas sur mon ami.

Bon, c'est vrai que je ne savais pas trop à qui adresser mes prières. La religion est, pour moi, quelque chose de complètement abstrait. Et je n'ai jamais su trop quoi penser de cette histoire de Jésus venu sur la Terre il y a deux mille ans pour partager la bonne nouvelle… C'est vrai ou pas? Difficile d'obtenir une réponse claire à cette question.

Par contre, il y a des religieuses dont je suis certaine de l'existence et à qui je voue une admiration sans bornes. Dont Marguerite Bourgeoys, cofondatrice de Montréal, pour qui l'éducation des jeunes filles passait avant tout. Et quand j'ai découvert que c'est elle qui avait inventé la recette de la tire Sainte-Catherine, elle est devenue ma sainte préférée.

Je me rappelle trop bien toutes ces soirées du 25 novembre passées seule dans mon appart à préparer la tire des vieilles filles, à l'étirer ensuite pendant de longues minutes jusqu'à en avoir les bras endoloris et à la déguster avec un verre de Grand Marnier… Tellement trop sucré!

Et tellement peu réconfortant, finalement. Pourtant, je l'ai fait pendant plusieurs années en me disant chaque fois que c'était la dernière. Que l'an prochain, je passerais le 25 novembre au resto en tête à tête avec mon nouvel amoureux.

C'est comme ça que cette religieuse visionnaire, qui ne se laissait pas intimider par des évêques et des rois dictateurs, est entrée dans ma vie. C'est donc elle que j'ai finalement priée, l'implorant d'épargner Ugo. Je n'ai toutefois pas osé lui demander d'exaucer mon second souhait. Soit que Justin, lui, soit déclaré séropositif.

J'ai eu peur qu'elle ne comprenne pas que, tout ce que je veux, c'est éloigner Ugo une bonne fois pour toutes de cet homme qui empoisonne sa vie depuis trop longtemps. N'empêche que je n'en espère pas moins.

***

Le cours de cuisine commence dans cinq minutes et je suis encore à plusieurs coins de rue de l'école. Décidément, j'ai mal calculé mon temps en allant porter le billet d'avion à l'oncle Normand avant de venir ici. Alors je dois courir pour arriver à l'heure.

Quelques minutes plus tard, déjà passablement essoufflée, je tourne finalement le coin de la rue Léon-Delhomme. Au loin, j'aperçois le bleu caractéristique de l'école où Julia Child elle-même a fait ses premières armes en cuisine. J'y suis presque!

Quand j'entre dans le hall de la bâtisse, je suis carrément à bout de souffle. Je suis les indications pour les salles de cours et j'entre au hasard dans l'une d'elles. Je regarde à l'avant. Fiou, c'est la bonne salle. Arnaud est là, tablier à la taille. Et j'ai le bonheur de constater qu'il a une nouvelle coupe de cheveux, beaucoup plus à la mode. Fini, le look hérisson.

Il me fait un petit clin d'œil et me désigne une chaise à l'avant. Je m'y dirige en tentant de reprendre mon souffle. Avant de m'asseoir, j'enfile le tablier qui a été déposé sur le dossier de la chaise et je récupère le document à l'intention des élèves. Je sors ensuite mon calepin de notes de mon sac à bandoulière pendant que le chef continue de décrire le menu que nous allons cuisiner tous ensemble : coquilles Saint-Jacques à la parisienne, fricassée de poulet à l'estragon et soufflé au chocolat à l'ancienne. Des recettes avec des tonnes de beurre, de crème et de sucre. Pas très adapté à la réalité d'aujourd'hui, tout ça !

Le chef Moulin, à l'accent plutôt fendant, poursuit son cours en donnant des ordres à Arnaud, qui se démène comme un diable dans l'eau bénite pour tout préparer. En plus de traduire chacune des paroles du chef en anglais, puisque le cours se donne dans les deux langues.

Je parcours le document de l'école et j'y trouve une notice biographique sur ce chef qui, d'emblée, ne m'apparaît pas très sympathique : « Chef principal d'un des plus grands restaurants de Lyon pendant une vingtaine d'années, il se consacre maintenant à l'enseignement de la cuisine. » Ah bon ? Moins de pression, je suppose.

— Maintenant, annonce le chef Moulin, nous allons découper le poulet. Mon second, allez me chercher une personne pour nous aider dans l'audience.

Arnaud s'approche de moi et me tend la main.

— Mademoiselle, je vous en prie.

Je mets ma main dans la sienne et je l'accompagne, tout sourire, à la table de travail. D'aussi loin que je me rappelle, j'ai toujours aimé que les gens assistent à la démonstration de mes talents culinaires. Et, qui sait, je pourrais peut-être devenir amie avec une autre *foodie* comme moi?

Pendant que les préparatifs se poursuivent, j'observe de près les gens qui assistent au cours du chef Moulin et je constate que les filles de mon âge ne sont vraiment pas en majorité. Même qu'au premier coup d'œil la plupart des élèves ne semblent pas français pour deux sous. Ce sont plutôt des touristes. Américains pour la plupart et assez âgés. Bon, ce n'est pas ici non plus que je vais me faire de nouveaux amis...

Le chef pose sur la table de travail deux poulets emballés dans du papier cellophane. Je les distingue mal à travers les trop nombreuses couches de pellicule, mais il y a quelque chose qui cloche avec ces volailles. C'est quoi, ce truc rouge vif sur le dessus des oiseaux?

Arnaud se précipite aux côtés du chef pour l'aider à déballer le tout. Et c'est à ce moment-là que je comprends ce qui m'indispose de la sorte... Le rouge, c'est la tête de la volaille! La crête de l'oiseau est tellement grosse que je le soupçonne d'être un coq. Ses yeux sont grands ouverts et sa langue sort de sa gueule. Ouache!

Non seulement ils ne lui ont pas coupé la tête, mais ils lui ont laissé les pattes! Trois longs doigts et un plus petit, complètement ratatinés. Dé-gueu-las-se! Pas question que je touche à ça! Mais le chef semble voir les choses autrement.

— Mademoiselle, je vais vous montrer comment retirer le nerf des cuisses de la volaille.

Je déglutis en m'approchant du chef, en jetant au passage un regard de panique à Arnaud, qui, lui, semble bien s'amuser. Ah, l'espèce! Il savait que ça n'allait pas être une partie de plaisir. Je prends mon courage à deux mains.

— Oui, chef, vous voulez que je fasse quoi au juste?

— Ah… Mais vous êtes canadienne ! J'adore votre accent, mais votre gastronomie, en revanche… Oh là là… Vous avez intérêt à suivre des cours de cuisine ici, hein ?

Je reste estomaquée quelques secondes devant ce manque de délicatesse total. D'autant plus que je suis loin d'être en accord avec ce qu'il dit ! Le chef Moulin ne me laisse toutefois pas le temps de riposter. Il me réduit au silence en déposant une des volailles devant moi et en me donnant un couteau à désosser.

— Vous allez suivre chacun de mes gestes. Tout d'abord, on pratique une incision tout le long de la patte… Comme ça ! Allez-y.

J'imite son geste et je souhaiterais bien me fermer les yeux pour le faire. Mais avec un couteau dans les mains, ce n'est pas la meilleure idée. Je déteste sentir la peau rugueuse des pattes de l'oiseau sous mes doigts. J'ai de la difficulté à me concentrer et j'essaie d'éviter de regarder la tête de l'animal. Parce que c'est ce que j'ai sous les yeux. Rien de moins qu'un animal.

Quand j'achète un poulet entier au Québec, je ne suis jamais confrontée à son statut d'animal. Les pattes ont été coupées, on l'a décapité et le nerf a été retiré ! Alors on ne se rappelle pas que la bête a déjà été vivante. Comme quand on achète un morceau de filet mignon !

Mais là, comment oublier que l'oiseau a déjà gambadé dans les prés quand on tient ses pattes entre ses mains… Le pire, ce sont ses yeux, qui semblent nous défier du regard. Je repousse la volaille d'un geste sec et je m'éloigne vivement de la table de travail.

— Arnaud, enlève-moi la tête. Je suis plus capable de la voir.

Et je me retourne pour ne pas assister à ce travail peu appétissant. Quelques touristes anglophones demandent à Arnaud ce qui m'arrive, mais celui-ci les rassure en leur disant que tout va bien. J'entends ensuite un grand SCHLAK ! Et je comprends que je peux retourner à ma tâche.

— Alors on reprend le travail maintenant, made-moiselle ? me demande le chef Moulin.

Et, sans me laisser le temps de répondre, il m'in-dique que nous en sommes maintenant à l'étape d'aller chercher le nerf sous la peau. Je ressens un nouveau malaise, mais je n'ose plus montrer mes faiblesses.

— D'accord, comment on fait ?

— C'est simple, on tire dessus. Allez... On empoigne solidement la patte, on cherche le nerf dans l'incision qu'on a faite... Le voilà ! Et on tire douce-ment, comme ça. Vous voyez ? Ça vient tout seul.

Tout seul, tout seul... Pas vraiment, non. C'est franchement écœurant, cette technique. À lever le cœur. Je tire de plus en plus fort, mais le nerf ne se détache pas de la peau pour autant. Il résiste.

Celui du chef Moulin, lui, semble se détacher avec une facilité déconcertante. Mais c'est qu'il est vache-ment long, ce nerf complètement répugnant. Au moins trente centimètres ! Re-ouache !

Après avoir déposé mon coude sur la volaille afin de la maintenir bien en place, j'essaie maintenant avec mes deux mains. Rien à faire. Je commence à être découragée. Et encore plus quand j'aperçois Arnaud, qui semble bien s'amuser à mes dépens. Non, mais il ne pourrait pas me donner un coup de main au lieu de se bidonner ?

— *Could someone help her ? Poor lady !* lance un Américain dans la salle, facilement reconnaissable grâce à son accent typique du sud des États-Unis.

— *Thank you, sir.*

Je regarde Arnaud, l'air de dire : « Est-ce que tu vas finalement venir à mon secours ? » Il s'approche de moi, s'empare de la volaille et, d'un geste précis, se débarrasse du nerf indésirable. Wow ! Doué, le mec.

Je peux maintenant me concentrer sur le désosse-ment de l'oiseau en question. Ce qui se fait très facile-ment en suivant les instructions du chef Moulin.

— Et maintenant, mademoiselle, vous allez chercher l'os qui sépare les deux blancs. Et comment l'appelle-t-on, cet os-là ? me demande le chef.

— C'est l'os à souhait, chef !

— Ahhh, je vois que vous vous y connaissez mieux que je ne l'aurais cru. Surtout quand on sait que vous êtes canadienne.

Bon, là, ça va faire ! Les chefs cuisiniers font partie de cette catégorie de gens à qui je voue une admiration sans bornes, à qui je permets certains écarts et devant qui je m'incline facilement. Mais là, c'en est trop !

— Vous saurez, mon cher chef Moulin, qu'on mange très bien chez nous aussi.

— Ah, je sais bien… J'y suis allé, au Canada. Et j'y ai très bien mangé… Quand je l'ai fait à la table d'un collègue français expatrié en Amérique. Pour le reste… Je vous dis pas, hein ?

— Mais ce n'est pas vrai du tout ! On mange très bien à la table des Québécois aussi.

— Ah oui ? Et qui leur a appris à cuisiner, hein ? C'est nous ! Sans notre apport, vous en seriez encore à manger comme vos autochtones.

Le silence se fait dans la salle. S'ils n'ont pas saisi le sens de nos paroles, les élèves touristes ont toutefois compris que, le chef Moulin et moi, nous ne sommes pas du tout sur la même longueur d'onde. Un malaise plane dans la salle. Même Arnaud semble mal à l'aise. Il tente de cacher son trouble en nettoyant vigoureusement un comptoir déjà étincelant de propreté.

Je regarde le chef droit dans les yeux, tout en essuyant mes mains avec un linge propre.

— En tout cas, chez nous, on n'est pas méprisants comme vous l'êtes. Le respect, on connaît ça, nous !

J'envoie valser la serviette sur le plan de travail et je me dirige vers ma chaise, où j'attrape mon sac. Je poursuis mon chemin vers la sortie de la classe. Juste avant de franchir la porte, je me retourne pour lui lancer une remarque assassine.

— Et laissez-moi vous dire une chose avant de partir. Si vous êtes frustré parce que vous n'avez plus les nerfs ou le talent pour être chef dans un grand resto, ce n'est pas la faute des autres! Et vous n'avez pas à nous faire subir ça!

Et je m'engouffre dans le couloir, satisfaite de ne pas m'être laissé marcher sur les pieds. J'entends le chef qui reprend ses explications… mais sa voix est un peu moins assurée, cette fois-ci.

— Charlotte, Charlotte, le tablier!

Je me retourne et je vois Arnaud, qui marche d'un pas rapide dans ma direction.

— Ah oui, c'est vrai, je partais avec. Excuse-moi.

Je commence à essayer de détacher mon tablier, mais je m'aperçois que mes mains tremblent. C'est qu'il m'a fallu beaucoup de cran pour décider d'affronter un chef sur son propre terrain.

Constatant que je perds un peu le contrôle de la situation, Arnaud me vient en aide et défait le nœud de mon tablier.

— T'as été géniale, me souffle-t-il à l'oreille. T'as visé tellement juste.

— Ah oui?

— Oui, il est hyper frustré depuis qu'il ne fait qu'enseigner… Dis donc, tu veux bien m'attendre, qu'on aille prendre un verre après? Donne-moi deux petites heures.

— Peut-être, je sais pas trop.

— Oh, allez… Il y a un café tout juste à côté du métro. Le *Vaugirard*. Attends-moi sur la terrasse.

— Bon, OK.

Je m'éloigne vers la sortie pendant qu'Arnaud retourne à ses chaudrons. Je sors de l'édifice et je me rends compte que je n'ai pas du tout envie d'errer seule dans les rues du 15e arrondissement pendant les deux prochaines heures. Et si j'allais saluer Maxou au bureau, hein? Quelques stations de métro et j'y suis.

Voilà qui est une bonne idée! Je marche en direction de la station Vaugirard en songeant à la nouvelle attitude de mon chum. Celle qu'il a adoptée depuis notre dernière dispute, le soir du souper avec Béatrice, Boris et Ugo.

Maxou veut tellement se faire pardonner d'avoir bousillé notre voyage de noces qu'il comble tous mes désirs. Même ceux qui sont de purs caprices. Comme le soir où je lui ai demandé d'aller à la Maison Georges Larnicol – la pâtisserie-chocolaterie la plus *hot* que j'aie jamais vue – pour y acheter ce magnifique escarpin en chocolat.

Il est revenu une heure plus tard avec la majestueuse pièce en chocolat. Mais, malheureusement pour lui, l'escarpin était brun deux tons… alors que, moi, c'était le rouge orangé que je voulais. Il y est donc retourné. Pas vraiment de gaieté de cœur, mais sans trop rechigner.

Tous les jours, il me demande si j'ai choisi la destination de notre voyage de noces. Et tous les jours, je lui parle d'un endroit différent. Les îles grecques, Barcelone, Bali, les Seychelles… Je n'arrive pas à me décider.

Tous ces endroits ont l'air absolument fabuleux. Et je veux tous les voir. Le choix est particulièrement difficile à faire quand les seules plages de sable qu'on a vues dans sa vie sont celles d'Old Orchard et du lac Saint-Jean.

Maxou, lui, penche pour les Seychelles. C'est vrai que ça semble être un véritable paradis sur terre… Mais ce qui me plaît moins, c'est qu'il y est déjà allé. Et ce qui me plaît encore moins, c'est qu'il n'a pas voulu me dire avec qui. J'en suis donc venue à la conclusion que c'était avec la *bitch* française aux longues jambes. Celle dont on ne prononce plus le nom à la maison. Ni ailleurs.

Non, plus j'y pense, plus j'ai envie de voir Barcelone. Pour la mer, la ville, qui semble magnifique, les tapas et le *tempranillo*. Voilà, c'est décidé! Et ça servira de prétexte à ma visite impromptue au ministère.

Je m'engouffre dans le métro qui m'amène jusqu'à la station Assemblée-Nationale. Quelques minutes plus tard, je suis au quai d'Orsay, devant l'impressionnant palais où travaille Maxou. Le bâtiment du ministère des Affaires étrangères compte parmi les plus beaux que j'ai visités jusqu'à présent.

Je consulte l'heure sur mon iPhone. Il est à peine 14 heures. Hum… À mon avis, il est encore au lunch. Je vérifie en appelant son adjointe, qui me confirme avec son ton supérieur que M. Lhermitte déjeune à l'extérieur.

Je décide de l'attendre un peu et je m'installe sur un petit banc, un peu à l'écart dans le jardin, mais d'où je peux surveiller l'entrée principale tout en étant à l'ombre des magnifiques robiniers.

J'en profite pour consulter mes courriels. Tiens, un message de maman. Après un bref « Bonjour, ma chérie », elle me demande comment l'oncle Normand a réagi quand je lui ai donné son cadeau. Parce que, figurez-vous, elle lui en a fait la surprise !

Sans même vérifier s'il était libre, ou intéressé, elle a acheté ce billet en classe affaires. Maman a vraiment du front tout le tour de la tête. Et les moyens de risquer de perdre plusieurs milliers de dollars. Je commence à taper la réponse que je vais lui envoyer.

> *Bonjour maman,*
> *Normand était super content. Il te remercie du fond du cœur et a très hâte de revoir le Québec. Il insiste toutefois pour te rembourser le billet et dormir à l'hôtel. Et, en passant, moi, ça va super bien. On devrait finalement faire notre voyage de noces en Espagne à la fin de l'été. Je suis très contente. À bientôt,*
> *Charlotte xx*

En envoyant mon message, je ressens une légère pointe de culpabilité. J'aurais peut-être dû tout lui dire dès le départ. Ne pas lui cacher que, si l'oncle

Normand tient à garder ses distances avec elle, c'est qu'il vient tout juste de rencontrer une nouvelle femme. Et qu'il a l'intention de lui payer un billet d'avion pour qu'elle puisse aller le rejoindre la dernière semaine de son séjour.

Oh, et puis tant pis ! Maman est assez grande pour gérer elle-même ses désillusions ! Et qui me dit que l'oncle Normand ne jouera pas sur deux tableaux pendant ces quelques semaines ? Après tout, il a accepté son invitation. Et peut-être que tout ça va satisfaire maman ? Pourquoi gâcher son plaisir ?

Je continue d'attendre tranquillement pendant quelques minutes tout en consultant Facebook. Rien de bien captivant là non-plus. Mes amis semblent mener une vie plutôt ordinaire. Et papa se fait discret ces jours-ci.

Ça fait maintenant un moment que je n'ai pas eu de ses nouvelles. En fait, depuis qu'il a consulté mes photos de mariage sur mon album Facebook. Il a commenté chacune d'elles et j'ai compris que derrière la fierté qu'il exprimait se cachait une grande culpabilité : celle de ne pas avoir été là lors de ce grand événement.

Et moi, je suis encore partagée entre le sentiment de tristesse que j'ai éprouvé en me mariant sans mon père à mes côtés et le fait que je lui en veux terriblement de s'être placé dans une situation qui nous a séparés.

C'est pourquoi je ne cherche pas particulièrement à entrer en contact avec lui. On verra bien comment tout ça se passera quand il sera sorti de prison. Mais pour l'instant, dans ma tête, je suis orpheline de père. Et pratiquement de mère aussi, si on se fie à ses courriels, dans lesquels elle ne prend même pas la peine de simplement me demander comment je vais.

Et puis au diable ! Je vis dans la plus belle ville du monde, je vais certainement me remettre à travailler dans le milieu le plus excitant que je connaisse, celui de la télévision, et j'ai un mari qui m'aime de tout son cœur.

Et où est-il, celui-là, justement ? Il est 14 h 35 maintenant. Tu parles d'une heure pour revenir de « déjeuner », comme ils disent !

Il y a quelque chose que je ne saisis pas bien dans l'emploi du temps de mon mari. Bon, qu'il travaille tard le soir, je peux le concevoir. Mais qu'il ne puisse pas prendre plus de trois petites malheureuses semaines de vacances par année, ça me dépasse.

Ça ne cadre pas du tout avec ce que j'ai lu sur la France et ses conditions de travail avantageuses. En fait, je le soupçonne d'être *workaholic* au point de ne pas « vouloir » prendre plus de vacances. Nuance !

Les yeux toujours rivés sur mon iPhone, j'entends une voiture arriver devant l'entrée. Ça ne peut pas être lui, il ne sort pas manger en auto, mais bien à pied. Inutile de lever la tête pour vérifier.

Je lis maintenant les micromessages des vedettes à qui je me suis abonnée sur Twitter. J'adore rester en contact avec le Québec grâce à Mitsou, Guy A. Lepage, Denis Coderre, Marie-France Bazzo, Alex Perron et bien d'autres.

Un des sujets de l'heure à Montréal est, une fois de plus, les interminables travaux routiers qui bloquent la circulation et rendent les automobilistes fous de rage. S'il y a quelque chose dont je ne m'ennuie pas, c'est bien ça. Je n'ai vu aucun cône orange depuis que je vis à Paris.

Bon, j'ai assez attendu, je décide de filer. Je range mon cellulaire et je lève les yeux vers l'entrée. La voiture arrivée quelques minutes plus tôt y est toujours et le moteur est encore en marche. Je déteste les automobilistes qui font preuve d'un manque de conscience environnementale aussi flagrant.

Qui donc se tient derrière le volant de cette luxueuse Audi gris métallique ? À travers les vitres légèrement teintées, j'observe le visage du conducteur. Qui semble plutôt être une conductrice. Cheveux longs et blonds, lunettes fumées Chanel et carré Hermès au cou… Mais je la connais, cette femme. C'est Béatrice !

Qu'est-ce qu'elle fait là ? Pourquoi est-elle stationnée devant l'endroit où travaille mon chum ? Elle est venue relancer Maxou jusqu'à son bureau ou quoi ? Je m'apprête à me lever, histoire d'aller frapper à sa fenêtre pour avoir une explication avec elle. Je n'ai pas le choix, je dois me montrer claire. Il faut qu'elle nous laisse tranquilles une bonne fois pour toutes !

J'entends tout à coup une porte d'auto s'ouvrir. Celle du passager. Tiens, elle n'est pas seule. À l'instant où je fais cette constatation, mon cœur fait un bond et trois tours. Non… C'est impossible ! Dites-moi que ce n'est pas vrai ! Que la personne qui va sortir de la voiture n'est pas celle que je pense !

Je ferme les yeux un court instant dans l'espoir que mes appréhensions ne se matérialisent pas. Que je me trompe sur toute la ligne.

J'entends la porte se refermer d'un coup sec. J'ouvre les yeux et je vois mon mari, de dos, qui se dirige d'un pas rapide vers la porte d'entrée de son bureau, pendant que Béatrice démarre en trombe dans son étincelante voiture.

22

« Paris est la capitale des divines tentations. »
Zoé Valdés, *La Sous-Développée*, Actes Sud, 1998.

— *C*harlotte, ça veut pas dire qu'il te trompe, lance Ugo au bout du fil.

— Ah non ? Et moi, j'ai une poignée dans le dos peut-être ? Voyons donc, Ugo, c'est évident.

Oups ! Je crois que je viens de parler un peu trop fort. Le serveur du café *Vaugirard*, où je viens de boire d'un trait un verre de blanc, me lance un regard noir. Je lui fais signe du regard que je suis désolée de m'être emportée.

— Charlotte, tu sais pas. Il est peut-être juste allé dîner avec elle.

— Non, non, c'est plus que ça. Je le sens. En plus, il m'avait promis qu'il ne la reverrait jamais. Il me joue dans le dos, c'est clair comme de l'eau de roche.

— Comment peux-tu en être aussi certaine ?

— À cause de son comportement avec moi depuis notre fameux souper.

— Quel comportement ?

— Il est super fin. Trop fin même. Au début, je pensais que c'était parce qu'il voulait se faire pardonner d'avoir invité sa mère en Toscane. Mais non ! C'est parce qu'il se sent coupable de s'envoyer en l'air avec son ex !

Cette fois-ci, je m'attire les foudres de deux hommes assis à ma gauche qui sirotent un café en lisant *Libération*.

— Excusez-moi, messieurs. C'est que je viens de découvrir que mon mari a une liaison avec son ex.

— Et alors ? me lance l'un d'eux. C'est *business as usual*. Faut lui rendre la pareille, madame, c'est tout !

Les paroles du Français me laissent de glace. S'ils pensent tous comme lui, je suis foutue. Ça voudrait dire que j'ai épousé un mec pour qui la fidélité ne veut rien dire… Pourtant, j'ai toujours cru que, pour Maxou, c'était important. Je ne peux pas m'être trompée à ce point.

— Charlotte, t'es encore là ? À qui tu parles ?

— Oh, excuse-moi, Ugo. Je viens de faire une découverte culturelle qui me scie les jambes.

— Écoute, chérie, j'ai pas trop le temps de te parler. J'ai une commande de dindons qui vient tout juste d'arriver. Et puis, Isabelle est malade aujourd'hui. Fait que je suis dans le jus total.

— OK, dis-je dans un soupir. De toute façon, ça va me coûter une fortune de te parler sur mon cell comme ça.

— Tu peux me rappeler plus tard, si tu veux. Essaie de pas trop t'en faire avec Max, OK ? Et surtout, arrête de t'inventer toutes sortes d'histoires. Tu sais que t'as tendance à dramatiser pour des riens.

— Pas cette fois-là.

— On s'en reparle. À plus tard, chérie.

— Ugoooo ?

— Faut que j'y aille, Charlotte.

— Ouais, mais dis-moi… Tu tiens le coup ?

— Oui, comme tu dis, je tiens le coup.

Je l'entends s'adresser à un de ses employés avant de raccrocher. Je range mon téléphone dans mon sac et je commande un deuxième verre de vin pour passer le temps en attendant l'arrivée d'Arnaud.

En prenant quelques gorgées de chardonnay, je songe aux paroles du Français qui vient de déserter la terrasse. Lui rendre la pareille? Jamais je ne serais capable d'être infidèle! Je ne l'ai jamais été et je ne le serai certainement pas avec l'homme que j'ai marié.

Non, décidément, je ne crois pas que ce soit une solution à nos problèmes conjugaux. Je continue de réfléchir en attendant Arnaud. Il se pointe peu de temps après.

— Salut, *bella*!

— Hé, Arnaud, dis-je en me levant pour lui faire la bise.

Je fais mine de me rasseoir quand Arnaud pose sa main sur mon bras.

— Ce n'est pas la peine, on s'en va.

— Où ça?

— Faire un pique-nique.

Il montre du doigt son sac à dos, qui semble bien rempli, en ajoutant qu'il vient de dévaliser les réfrigérateurs de l'école. Il l'ouvre discrètement, j'y jette un coup d'œil et je sens que je vais A-DO-RER mon après-midi. Et pouvoir enfin oublier le nœud qui me serre la gorge depuis ma découverte au ministère.

Arnaud m'énumère le menu de notre pique-nique improvisé: terrine de foie de lotte à la truffe, salade d'artichauts à l'huile d'olive, salade de lentilles au cumin, tranche de galantine de veau, camembert bien chambré et chutney de figues au poivre du Sichuan.

— Wow!

— Et le plus important, le pinard. Mais ça, c'est une surprise. On s'arrête chez le boulanger pour une baguette. Tu viens?

— Et comment!

— Attends, c'est à toi, ça ? dit Arnaud en désignant mon verre de blanc à moitié entamé.

— Oui.

— J'aime pas le gaspillage.

Et, d'un trait, il avale le reste du vin et pousse un soupir de satisfaction au moment où il repose le verre. J'éclate de rire devant son geste qui, oui, manque de classe totalement mais est tellement authentique. Si jamais je m'aventure à faire ça devant Max un jour, je suis morte, c'est certain.

— Bon, allez, princesse. Direction parc Montsouris.

Je tressaille légèrement en l'entendant m'appeler « princesse ». Le seul surnom que papa m'ait jamais donné.

Je le suis dans les rues de ce secteur de la ville que je connais peu encore. Arnaud, lui, semble parfaitement à l'aise. Il sait exactement où il s'en va. Tout en marchant, il me raconte l'histoire de certains bâtiments que nous croisons, il me cite des anecdotes sur la vie de quartier et m'indique les meilleurs restos de l'arrondissement.

— Comment ça se fait que tu connais tout ça ?

— C'est parce que j'ai déjà été guide touristique dans tout Paris.

— Coudonc, y a-tu quelque chose que t'as pas fait, toi ?

Il éclate de rire, transfère son sac à dos d'une épaule à l'autre et me prend par la taille.

— Y a des tas de trucs que je n'ai pas encore faits, Charlotte. Des tas de trucs.

Un peu embarrassée, je me dégage de son étreinte en m'interrogeant sur ce qu'il a bien pu vouloir insinuer. Il continue de parler comme si de rien n'était, complètement inconscient du malaise qu'il vient de créer. Ou voulant carrément l'ignorer.

— Je ne suis jamais allé au Québec par exemple. J'aimerais bien, je crois.

— C'est sûr que t'aimerais ça !

Pendant quelques minutes, je lui vante les mérites de la Belle Province, ce qui me fait complètement oublier mon malaise de tout à l'heure.

Après une marche qui me semble interminable, on arrive au parc Montsouris. On décide de s'asseoir sur le gazon, en plein soleil, face au lac. Arnaud sort les victuailles de son sac à dos et je m'aperçois que je suis affamée, n'ayant rien avalé depuis mon bol de céréales de ce matin.

En guise de nappe, Arnaud utilise un foulard palestinien noir et blanc, comme celui que portait Arafat.

— Un souvenir de mon voyage en Israël, m'informe-t-il.

Décidément, je commence à me sentir un peu nulle avec, à mon actif, seulement trois pays visités. Mais ça, il n'a pas besoin de le savoir, n'est-ce pas?

— Moi, c'est en Asie que je suis allée.

— Ah oui? Où ça?

— Ben, partout.

— Partout? Comment ça, partout?

— Ben, pas partout, partout. Mais en Inde, en Thaïlande et au Cambodge.

— Toute seule?

— Ouais, ouais. Un vrai voyage d'aventurière, avec le sac à dos, les auberges de jeunesse… Je faisais du pouce pour me déplacer.

— Hein? C'est curieux comme je t'imagine pas faire ça, princesse.

Je me lève d'un bond, blessée par cette remarque et irritée qu'il utilise le surnom que papa m'a toujours réservé. Je suis la princesse d'un seul homme, après tout!

— Bon, là, Arnaud, si tu veux pas que je me fâche, t'arrêtes de m'appeler comme ça. J'en ai assez, des mecs qui se croient supérieurs. Il y a que ça ici.

Arnaud ne dit rien, fouille dans son sac et en sort une serviette blanche qu'il commence à agiter sous mes yeux, tel le drapeau de la paix.

— On fait une trêve ? m'implore-t-il.

Je pouffe de rire devant son air piteux et je me rassois à ses côtés.

— Toi, t'as le don de me faire sortir de mes gonds, puis de me faire rire deux secondes plus tard… Si tu veux vraiment te faire pardonner, sers-moi donc du vin.

— À votre service, madame… Imagine-toi donc que je suis allé dans la réserve perso du chef Moulin…

— Nooon !

— … et devine ce que j'ai trouvé ?

Il sort une bouteille de rouge de son sac et me la met sous les yeux. Un grand cru de Bourgogne. Plus précisément un clos-de-la-roche du domaine Armand Rousseau… 1998. Wow !

— Oh là là, tu me gâtes.

— Tu connais ?

— Si je connais ? Ben oui. Il fait partie de la liste des vins que je rêve de goûter depuis longtemps.

— Content de savoir que je réalise un de tes rêves. Et il y en aura d'autres, crois-moi.

Malaise…

Arnaud nous verse deux verres de grand cru dans des coupes à vin sans pied, également dérobées en douce à l'école. Des verres parfaits pour un pique-nique en plein air. Boire un aussi bon bourgogne dans des verres en plastique, très peu pour moi.

— À la vie ! Et à toutes les surprises qu'elle comporte, lance Arnaud en levant son verre bien haut.

Les paroles de mon ami me ramènent à la « surprise » que j'ai eue tout à l'heure, devant la bâtisse où travaille mon mari. J'imite son geste sans grand enthousiasme en murmurant :

— À qui le dis-tu.

Je porte mon verre à mon nez et je me laisse griser quelques instants par l'odeur sublime du vin. Tout doucement, je prends une petite gorgée. C'est tout à fait divin. Exactement ce dont j'avais besoin pour chasser ma tristesse. Et ma colère. Et mon incompréhension.

Je regarde Arnaud qui, les yeux fermés, savoure également le grand cru. Il rouvre les yeux et me regarde intensément.

— Qu'est-ce qui est meilleur que ça dans la vie, hein ? me demande-t-il.

— Rien.

— Si. Le sexe.

— Hum… Pas sûre. Ça dépend.

— Ça dépend de quoi ?

— Ben… Je sais pas, moi. Ça dépend d'un tas de trucs.

— Moi, je dirais que ça dépend de l'habileté de ton partenaire. Ou si t'es en amour ou pas. Ou si ça fait longtemps que t'as pas baisé.

Cet Arnaud me déroute. On se connaît à peine et voilà qu'il veut déjà entamer une conversation sur le sexe.

— Tu voudrais pas te garder une petite gêne, s'il te plaît ?

— Pourquoi est-ce que je me gênerais ?

— Ben, parce qu'on se connaît pas beaucoup. Et que je n'ai pas l'habitude de parler de sexe avec n'importe qui.

— Ah non ? Pourtant, ça fait partie de la vie.

— De la vie intime des gens, oui.

Pour clore cette conversation, j'ouvre un contenant et je plonge ma fourchette dans la salade de lentilles au cumin. Arnaud fait de même avec celle aux artichauts. Je relance la discussion.

— Parle-moi de toi, plutôt. T'es en couple ?

— Bof… Oui et non.

— Franchement, tu parles d'une réponse !

— J'ai quelqu'un, mais ce n'est pas sérieux.

— Ah bon. Pourquoi tu restes avec elle, d'abord ?

Il me regarde d'un drôle d'air. J'ai l'impression qu'il hésite à me répondre.

— Qui t'a dit que c'était une « elle » ?

Hein ? Arnaud, gai ? Non, ça ne cadre pas du tout, ça ! Je n'ai vu aucun signe, bien au contraire. Il a tout de l'hétéro séducteur français, un brin macho. Enfin, tout est possible dans ce bas monde, n'est-ce pas ? Je ressens malgré moi une légère déception.

— Excuse-moi, je n'avais pas compris que tu étais gai.

— J'ai vu ça.

— D'habitude, je suis assez bonne là-dedans, mais là, vraiment… J'aurais pas deviné.

— J'espère que t'as rien contre, au moins.

— Ben non, voyons. Mon meilleur ami est gai. Je te jure, ça me dérange pas. Je veux pas que tu t'imagines que…

Il éclate de rire devant mon air confus et je comprends que je viens de me faire avoir sur toute la ligne.

— Mais non, voyons… Y a pas plus hétéro que moi.

— Eille, t'aimes ça, jouer avec le monde, toi, hein ?

— Ah, c'est pour te taquiner un peu. La vie, c'est pas fait pour être pris au sérieux.

— Ayoye ! Tout un *statement*, ça.

— Attends, ça veut pas dire que je suis pas sérieux quand il le faut. Ça veut dire que je ME prends pas au sérieux ! C'est pas la même chose.

— Vu comme ça, j'avoue que ça a du sens.

— Il est pas bête, Arnaud, tu vas voir.

Je lui fais un petit sourire avant de goûter à la terrine de foie de lotte. Une première, dans mon cas. *My God,* que c'est bon ! Ça fond dans la bouche, c'est onctueux comme le beurre et ça goûte la mer. Un véritable ravissement pour le palais. Je ferme les yeux pour savourer.

Quand je les ouvre, quelques secondes plus tard, Arnaud est assis à l'indienne et il tient dans ses mains un instrument de musique qui ressemble à deux tam-tams africains collés, mais en beaucoup plus petit.

— Hein ? Tu joues de la musique ?

— Des percussions, oui. Ça, c'est un mini-bongo.

— C'est un genre de tam-tam?

— Oui, mais avec deux tambours. C'est pas africain, ça vient de Cuba. Tu veux que j'en joue?

— Pourquoi pas?

Je m'allonge sur le côté dans l'herbe fraîche, la tête relevée et appuyée sur la paume de ma main et je me prépare à l'écouter. En musique, je n'y connais rien. Je n'ai jamais touché à un instrument de ma vie, si on oublie la flûte à bec en plastique beige que papa m'avait donnée en cadeau quand j'avais huit ans.

J'avais bien essayé de m'en servir, mais je jouais tellement faux que maman me l'avait confisquée après deux semaines, prétextant que ça lui donnait mal à la tête et que, de toute façon, je ne deviendrais jamais une grande flûtiste. Depuis, je n'ai plus jamais osé m'approcher d'un instrument de musique, de peur de casser les oreilles à tout le monde.

Arnaud tambourine de ses deux mains sur son mini-bongo à une rapidité plus que spectaculaire. Le son qui en sort est à la fois étourdissant et enivrant. Comme l'excellent bourgogne que je déguste lentement.

Malgré son rythme effréné, la musique d'Arnaud exerce un étrange pouvoir d'apaisement sur moi. En fait, j'ai l'impression qu'elle m'ensorcelle, qu'elle me fait oublier toutes mes peurs. Dont celle d'avoir épousé un homme infidèle.

Qu'est-ce que je connais exactement de Maximilien Lhermitte? Je sais qu'il adore manger la moelle de l'os de son osso buco. Qu'il ne jure que par l'huile d'olive provençale. Qu'il ne supporte pas les spaghettis trop cuits. Qu'il digère mal l'ail cru.

Que je l'allume quand je parade devant lui vêtue de nouveaux sous-vêtements affriolants. Qu'il aime me réveiller à 4 heures du matin pour faire l'amour. Qu'il refuse de jouer la scène classique du frigo dans *Neuf semaines et demie*... Pourtant, c'est tellement *hot*!

Que le Paris-Saint-Germain est pour lui une véritable religion. Qu'il lit des biographies hyper ennuyantes jusqu'à 2 heures du matin en écoutant des chanteuses françaises sans voix. Qu'il ne fait aucun sport, à part le foot, mais qu'il a quand même un *body* d'enfer.

Oui, je connais beaucoup de choses sur Maxou… Mais est-ce que ce sont les bonnes choses ? Qu'est-ce que je sais de sa nature profonde d'homme ? J'ai l'impression qu'il y a toute une partie de lui qui m'échappe. Et encore plus depuis que nous vivons ici.

La question que je me pose à l'heure actuelle est fondamentale : est-ce que je peux lui faire confiance ? Si je me fie à ce que j'ai vu cet après-midi, la réponse est non.

— Charlotte, t'es où, là ?

Arnaud vient d'arrêter de jouer et je ne m'en étais même pas rendu compte tellement j'étais absorbée dans mes pensées.

— Bof… Un peu trop loin, je pense.

— Viens, je vais te montrer comment en jouer.

— Ah, je sais pas. J'ai pas le sens du rythme pour deux sous.

— On s'en fout. C'est pour s'amuser, c'est tout.

— Non, tu vas rire de moi.

— Mais non, je t'assure. Allez…

— Bon, bon… OK.

Je me lève à contrecœur et je vais m'asseoir à ses côtés. Il m'informe que nous allons jouer chacun sur notre tambour et que je dois suivre ses gestes.

— Tout d'abord, tu mets toujours ta main *facing down.*

— La main quoi ?

— Comme ça, dit-il en laissant tomber la paume de sa main légèrement vers le bas, face au tambour.

Je l'imite aussitôt. Facile.

— Voilà, c'est bien. Ensuite, tu vas apprivoiser le tambour. On va y aller lentement au début. Très relax.

Je commence à frapper sur l'instrument avec la paume entière de ma main. Tiens, facile, ça aussi. J'y mets un peu plus de force et j'augmente la cadence. De plus en plus vite. De plus en plus fort. Wow! J'adore ça. Je sens une énergie toute nouvelle monter dans ma main, puis dans mon bras.

— Hé, j'ai dit doucement. Là, tu te défoules, tu joues pas.

J'arrête tout.

— Et ce n'est pas comme ça qu'on fait avec les mains, poursuit-il. Ton geste doit être beaucoup plus relax. Attends, je te montre.

Arnaud se lève et vient s'installer derrière moi. Il se met à genoux et se colle contre mon dos. Il prend ma main gauche dans la sienne en appuyant son bras contre le mien. J'essaie de rester concentrée sur ma leçon, mais l'odeur de son parfum vient, une fois de plus, troubler mes sens.

— Il faut que tu fasses comme si t'avais quelque chose de dégoûtant sur le bout des doigts et que tu voulais t'en débarrasser, mais doucement. Comme ça.

Arnaud guide ma main sur le tambour en me disant d'onduler légèrement l'avant-bras. Je le laisse me diriger en essayant d'y aller de façon moins saccadée.

— C'est ça. Le geste détendu, sans cassure. Continue, ça vient. Encore un peu plus relax… Voilà, tu y arrives. Concentre-toi. Je te laisse aller, maintenant.

Arnaud retire tout doucement sa main de la mienne pendant que je continue de tambouriner. Je sens encore sa présence dans mon dos. Il est si près que son souffle me chatouille la nuque.

— OK, prends ton autre main et fais la même chose sur l'autre tambour. Ça va te demander plus d'attention. Reste bien concentrée.

J'obéis et, ma foi, ce n'est pas si difficile que ça. J'y arrive même très bien. Je garde le rythme quelques minutes, toujours aussi lentement, comme Arnaud me le demande.

— Hé, pas mal pour une fille qui n'a pas le sens du rythme. Pas mal du tout.

— J'avoue que je m'impressionne moi-même.

— Non, parle pas. Continue. On va augmenter la cadence un peu. À peine un peu plus rapide. Vas-y, essaie.

Je m'applique à augmenter légèrement le rythme, tout en ne perdant pas la maîtrise de mes gestes. C'est un peu plus complexe et ça me demande un effort soutenu.

D'autant plus que je ressens un léger sentiment d'euphorie. La musique, le vin, le soleil et le souffle d'Arnaud dans mon cou me font sentir bien, comme je ne l'ai pas été depuis longtemps.

J'oublie tout : Maxou qui claque la porte de la voiture de Béatrice, Ugo et le spectre du sida, maman et son désintérêt total pour moi maintenant qu'elle a fini de jouer à la mère de la mariée, les producteurs télé qui ne rappellent pas et mon compte en banque dans le rouge. Il n'y a que ce moment qui existe.

— Voilà, continue. T'es vachement douée, dis donc.

Je sens un sourire se former sur mes lèvres. C'est fou comme j'ai l'impression qu'il y a des lunes qu'on m'a fait un compliment. Je continue de jouer en me promettant de développer ce talent caché depuis trop longtemps. Depuis, en fait, que maman a sapé cette confiance en moi.

Mes gestes sont maintenant plus rapides et je ne sens pas immédiatement la main d'Arnaud qui se glisse jusqu'au creux de mes reins et qui soulève doucement ma camisole orange brûlé. C'est au contact de ses doigts sur ma peau que je réalise ce qui est en train de se passer.

— Qu'est-ce que t'es belle. Et chaude.

Je cesse de jouer. Pendant quelques secondes, j'ai envie de m'abandonner aux douces caresses d'Arnaud et de laisser sa main habile se frayer un chemin sous mes vêtements. Mais la raison me revient tout à coup.

— Arnaud, arrête s'il te plaît.

Sa main se fige sur mon ventre, mais il ne la retire pas.

— T'es certaine?

Non, je n'en suis pas certaine. Pas certaine du tout, même. Mais je suis une fille droite. Et une fille droite ne trompe pas son chum. Même si elle a des soupçons sur la propre fidélité de celui-ci. Je retire doucement sa main de mon corps brûlant et je m'apprête à lui faire savoir clairement que je ne veux pas que ça aille plus loin entre nous deux.

Mais au moment même où je me retourne, il pose sa bouche contre la mienne et ses deux mains entourent ma taille. Je suis tellement surprise que je ne réagis pas. Je sens ses lèvres s'entrouvrir sur les miennes. J'hésite une fraction de seconde entre me délivrer de son baiser ou y répondre. Sa main droite glisse au bas de mon dos, juste à l'endroit où j'aime tant qu'on me caresse.

J'ouvre les lèvres et je commence à embrasser Arnaud Chevalier avec toute la passion qui m'habite à cet instant.

23

*« I did not have sexual relations
with that woman… Miss Lewinsky. »*
BILL CLINTON, 26 janvier 1998.

— *B*on, te voilà enfin. Où étais-tu, ma chérie? Ça fait une heure que je t'attends pour dîner.

Je viens de mettre les pieds dans l'appartement. Il est plus de 20 heures maintenant.

— Ah, excuse-moi, Max, je ne savais pas que tu avais préparé le souper.

— Mais si, je t'ai envoyé un SMS pour te dire que je passais chez le traiteur après le boulot. Tu ne l'as pas lu?

Je passe devant lui sans l'embrasser, sans même trop le regarder et je me dirige vers la chambre à coucher.

— Je n'avais plus de pile dans mon cell, excuse-moi. Écoute, Max, je suis super fatiguée et j'ai mal à la tête. Je vais aller m'étendre.

— Ah non, pas question. J'ai tout préparé. Et puis, il y a quelque chose dont je dois te parler, c'est important.

Ça y est! Il va m'annoncer qu'il a une liaison avec Béatrice. Et moi, est-ce que je vais lui dire ce qui s'est passé tout à l'heure ? Hum… Pas certaine. Et ça servirait à quoi, hein ? Maintenant que tout est sur le point de se terminer.

— Bon, OK. Mais je vais prendre un bain avant.

— D'accord, ne tarde pas trop. Je vais t'apporter un verre de champagne.

Du champagne ? Pour célébrer quoi au juste ? L'échec sur toute la ligne de mon trop court mariage avec un homme que, visiblement, je ne connaissais pas assez bien ?

Je me glisse dans l'eau chaude, l'esprit tout embrouillé. De toute ma vie, je n'ai jamais ressenti pareille confusion. Je ne sais plus du tout où j'en suis. Ni dans ma vie amoureuse, ni dans ma vie professionnelle. Je n'ai plus aucun repère, aucune stabilité, aucune certitude.

Je repense au baiser d'Arnaud. À son regard déçu quand nos lèvres se sont quittées et que je me suis levée en lui disant que je devais partir.

— Quand va-t-on se revoir ? m'a-t-il demandé.

Je lui ai répondu qu'on ne se reverrait pas. Parce que je sais que, la prochaine fois, je ne me contenterais pas de l'embrasser. Et que je ne veux surtout pas mélanger mon cœur plus qu'il ne l'est déjà.

Je fais couler à nouveau de l'eau chaude dans la minuscule baignoire de notre appartement. Maxou entre dans la pièce, un verre de champagne à la main.

— Alors, ma chérie, tu te détends ?

— Hum… hum.

— Tu as pris des cachets pour ton mal de tête ? me demande-t-il en me donnant mon verre.

— Oui, merci.

Il baisse l'intensité de la lumière dans la salle de bain et allume une chandelle parfumée à la lavande sur le comptoir. Je le regarde faire sans dire un mot.

— Tu me fais signe si t'as besoin d'autre chose, d'accord ? Et j'espère que tu as faim. J'ai acheté le rouget en escabèche que tu aimes tant.

— Merci, t'es fin.

My God ! Il est vraiment décidé à me faire avaler la pilule en douceur. Un de mes plats préférés, des bulles, de petites attentions… Tout pour que je ne lui en veuille pas.

Je sors du bain quelques minutes plus tard et je sens une grande lassitude m'envahir. Je n'ai pas le courage d'entendre ce que Maxou veut me dire. Je me rends péniblement jusqu'à la chambre et je m'assois sur le lit. Je rêve seulement de m'y allonger et de sombrer dans un profond sommeil.

— Charlotte, le dîner est servi.

Mais je crois que je n'y échapperai pas. Alors autant le faire avec classe. J'enfile un jeans noir et un chemisier de la même couleur. Très cintré et décolleté. J'ajoute un collier rose et orange, pour la petite touche de couleur. Et je mets mes escarpins noirs de femme fatale.

Je brosse vigoureusement mes cheveux d'un blond rendu encore plus éclatant par le soleil. Ils n'ont jamais été aussi longs et tombent maintenant en cascade sur mes épaules.

J'applique ensuite un *gloss* rose vif sur mes lèvres et je m'asperge du seul parfum qui me donne vraiment de l'assurance : celui qu'a créé Mahée Paiement et que j'ai acheté tout juste avant de partir du Québec. J'adore son côté à la fois floral et boisé. Et ici, je le sais unique.

Je me regarde dans le miroir, assez satisfaite. Il va regretter amèrement de me laisser tomber. Je quitte la chambre avec confiance.

Je m'assois à ma place habituelle pendant que Max nous ressert du champagne. À côté de son couvert, il a déposé quelques feuilles de papier, à l'envers. Pas déjà les papiers de divorce ? Voyons donc, ça ne se peut pas ! Je nage en plein cauchemar. Dites-moi que le réveil va bientôt sonner, que je vais me lever et que cette journée n'aura jamais existé !

— Je suis content qu'on soit là, tous les deux, Charlotte. Ça fait un moment qu'on n'a pas dîné comme ça, tranquillement.

— Hum, hum, c'est vrai qu'on ne s'est pas vus beaucoup dernièrement.

— C'est que j'avais un tas de trucs à régler, tu vois.

— Bon, Max, viens-en donc au fait, là. Qu'est-ce que tu veux me dire au juste?

Je prends une première bouchée d'escabèche. Toujours aussi sublime. Maxou m'imite, dépose ensuite sa fourchette et me regarde droit dans les yeux.

— D'abord, je dois reconnaître que tu avais raison.

— À quel sujet?

— Au sujet de Béatrice.

Là, c'est moi qui dépose mon ustensile pour l'écouter attentivement.

— Tu avais vu juste. Elle est amoureuse de moi. Et voilà ce qu'elle m'a écrit au lendemain de notre dîner ici avec Boris et Ugo.

Il me tend la feuille de papier qui se trouve au-dessus de la pile. La photocopie d'un courriel de Béatrice, que je commence à lire.

Mon cher Maxou,

J'ai passé une soirée formidable en ta présence, hier. Tu es toujours aussi vif d'esprit, drôle et terriblement séduisant. Et j'ai senti qu'entre nous le courant passait encore.

Que nous soyons en couple avec une autre personne ne change rien au fait qu'un amour profond nous unit. Et ça, depuis toujours d'ailleurs.

Tu auras compris que je fréquente Boris dans le seul et unique but de me rapprocher de toi. Mais, maintenant, je n'ai plus envie de faire semblant. C'est avec toi que je veux vivre ma vie et rien ne nous en empêchera.

Je sais que ce ne sera pas facile d'annoncer la nouvelle à Charlotte. Mais il est préférable qu'elle le sache

immédiatement et qu'elle retourne vivre au Canada.
Si jamais tu souhaitais que ce soit moi qui lui parle,
je le ferai.

Quoi ? J'en ai assez lu ! Je me lève brusquement et je déchire furieusement la feuille que j'ai entre les mains.

— Non, mais pour qui elle se prend ? Et, toi, t'es pas mieux ! Pourquoi tu me montres ça, hein ? Pourquoi ?

— Mais parce que je voulais que tu comprennes que…

— Et qu'est-ce que tu lui as répondu ? dis-je en lui coupant la parole. Que t'allais faire toi-même la job sale de m'annoncer votre liaison en me montrant ce courriel ?

— Mais pas du tout ! hurle pratiquement Max en bondissant de sa chaise.

— Je t'ai vu aujourd'hui avec elle. Tu m'avais promis que tu la reverrais plus, pis là j'apprends que tu t'envoies en l'air avec elle sur ton heure de lunch !

— Non, mais c'est quoi, ces conneries ? Je n'ai aucune liaison avec Béatrice.

— Essaie pas.

— Charlotte, je l'ai vue aujourd'hui pour lui dire de nous foutre la paix. Que je ne veux plus qu'elle s'approche de moi, ne serait-ce que d'un millimètre ! Je lui ai aussi interdit d'avoir toute forme de relation avec ma mère. Sous peine de poursuites judiciaires.

Je me rassois tranquillement, sous le choc des dernières paroles de Maxou. Il fait de même.

— Poursuites judiciaires ?

— Oui, poursuites judiciaires. T'as pas idée de la semaine d'enfer qu'elle m'a fait vivre. Elle m'a harcelé sans arrêt. Des coups de fil au bureau, trois ou quatre *mails* par jour, des textos, des messages sur LinkedIn.

Je suis littéralement méduséé par ce que je suis en train d'apprendre. Incapable de prononcer un seul mot.

— Au début, j'y suis allé avec la méthode douce. J'ai tenté de lui faire comprendre que je ne te quitterai jamais. Même pas pour tout l'or du monde. Mais elle ne voulait rien entendre.

Tout l'or du monde? C'est beaucoup, ça. Je dirais même que c'est une énorme preuve d'amour… Je sens mon cœur se serrer. Et un sentiment de culpabilité commence à poindre.

— Ce midi, je l'ai emmenée déjeuner dans un de ses restos préférés. Ça s'est plutôt bien passé. On a discuté longuement et elle a finalement admis que notre histoire appartenait définitivement au passé.

— C'est là qu'elle est venue te reconduire au bureau?

— Oui. Comment tu sais?

— Je t'attendais dans le jardin, je vous ai vus.

— Tu m'espionnes maintenant?

— Mais non, je voulais te rendre visite, c'est tout.

— Bon. Eh bien, c'est justement dans la voiture que ça s'est gâté. J'ai voulu lui faire la bise, entre amis. Et c'est là qu'elle a… Enfin, tu vois.

— Non, je ne vois pas. Qu'est-ce qu'elle a fait exactement?

— Écoute, Charlotte, ce n'est pas nécessaire d'entrer dans les détails.

— Oui, c'est nécessaire.

Maxou soupire avant de m'expliquer qu'elle a tenté de l'embrasser et de déboutonner son pantalon. Quoi? Elle ne manque pas de culot, cette pétasse!

— Elle n'avait rien compris. Elle agissait comme si je lui appartenais. Du coup, je l'ai repoussée fermement. Et c'est là que je lui ai dit que je ne voulais plus jamais la voir. Et que je n'hésiterais pas une seconde à entreprendre des poursuites judiciaires si jamais elle s'approchait encore de moi. Ou de ma mère.

Troublée par ces révélations, je fixe le contenu de mon assiette, n'osant plus regarder mon mari. Oui, je suis soulagée, mais je suis aussi effrayée de constater qu'une fois de plus je me suis inventé les pires scénarios dans ma tête.

— Charlotte, tu n'es pas satisfaite? Ça devrait te rassurer tout ça, non?

— Hum, hum.

La vérité, c'est que je me sens affreusement coupable d'être tombée dans les bras d'un autre homme il y a quelques heures à peine.

— Je suis convaincu que nous n'entendrons plus parler d'elle. D'autant plus que j'ai prévenu Boris qu'elle le manipulait. Étant donné la situation, il a l'intention de rompre avec elle ce soir.

— Merci, Maxou, dis-je, le regard toujours rivé sur mon escabèche.

— Et ce n'est pas la seule bonne nouvelle de la journée, ma chérie. Je crois que tu vas être très heureuse.

Je lève les yeux et j'ai devant moi un Maxou tout fier qui me tend une liasse de papiers. Je commence à lire le tout. Je constate que ce sont des documents officiels qui proviennent du gouvernement français, lequel autorise Charlotte Lhermitte – tiens, c'est moi, ça? – à travailler en France.

— C'est mon permis de travail?

— Oui, ma chérie... Tu es presque française maintenant.

— Mais... comment t'as réussi? Ça avait l'air tellement compliqué.

— Ça, c'est l'autre truc qui va te faire très plaisir, je pense.

Encore? Je crois que je vais crouler sous le poids de la culpabilité s'il continue. Je vais me retrouver ensevelie sous une montagne de remords.

— Ah oui, c'est quoi?

— Pour accélérer les choses, je t'ai trouvé un employeur.

— Pas vrai!

— Si, si.

— C'est qui? C'est où? C'est quand?

Je commence à sentir l'excitation me gagner. Un milieu de travail. Des défis professionnels. De nouveaux collègues. De nouveaux amis. Et un salaire. De l'argent rien qu'à moi.

Finies, les grandes journées de solitude et d'errance dans les rues de Paris. À moi, la télévision française! À moi, le magnifique haut drapé en crêpe de Chine vu dans la vitrine de Vanessa Bruno la semaine dernière! Et les escarpins bleus Isabel Marant! Et le nouveau sac à main Claudia Eicke qui dispose d'un compartiment conçu spécialement pour accueillir une bouteille de vin! Et le nouveau Le Creuset couleur fenouil!

Maxou m'explique qu'il a parlé à un de ses amis de France 5, qui a accepté de m'engager comme adjointe au producteur pour un *talk-show*. Bon, je ne sais pas exactement en quoi consiste la tâche d'une adjointe au producteur, mais au moins, je vais travailler. Et dans le milieu que j'aime le plus au monde: celui de la télévision.

C'est en plein ce qu'il me fallait. Cette nouvelle job va très certainement me mettre à l'abri de mon imagination débordante, celle qui me fait faire des bêtises. Comme cet après-midi, avec Arnaud. Folle de joie, je saute au cou de mon amoureux.

— C'est génial! Je suis trop contente!

— Je suis heureux aussi, Charlotte. Mais sache que ton contrat commence seulement à l'automne, après nos vacances en Toscane.

Je sens une légère déception. Encore quelques mois à attendre. Mais, c'est mieux que rien, non?

— Ça me va. T'es l'homme le plus extraordinaire que je connaisse. Merci de faire ça pour moi.

Il se lève pour m'enlacer et commence à me caresser doucement les cheveux.

— Mais non, c'est normal. Je sais que tu te sens déracinée depuis que tu vis ici. Mais je t'assure que je vais tout faire pour qu'à Paris tu sois chez toi. Parce que je t'aime et que je ne pourrais pas vivre sans toi.

Sur ces mots d'amour que je ne crois pas mériter aujourd'hui, je m'effondre et commence à sangloter comme un bébé. Je ne pourrai jamais vivre en ayant sur la conscience ce que j'ai fait cet après-midi.

— Ma chérie, tu t'émeus facilement aujourd'hui. Qu'est-ce qui ne va pas? Tu sais que tu peux tout me dire.

Mes sanglots sont maintenant incontrôlables. Je suis incapable d'arrêter de pleurer, même si mon mari me berce tendrement dans ses bras. Je réussis tout juste à articuler quelques mots.

— Je m'excuse. Si tu savais comme je regrette.

— Mais tu regrettes quoi au juste?

— De… de… de t'avoir…

J'hésite une seconde avant de poursuivre. Je sais que je dois soulager ma conscience et tout lui dire. Mais mon intuition féminine me dicte de garder ça pour moi. Quel dilemme!

— De m'avoir quoi?

— De t'avoir… soupçonné de coucher avec Béatrice.

J'enfouis mon visage encore un peu plus profondément au creux de son épaule en me disant que je vais devoir apprendre à vivre avec le sentiment de culpabilité qui me ronge de plus en plus.

24

« Miroir, miroir, dis-moi qui est la plus belle. »
La méchante belle-mère de Blanche-Neige.

— *M*adame Daniela, avez-vous vu mon moule en cœur pour faire des œufs au plat ?

Je suis assise par terre dans ma minuscule cuisine, le contenu de mes deux tiroirs répandu sur le sol. Depuis dix minutes, je cherche fébrilement cet ustensile, essentiel à la préparation de mon déjeuner du lendemain.

— Un moule, *señora* Charlotte ? répond Mme Daniela en entrant dans la pièce.

— Mais oui. Jaune, en silicone. J'en ai absolument besoin pour demain matin.

— Désolée, je ne l'ai pas vu.

Je soupire bruyamment, j'ouvre brusquement le tiroir de la cuisinière et je plonge la main à l'intérieur. Je commence à sortir tout ce qui s'y trouve : une plaque à biscuits, des mitaines roses avec des tulipes rouges dessus, une marguerite, une écumoire en métal et… mon string turquoise que je cherchais depuis des semaines. Voulez-vous bien me dire comment il s'est retrouvé là?

— Eh, merde. Je ne le trouve plus. Comment ça se fait que j'ai perdu ça?

Je me lève et commence à fouiller dans l'armoire qui me sert de garde-manger. Juste au cas. Rien là non plus. Je me rue vers la chambre d'amis, Mme Daniela sur les talons.

— Vous pensez qu'il est dans la chambre, *señora* Charlotte?

— Ça se peut.

À cause de la petitesse de ma cuisine, j'ai dû aménager un espace de rangement sous le lit pour les accessoires que je n'utilise pas tous les jours: service à fondue au fromage, sorbetière, robot culinaire, machine à pain, mandoline, mini-cocottes roses et mauves, dénoyauteur de mangue, équeuteur à fraise, tranche-avocat et emporte-pièces en forme d'étoile s'y trouvent pêle-mêle. Aucune trace toutefois du fameux moule en cœur.

Je soupire une nouvelle fois et je m'adosse contre le mur pour réfléchir. Mais je suis dans un tel état d'exaspération que je n'y arrive pas. C'est que tout va mal aujourd'hui. Un peu plus tôt, j'ai même raté ma recette de sucre à la crème. Je voulais tant faire plaisir à Mme Daniela en lui faisant découvrir cette friandise typique de mon pays, mais je n'ai réussi qu'à cuisiner d'horribles grumeaux immangeables!

Et maintenant, de ne pas trouver mon accessoire me bouleverse au point où j'en ai pratiquement les larmes aux yeux. Je sens le regard de Mme Daniela se poser sur moi.

— *Señora* Charlotte, ce n'est qu'un moule.

— Oui, mais j'en ai besoin. Maxou part trois jours à Genève et je veux lui faire un petit déjeuner d'amoureux, vous comprenez?

— Je comprends surtout que vous êtes très fatiguée. Il faut vous reposer.

— Je ne suis pas fatiguée.

— Oui, vous êtes très fatiguée. Et ça fait des semaines que vous êtes comme ça.

Depuis que je lui ai montré des photos de sa famille en Espagne sur Facebook, Mme Daniela a accepté que nous soyons plus qu'une patronne et son employée. Peu à peu, nous sommes presque devenues des amies. Même si elle refuse de me tutoyer et de m'appeler simplement par mon prénom. Pour elle, je demeure «*señora* Charlotte».

— Et puis, poursuit-elle, vous savez bien que *señor* Maximilien ne mange pas beaucoup le matin.

— Oui, mais c'était ça l'idée. Vu qu'il va avoir une journée de fous et qu'il n'aura probablement pas le temps de luncher, je pensais lui faire un vrai déjeuner à la québécoise.

— Vous pouvez faire des œufs même s'ils ne sont pas en forme de cœur.

— Ben non. Ce sera pas un déjeuner d'amoureux! Ce sera pas pareil! dis-je sur un ton un peu trop désespéré.

— Venez dans la cuisine, je vais faire du thé et on va causer.

Je la suis en me disant qu'elle n'a peut-être pas tout à fait tort. C'est vrai que, depuis quelques semaines, je me sens très fatiguée. Mais ce n'est pas ma faute. Pas moyen de trouver le sommeil avec la canicule qui sévit présentement à Paris et l'air climatisé de l'appartement qui ne fournit pas.

Mais, pour être honnête, je dois avouer que ce qui m'empêche le plus de dormir, ce n'est pas la chaleur torride de la chambre à coucher. C'est plutôt d'ordre émotif. Je m'en veux encore terriblement d'avoir joué dans le dos de Maxou et j'ai peur qu'il découvre tout.

C'est qu'Arnaud ne s'est pas encore avoué vaincu. Je pense qu'il est vraiment tombé en amour, au point de remettre en question sa vie de nomade. Au cours du mois qui vient de s'écouler, il m'a relancée à quatre reprises.

Tout d'abord en m'écrivant un courriel dans lequel il m'expliquait qu'il croyait avoir trouvé la fille qui le ferait finalement changer de vie. Qu'il était prêt à s'établir de façon permanente dans la ville que je choisirais. Je n'y ai pas donné suite. Et si je l'avais fait, je lui aurais rappelé qu'il me connaît à peine. Et qu'il parle à travers son chapeau.

Puis, il m'a envoyé un texto. Certes charmant, mais un peu trop intense à mon goût : « Je pense à toi tous les jours, toutes les heures, toutes les minutes. » Cette fois-ci, je lui ai répondu pour lui dire de ne plus utiliser ce mode de communication. Un texto, c'est si facile à lire sur le cellulaire d'un autre.

Il m'a donc téléphoné directement. J'ai laissé sonner et j'ai effacé son message sans même prendre la peine de l'écouter. Il ne s'est pas laissé décourager par mon silence et a décidé de jouer le tout pour le tout.

La semaine dernière, il m'a fait livrer un bouquet de fleurs. Deux magnifiques douzaines de roses rouges. Avec une carte signée : « D'Arnaud, ton chevalier prêt à t'attendre pour l'éternité. »

Sur le coup, j'ai trouvé ça d'un romantisme fou. Quelle fille n'aime pas qu'un homme lui dise qu'il l'attendra toute sa vie ? Même si elle sait pertinemment qu'il n'en sera rien.

Ensuite, j'ai remercié le ciel que Maxou ne se soit pas trouvé à la maison au moment de la livraison. J'ignore quelle histoire j'aurais bien pu inventer pour justifier qu'un homme m'offre des roses rouges. Surtout celles qu'on envoie pour déclarer son amour passionné à une femme mariée.

Après avoir admiré le bouquet quelques minutes, j'ai composé le numéro de Mme Daniela pour lui dire que j'avais un cadeau pour elle. Mais qu'elle devait venir le chercher immédiatement. Une heure plus tard, j'ai mis les fleurs dans les mains de ma femme de ménage. Avec beaucoup de regrets.

Mme Daniela ne m'a posé aucune question, mais j'ai senti dans son regard qu'elle se faisait du souci pour moi. Puisque je ne voulais pas l'inquiéter, je lui ai raconté que j'étais allergique aux roses rouges. Elle ne m'a pas crue.

Et la voilà qui nous sert chacune une bonne tasse de thé vert japonais avant de s'asseoir à mes côtés à la petite table de la cuisine.

— *Señora* Charlotte, je suis inquiète.

— Mais non, tout va bien.

— Vous êtes ici toute seule. *No tiene mamá… No tiene papá…* Vous pouvez me parler, à moi.

— Ça va passer.

— C'est *señor* Arnaud?

Je sursaute en entendant le nom de… Comment pourrais-je bien qualifier l'homme que j'ai embrassé? Certainement pas d'amant. Même si le baiser a été agrémenté de quelques caresses disons… plutôt intimes. Par précaution, et peut-être aussi parce que je suis parfois légèrement paranoïaque, je jette un coup d'œil tout autour de moi pour m'assurer qu'il n'y a personne d'autre que nous deux.

— Comment vous savez, pour Arnaud?

— Vous avez laissé la carte dans les fleurs. J'ai pensé que vous vouliez peut-être que je sache.

Possible que mon inconscient m'ait joué ce tour. Ah, le vilain! Bof, finalement, je ne lui en veux pas tant que ça. Je pense que je cherchais simplement un moyen pour ouvrir mon cœur. Et surtout, pour le faire avec une personne en chair et en os plutôt qu'avec un écran d'ordinateur à partir duquel mon ami Ugo m'écoute tout en tranchant des filets de porc pour en faire des médaillons.

Je commence à raconter à Mme Daniela ce que j'ai vécu avec Arnaud cet après-midi-là. À lui dire à quel point je ne suis plus en paix depuis. À lui faire part,

315

aussi, de ma peur de voir débarquer Arnaud dans ma vie ou, pire, ici à l'appartement.

— Je pense pas qu'il soit dangereux ou quoi que ce soit. Il est trop gentil pour ça. Mais je pense qu'il est vraiment accro. Et il a pas l'air d'un gars qui abandonne facilement.

Mme Daniela m'écoute sans broncher, en buvant son thé à petites gorgées. Trop préoccupée, j'ignore le mien, qui refroidit lentement dans sa tasse en porcelaine.

— Je ne comprends pas qu'il soit tombé amoureux comme ça, aussi facilement. On s'est vus deux fois. On se connaît à peine.

— *Señora* Charlotte, vous êtes-vous regardée dans un miroir dernièrement ?

— D'après moi, il veut seulement coucher avec moi, dis-je en ignorant ma compagne.

Elle me repose sa question.

— Oui, tout le temps. Pourquoi ?

— Et qu'est-ce que vous voyez ?

— Des poches sous les yeux. C'est ça que je vois. Juste ça.

— Ah… Ne faites pas l'enfant. Vous savez, au moins, que vous êtes très belle ?

— Bof… Moi, je me qualifie plutôt de *cute*. Les belles filles, ce sont des filles comme Béatrice.

— Béatrice ?

— Ben oui, une grande blonde avec des jambes de danseuse de ballet, des seins d'enfer, des…

— Les seins, les seins… C'est surévalué, ça.

Mme Daniela se lève et me demande de la suivre. Elle m'entraîne vers ma chambre à coucher et m'indique d'un geste de me positionner face au miroir de plain-pied.

— Ah non ! J'aime pas ça me regarder quand je suis sur le *primer*.

— Sur le quoi ?

— Sur le *primer*… Quand je suis pas maquillée.

Mme Daniela reste perplexe devant cette expression que j'ai inventée en peinturant mon premier appartement d'étudiante, avec ma coloc de l'époque. La couche de *primer* que nous avions appliquée sur les murs de notre salon et qui était restée là, sans aucune autre couleur, pendant tout le mois de mars me rappelait sans cesse la pâleur de notre visage. Surtout au lendemain des *partys*.

— Allez-y, regardez-vous.

Je m'exécute à contrecœur. Et je constate qu'en plus ma tenue d'intérieur laisse plutôt à désirer : un vieux t-shirt jaune avec une illustration de Bart Simpson à l'avant et un boxer noir en soie piqué à Maxou. L'image que me renvoie la glace me déprime.

— Souriez maintenant.

— Ah… Madame Daniela, j'haïs ça poser devant un miroir.

— Mais non, vous aimez ça. Je vous ai vue le faire. Plusieurs fois, même.

Oups ! Difficile de me défiler maintenant. Je commence à sourire au miroir. Discrètement au début, puis avec un peu plus d'assurance. Je me donne un regard séducteur. Je prends différentes poses, l'une après l'autre. La main droite sur une hanche, le poing sous le menton, l'index sur la bouche comme si je faisais « Chut »…

Je fais ensuite ce que j'appelle le look « Pantene Pro-V ». Je mets ma tête vers le bas et je la relève dans un mouvement totalement vamp, en envoyant mes cheveux de gauche à droite. Bref, je joue avec le miroir… comme je le ferais devant la caméra.

— Vous comprenez, *señora* Charlotte, pourquoi il est tombé amoureux. Ce n'est pas la poitrine d'une femme qui fait qu'elle est belle. C'est son sourire, ses yeux pétillants, son charme. Et vous avez tout ça.

— Peut-être.

Ce que je comprends surtout, à l'heure actuelle, c'est à quel point la caméra me manque. Dire qu'il y a quelques mois à peine, une carrière d'animatrice se pointait à l'horizon… Terminé, le rêve de toute une vie ?

— Pas « peut-être », rétorque Mme Daniela. Vous êtes très attirante, un point c'est tout.

— Bon, d'accord… Mais ça ne règle pas le problème d'Arnaud. Il faut qu'il me laisse tranquille.

— Est-ce possible que vous ne lui ayez pas dit assez clairement ?

— Ben, c'est évident, non ? Je ne retourne pas ses appels.

— Hum… Les hommes comprennent parfois ce qu'ils veulent bien comprendre.

Je réfléchis aux paroles de Mme Daniela. La dernière fois que j'ai parlé avec Arnaud, c'était tout juste après l'avoir embrassé. J'étais encore troublée et mes explications n'étaient peut-être pas des plus convaincantes.

Quand il m'a demandé pourquoi je ne voulais pas le revoir, je me souviens de lui avoir répondu un truc du genre : « C'est pas toi, c'est moi. C'est pas parce que tu me plais pas, je te trouve super *sweet*. Peut-être que si on s'était connus avant… » Blablabla.

Je me rends maintenant compte qu'en agissant ainsi j'ai laissé la porte entrouverte. Inconsciemment ou pas, j'ai laissé planer un doute sur mes sentiments à son égard.

À ce moment-là, je pensais que Maxou me trompait avec Béatrice. Et j'ai peut-être été un peu trop vite en affaires en ne voulant pas écarter complètement ce qui pouvait devenir un plan B. Mais aujourd'hui, il est temps de remettre les pendules à l'heure. De refermer toutes les portes.

Je m'installe devant mon ordinateur et je commence à écrire à Arnaud un message sans équivoque. Je lui dis que je suis profondément amoureuse de mon mari et que je n'entrevois pas le jour où je le quitterai. Je lui souhaite une vie des plus heureuses et lui demande de ne plus jamais communiquer avec moi. Dix minutes plus tard, je reçois une réponse.

Chère Charlotte,
Tu me brises le cœur, mais je m'incline. Comme le chevalier servant que je suis. Plus de mots doux, plus de messages, plus de fleurs, promis.
J'aurais toutefois souhaité que nous puissions rester amis. Du moins sur Facebook. C'est pourquoi je t'ai envoyé une demande d'amitié. J'espère que tu y répondras positivement.
Bisous,
Arnaud, qui ira se consoler ce soir au Great Canadien Pub, en espérant y rencontrer une autre Québécoise tout aussi charmante.

Quel homme théâtral, cet Arnaud! Le moins qu'on puisse dire, c'est qu'il m'aura bien fait rire. Mais tout doit s'arrêter là. J'ouvre ma page Facebook, j'y découvre la demande d'amitié d'Arnaud et je clique sur «Pas maintenant».

***

Je referme mon ordinateur et jette un coup d'œil à ma montre. Encore deux heures à patienter avant le moment fatidique : celui où Ugo apprendra s'il a le VIH ou pas. Je lui ai fait promettre de me téléphoner immédiatement après sa sortie de la clinique.

Je tourne en rond dans l'appartement pendant que Mme Daniela passe l'aspirateur dans le salon. À deux reprises, je me prends les pieds dans le fil qui traverse la pièce, débranchant ainsi l'appareil et interrompant son travail.

Polie comme elle est, Mme Daniela ne souffle mot. Mais son regard est évocateur. Est-ce que je peux la laisser faire son travail tranquillement? Je comprends le message. Je m'habille d'un short en jeans et d'une camisole rose. J'enfile mes gougounes Guess, roses également, et je sors dans les rues de Paris pour tuer le temps.

Je marche jusqu'à la Seine. Ce que j'aime par-dessus tout ici, c'est ce contact presque quotidien avec l'eau. Montréal a beau être une île, quand on vit sur le Plateau, on en vient pratiquement à l'oublier. Sauf quand c'est le moment de traverser le pont pour aller voir son chum à Saint-Lambert... Mais là, ce qu'on voit surtout, ce sont les derrières des véhicules qui nous précèdent et nous empêchent d'avancer à bon rythme.

Ici, la Seine fait partie de ma vie de tous les jours. J'adore la traverser à pied sur le pont de la Concorde, bouquiner sur ses quais et profiter de Paris Plages, un concept qui, l'été, transforme les bords de la Seine en station balnéaire. Plages de sable, palmiers en pot, parasols bleu marine, activités nautiques et *mojitos*: tout pour faire la *dolce vita* en plein cœur de Paris. C'est trop génial!

Le problème, c'est que Maxou déteste ça. Il y est allé à quelques reprises, au début. Mais il trouve que l'événement a perdu beaucoup de son attrait depuis que la mairie y a interdit les strings et le monokini. Pff... Tous pareils, les hommes!

En tout cas, moi, j'aime bien aller m'allonger sur le sable chaud et regarder les joueurs de volley-ball faire des prouesses spectaculaires pour gagner la partie... et m'en mettre plein la vue.

Aujourd'hui, je suis beaucoup trop angoissée pour rester allongée sur une chaise longue. J'ai besoin de bouger jusqu'à ce que mon téléphone sonne. Je vérifie d'ailleurs une nouvelle fois s'il est bel et bien allumé.

En marchant le long du quai Voltaire, je repense à mon échange de courriels avec Arnaud. Je me rends compte à quel point je suis soulagée. Reste le sentiment d'avoir trahi Maxou.

Mais, en y pensant bien, je peux mettre ça sur le compte de la confusion qui m'habitait à ce moment-là.

Ce n'est pas tout à fait ma faute. Je ne suis pas entièrement responsable. Je ne savais plus ce que je faisais et j'ai un peu perdu la carte, n'est-ce pas? Ça explique tout!

Devant le jury de ma conscience, je plaide donc non coupable pour cause d'aliénation mentale. Temporaire, évidemment. Et voilà que je me sens beaucoup mieux.

Je continue de marcher au hasard. Malgré le temps chaud et pesant, mon pas est vif et alerte. J'emprunte le pont du Carrousel et je me retrouve devant la pyramide du Louvre. L'endroit est bondé de touristes. Comme toujours. Je traverse le magnifique jardin des Tuileries, où j'aime profiter de la douceur des lieux en admirant les statues.

Je remonte ensuite jusqu'à la place de la Madeleine et je m'arrête à la terrasse de *L'Écluse Madeleine*, un de mes bars à vin préférés de Paris. Je commande une assiette de comtesse de Vichy et un verre de saint-estèphe, que je bois tranquillement en attendant l'appel d'Ugo. Le serveur m'apporte mon fromage. Crémeux à souhait, il fond littéralement dans la bouche.

J'essaie de savourer le moment présent, mais j'y arrive difficilement. L'image d'Ugo assis dans un minuscule cabinet de médecin, seul et désemparé, me revient sans cesse en tête.

Incapable de rester assise plus longtemps, je termine rapidement mon verre de vin, je paie la note et je quitte le resto, laissant mon assiette de fromage presque intacte.

Je continue ma marche sans but et mon inquiétude ne cesse de grandir. En théorie, Ugo aurait déjà dû me téléphoner. S'il ne l'a pas fait, c'est peut-être que les nouvelles sont mauvaises. Sainte Marguerite Bourgeoys, faites qu'il n'en soit rien!

C'est en arrivant devant l'Opéra que j'entends mon téléphone sonner. Je me dépêche de répondre et au diable le savoir-vivre!

— Pis ?

— Salut, Charlotte.

— Oui, oui, salut. Pis, le résultat ?

— C'est beau. Je suis *clean*.

Je pousse un immense soupir de soulagement. Je lève ensuite les deux bras dans les airs, mon téléphone toujours dans une main, et je m'entends crier au ciel : « *Yessss !* » Je remets ensuite mon téléphone à mon oreille sans me préoccuper des regards étonnés des passants.

— Ahhhh, que je suis contente ! J'ai eu peur, Ugo, tu peux pas savoir. J'ai eu tellement peur. C'est comme si on venait de m'enlever cent livres des épaules !

Et voilà que je me mets à pleurer tout doucement. Cette fois-ci, ce sont des larmes de joie. Il y a long-temps que ça ne m'était pas arrivé. Au bout du fil, Ugo ne dit pas un mot.

— *My God*, tu dois être soulagé, hein ?

— C'est sûr.

— Pas plus que ça ?

— Oui, oui, c'est juste que…

— Que quoi ?

— Ben, c'est Justin.

— Ah non ! T'es pas sérieux ?

— Ben oui.

Justin Brodeur, vingt-sept ans, vedette montante de la télévision, gérant d'une nouvelle boutique de fleurs. Et séropositif. Quelle tristesse ! Je sais bien que j'ai secrètement souhaité que ça arrive. Mais là, je me demande comment j'ai pu être aussi mesquine.

— Comment il a pris ça ?

— Très, très mal. Il l'a su hier, lui.

— Pauvre chou !

— Ouais, sa vie sera plus jamais pareille. En fait, notre vie sera plus jamais la même.

Quoi ? Je reste interloquée un instant. Comment ça « notre vie » ?

— Ugo, tu pourras pas continuer avec Justin, là. Ce sera pas possible. C'est beaucoup trop dangereux.

— Écoute, y a rien de décidé, mais je ne le laisserai certainement pas tomber maintenant. Il a besoin de moi.

Je prends une grande respiration pour me calmer et je cherche les bons mots pour le faire changer d'idée. Il ne m'en laisse pas le temps.

— Je sais ce que tu penses, Charlotte Lavigne, mais je te dirais qu'à la limite ça ne te regarde pas.

Quand Ugo me parle comme ça, et surtout quand il m'appelle « Charlotte Lavigne », c'est qu'il est temps que j'arrête.

— OK, c'est correct. Mais jure-moi que tu coucheras pas avec.

— Ahhh, tu m'énerves des fois !

— Jure-le !

— Je te jure que je ne ferai rien pour m'exposer. Promis.

— Bon, va falloir que je me contente de ça, je pense.

— Va falloir. J'y vais maintenant. Justin m'attend.

— Ugooooo ?

— Quoi ?

— Tu sais que je t'aime, hein ?

— Oui, je le sais, Charlotte. Moi aussi, je t'aime.

Et il raccroche, me laissant en plan avec des émotions aussi fortes que contradictoires.

25

Cocktail Bicicletta :
- 125 ml de vin mousseux prosecco
- 1 trait de bitter Campari
- 1 trait de jus d'orange
- 1 morceau de zeste d'orange.

Stefano Faita, *Entre cuisine et bambini*, Trécarré, 2009.

*J*e dépose la bouteille vide de chianti dans le petit panier qui nous sert de bac à recyclage. Pour le plaisir, je m'amuse à compter le nombre de bouteilles vides qui s'y trouvent. Deux, quatre, six, huit, neuf et voilà la dixième.

Nous avons bu dix bouteilles de vin depuis que nous sommes arrivés ici, en Toscane… il y a cinq jours. Dix bouteilles à trois. Ça, c'est ce qu'on appelle des vacances ! En plus d'avoir mangé la meilleure *ribollita* de toute ma vie ! Sans compter les *pastas alla bolognese*, le *bistecca alla Fiorentina*, le *gelato* et le *vino*. Décidément, l'Italie comble tous mes désirs !

Il faut dire que le vin m'aide aussi à supporter la présence de ma belle-mère, qui séjourne avec Maxou et moi dans la grande maison que nous avons louée en plein cœur du Chianti.

Depuis le début de notre séjour, la reine Victoria agit comme une véritable enfant. Imaginez-vous donc qu'elle nous pique des crises de larmes pour un oui ou pour un non.

Jouer à la victime, c'est sa nouvelle façon de m'exaspérer. Maxou m'a confié qu'elle a une vaste expérience dans le domaine. Quand il était adolescent et jeune adulte, elle ne cessait de le manipuler en utilisant des techniques habituellement réservées aux petites filles de deux ans.

Dès qu'il voulait sortir avec des amis deux soirs de suite, elle se donnait en spectacle en sanglotant à chaudes larmes, étendue sur le canapé du salon. Elle lui disait alors qu'il ne l'aimait pas, qu'il ne pensait pas à elle pour la laisser seule à se morfondre à la maison pendant que lui allait s'amuser dans les bars.

Elle poussait la manipulation jusqu'à donner des coups de pied et des coups de poing dans les coussins du divan pour manifester sa peine. Alors Maxou, dévoré par un sentiment de culpabilité, annulait sa sortie et restait avec sa mère à la maison pour jouer au Scrabble.

Pauvre chou! Non seulement il a grandi sans père à ses côtés – il est mort d'un bête accident de voiture alors que Maxou avait huit ans –, mais il a dû endurer une mère contrôlante et… carrément déséquilibrée.

***

Je ne soupçonnais pas à quel point les colères de Victoria pouvaient être pénibles jusqu'au premier soir de notre séjour.

On venait de prendre un bicicletta dans le jardin et on s'apprêtait à partir pour aller souper à Florence quand Victoria s'est mise à parler de sa solitude. Elle a commencé à pleurer doucement en racontant la mort de Sir Lancelot, son chien, son compagnon depuis dix ans. Honnêtement, j'ai été touchée par son désarroi.

Mais ensuite, elle a levé le ton et s'est mise à accuser Maxou de lui avoir enlevé la seule amie qu'elle avait.

C'est-à-dire Béatrice. Mon amoureux a tenté de lui faire doucement entendre raison en lui rappelant que, des copines, elle en avait d'autres. À commencer par ses partenaires de bridge du lundi soir.

— Ce ne sont pas de vraies amies, a-t-elle répondu à Maxou en pleurant de plus belle. Béatrice, elle, l'était. Elle m'écoutait et me comprenait.

Victoria s'est arrêtée un instant pour se moucher et nous en mettre plein la vue en prenant de grandes respirations pour calmer ses sanglots.

— Et je ne comprends pas pourquoi tu l'empêches de me voir. Elle ne m'a donné aucune raison, mais elle m'a dit de te demander des explications. Alors j'attends.

Maxou lui a donc fait le récit des derniers événements concernant Béatrice, ne lui épargnant aucun détail.

— Tu vois, maman, elle s'est servie de toi.

— Je suis certaine que non. Elle était vraiment mon amie. Je suis convaincue que, si elle ne veut plus me voir, c'est seulement parce qu'elle a peur que tu mettes tes menaces à exécution. Quelle idée aussi de lui parler de poursuites judiciaires !

— Je n'avais pas le choix, maman.

— Mais si, tu avais le choix. Et c'est à cause d'elle, dit Victoria en me montrant du doigt, que je suis plus seule que jamais. Tu sauras, mon fils, qu'à mon âge la solitude est un fardeau que je ne mérite pas. D'autant plus que, toi non plus, tu n'es pas très présent.

Exaspéré, Maxou a soupiré en levant les yeux au ciel. Victoria a essuyé une larme qui coulait sur sa joue et s'est tournée vers moi, le regard accablant.

— Tout ça finalement, Charlotte, c'est votre faute. C'est vous qui avez interdit à Maximilien de voir Béatrice à cause de votre jalousie démesurée.

Là, j'avoue que j'ai pété les plombs ! Non, mais pour qui se prend-elle pour parler de sentiments démesurés ? Elle n'a de leçon à donner à personne !

— Ça va faire! Béatrice est en amour avec Maxou. Elle le harcelait. Fallait que ça cesse, un point c'est tout.

— Et vous pensez que Béatrice est la seule femme qui soit amoureuse de mon fils? Vous allez être très malheureuse, Charlotte, si vous n'êtes pas en mesure d'accepter la présence de vos rivales dans votre vie.

— Hé! Oh! Ça suffit! est intervenu Maxou d'un ton autoritaire. On se calme et on sort dîner.

Victoria a dit à Maxou qu'elle n'avait pas faim et qu'elle souhaitait rester seule. Nous sommes donc partis en amoureux à Florence. Les paroles de Victoria me trottaient en tête. Qui étaient donc ces rivales dont elle parlait?

Pendant le souper, j'ai confié à Maxou que l'attitude de sa mère me dépassait. Que ça ne cadrait pas du tout avec l'image que je me faisais d'elle : une femme froide, posée et en contrôle.

Pour Maxou, ce qui venait de se passer était *business as usual*. Il voyait même d'un bon œil le fait qu'elle ait piqué une crise devant moi. Ça voulait dire qu'elle commençait à m'accepter… Je pense que je préférais quand elle m'ignorait.

À notre retour, Victoria nous a dit qu'elle mourait de faim, mais qu'elle était trop épuisée pour cuisiner. Je lui ai donc concocté une frittata aux épinards, qu'elle a mangée du bout des lèvres.

C'est ainsi que s'est terminée la première soirée de ce qui devait d'abord être notre voyage de noces. Charmant!

Mais depuis, j'en ai pris mon parti et j'ai décidé que la reine Victoria n'allait pas gâcher mes vacances! Je me suis donc mise à organiser activité après activité pour éviter les discussions houleuses. Et c'est pour ça que, ce matin, nous partons tous les trois pour Montalcino. Pas question de revenir de Toscane sans rapporter quelques bonnes bouteilles de brunello.

***

Deux jours plus tard, j'ai les nerfs à fleur de peau. Je ne tiens pas en place. D'ici à quelques minutes, je vais finalement faire la connaissance de la fille de Maxou. Et, étrangement, je me sens intimidée. Par une adolescente de treize ans… Pas fort, Charlotte.

J'ai posé mille et une questions à Maxou sur Alixe. Qu'est-ce qu'elle aime manger? Quelle musique écoute-t-elle? Quel style vestimentaire a-t-elle adopté? Est-ce qu'elle se maquille, se met du vernis à ongles, a un anneau dans le nombril?

Est-ce qu'elle a beaucoup d'amies? Un copain? Est-ce qu'elle a déjà fait l'amour? Si oui, est-ce qu'elle se protège?

Maxou a pu répondre à seulement deux de mes questions. *Primo*, elle écoute de la musique pop le volume à fond et ça lui casse les oreilles. *Secundo*, elle a choisi un style vestimentaire qui coûte trop cher! Ah oui, il m'a aussi dit qu'elle raffole des hamburgers à l'américaine. Ce que lui déteste farouchement. Sincèrement, j'ai été scandalisée de constater que Maxou ne connaissait pas plus sa fille que ça!

Il s'est justifié en me disant qu'il l'a un peu perdue de vue ces dernières années, avec son séjour au Québec et celui de sa fille en Angleterre, mais qu'il l'aime profondément et qu'il souhaite se rapprocher d'elle pendant notre semaine de vacances. Vaste programme!

Moi, je me suis déjà trouvé quelques points communs avec Alixe. J'adore la musique pop et je vais peut-être pouvoir en écouter sans que Maxou me demande constamment de changer de CD. Ensuite, je choisis également des vêtements qui coûtent trop cher. Et j'aime bien engloutir un bon hamburger moutarde-relish-oignons de temps en temps.

Ça me fait donc plusieurs sujets de conversation, ce qui devrait me rassurer. Pourtant, je suis terrorisée. C'est que, pour moi, cette rencontre est primordiale. Il est essentiel qu'Alixe m'accepte et devienne mon amie. Je veux que nous formions une vraie famille.

Ainsi, Maxou verra à quel point j'ai le tour avec les ados et il reconsidérera peut-être sa décision de ne pas avoir d'autres enfants. Ce que je souhaite secrètement de plus en plus chaque jour qui passe.

Ces derniers mois sans boulot m'ont laissé beaucoup de temps pour réfléchir à ce que je voulais vraiment dans la vie. Et j'ai réalisé à quel point je désirais avoir des enfants, moi qui n'ai jamais connu les joies d'une famille nombreuse.

Ce qui m'a fait réfléchir plus que tout, ce sont les longues conversations que j'ai eues avec ma femme de ménage. Si elle a trouvé le courage de quitter son mari, c'est qu'elle savait qu'elle emportait avec elle tout l'amour que lui vouent ses enfants.

Même si pour l'instant elle ne les voit plus, elle sait que sa vie a été riche grâce à eux. Et elle est convaincue qu'elle les reverra. Bientôt, même. Mme Daniela ne finira pas ses jours dans un centre pour personnes âgées, à compter les journées qui la sépareront de la mort, complètement seule. Comme j'ai peur que ça m'arrive.

Je ne crois pas m'inventer un scénario en disant cela. Si je n'ai pas d'enfants, c'est exactement ce qui va se produire. Maxou a six ans de plus que moi et, comme les hommes meurent avant les femmes, ce serait un miracle qu'il me survive. Et Ugo sera peut-être mort du sida parce qu'il aura continué de fréquenter Justin. Ou bien il prendra sa retraite à Key West parce qu'il aura mis de l'argent dans un REER, lui.

Je dois donc jouer mes cartes dès maintenant si je veux avoir une vieillesse heureuse. Et Alixe constitue la carte maîtresse de mon jeu.

— Charlotte, vous voulez bien me préparer un *espresso* ? m'interpelle Victoria depuis le salon où elle lit une revue en attendant, elle aussi, le retour de Maxou, qui est allé chercher Alixe à l'aéroport de Florence.

Ça, c'est l'autre truc qui m'exaspère avec ma belle-mère. Elle me croit à son service, ainsi qu'à celui de Maxou. Sous prétexte que je ne travaille pas depuis quelques mois, elle a statué que j'étais assez en forme pour m'occuper de la cuisine et des tâches ménagères pendant nos vacances.

Dans sa tête, il ne pouvait pas en être autrement, puisque son « lapin », comme elle se plaît à appeler Maxou, a besoin de reprendre des forces après des mois éprouvants au boulot. Et que, de son côté, ses rhumatismes la font tellement souffrir qu'il lui est impossible de s'activer dans la maison.

Menteuse… Étrange comme les rhumatismes ne sont pas au rendez-vous quand vient le temps de marcher des heures dans les rues de Sienne !

Quoi qu'il en soit, « lapin » avait l'air bien d'accord avec sa mère. Je devais m'occuper de tout. Au départ, je croyais que Maxou blaguait. Mais non ! Il était sérieux. C'est là que j'ai réalisé à quel point le côté macho de mon mari se dévoilait depuis que nous vivions en Europe.

En fait, je pense que Maxou a toujours été très conventionnel dans ses relations homme-femme, mais il le cachait un peu mieux lorsque je l'ai connu au Québec. Il faut dire qu'ici les comportements machos sont plus fréquents que chez nous. Et plus acceptés. C'est donc plus facile pour lui d'agir comme tel.

Eh bien, il n'était pas question que ça continue. J'ai refusé clairement de jouer à la boniche pendant mes vacances. J'ai même menacé Maxou de prendre le premier vol pour Montréal et de ne plus jamais revenir s'il ne cessait pas immédiatement de se comporter en pacha. Il a compris le message. Pour l'instant du moins. Mais ce n'est pas le cas de Victoria.

Je commence donc à lui préparer son café noir bien sucré. Parce que je suis une bonne fille et que je veux acheter la paix. Quelques instants plus tard, je le dépose sur la table du salon.

— Voilà !

— Vous n'avez pas oublié mes deux sucres, j'espère.

Je n'ai jamais compris les gens qui ne savent pas dire un simple merci. Ce n'est pourtant pas compliqué. Deux syllabes, cinq lettres ; un seul petit mot qui peut tout changer. Je m'éloigne sans répondre à sa question.

— Charlotte, revenez ici. J'ai quelque chose à vous dire.

J'obéis de mauvaise grâce et je m'assois sur un vieux fauteuil en velours rouge face à Victoria. Prête à faire semblant de l'écouter.

— Je veux vous parler d'Alixe.

— Oui ?

— Ma petite-fille a été très marquée par la séparation de ses parents. Vous savez, elle n'avait que dix ans.

— Humm, humm, dis-je en pensant qu'en vérité la personne qui a vécu le plus difficilement la rupture de Maxou et Sandrine, c'est elle-même.

— Donc je ne voudrais pas qu'elle vive une autre séparation difficile.

— Qu'est-ce que vous voulez dire ? De quelle séparation parlez-vous ?

— Mais de la vôtre, Charlotte. De la vôtre avec mon fils.

Je prends une grande respiration et je tourne ma langue sept fois dans ma bouche avant de parler. Mon ton est étonnamment calme si l'on tient compte de ma personnalité plutôt explosive dans de telles circonstances.

— Victoria, quand est-ce que vous allez comprendre que Maxou et moi, c'est pour toujours ? On est mariés et j'ai même changé de pays pour pouvoir être avec lui.

— Tss, j'en connais assez sur la vie pour savoir que votre couple ne durera pas. Et que mon fils en aura bientôt assez de ne pas pouvoir compter sur une véritable partenaire de vie.

Mes bonnes intentions de garder mon sang-froid s'envolent soudainement en fumée. Elle va voir de quel bois je me chauffe.

— J'en ai assez de votre mépris! Je ne mérite pas ça!

— Qui a dit que je vous méprisais, Charlotte? Je vous trouve gentille, drôle et j'ajouterais même que vous faites des merveilles dans une cuisine. Mais vous n'êtes tout simplement pas celle qu'il lui faut. Et il s'en rendra compte un jour ou l'autre. C'est une question d'image et de *standing* social.

Mais c'est quoi ce discours complètement dépassé? J'ai devant moi la femme la plus superficielle que j'aie jamais rencontrée! Encore plus que Roxanne. Et ce n'est pas peu dire.

— D'ailleurs, je vous avais avisée à ce sujet lors de notre rencontre au Canada. Mais vous en avez fait à votre tête. Je sais que c'est vous qui avez convaincu Maximilien de vous épouser.

— Convaincu?

— Oui, oui. C'est lui-même qui me l'a dit.

— Pff, je vous crois pas.

J'entends le bruit d'une voiture qu'on stationne dans l'entrée de la maison. Je me lève en disant qu'ils arrivent.

— Un instant, Charlotte. Ce que je voulais vous dire, c'est qu'il n'est pas question qu'Alixe s'attache à vous. Je ne veux pas que vous lui brisiez le cœur le jour où vous repartirez au Canada. Est-ce bien clair?

Pour toute réponse, je la regarde, un air de défi dans les yeux. Je vais au contraire tout faire pour qu'Alixe ne puisse plus se passer de moi!

***

Voilà bientôt une heure que nous sommes à table et je n'ai pas cessé d'observer Alixe. Elle est vraiment une jeune fille splendide. Encore plus belle que sur les photos. Tout d'abord, elle est grande et mince. Elle doit me dépasser d'une bonne demi-tête.

Ensuite, elle a de magnifiques cheveux châtain clair qui tombent droit jusqu'au milieu de son dos. De grands yeux noisette comme ceux de Maxou, avec des cils immenses. Et des dents vraiment parfaites.

Elle ne sourit pas beaucoup, par contre. Et elle ne parle pas beaucoup non plus. Elle doit être timide. Laissons-lui un peu de temps.

J'examine maintenant sa tenue. Visiblement, elle aime les Converse All Star et les couleurs de filles. Elle porte un t-shirt moulant rose et des espadrilles mauves, tous deux portant le logo de cette marque populaire. Le tout complété par une paire de Pepe Jeans.

Mais ce qui m'a le plus étonné dans sa tenue, c'est son sac à main. Rose, matelassé, une chaîne en guise de ganse et un fermoir orné de deux C. Un sac Chanel. Qui doit coûter au bas mot 3 000 dollars. Si ce n'est pas 4 000 ou 5 000 dollars.

Impossible qu'Alixe puisse s'offrir un tel objet de luxe. Soit quelqu'un – en l'occurrence un de ses parents – lui a fait ce cadeau beaucoup trop extravagant, soit c'est de la contrefaçon. Ce qui est plus plausible. Je montre du doigt l'objet en question.

— C'est fou comment ils font des faux sacs qui ressemblent à des vrais, hein?

— C'est pas un faux sac. C'est un vrai, répond Alixe d'un ton nonchalant.

Comme si c'était la chose la plus naturelle du monde qu'une ado de treize ans se balade avec un accessoire hors de prix.

— Ah, excuse-moi. Je ne croyais pas qu'à ton âge on pouvait s'acheter ce genre de choses.

D'autant plus que, même à mon âge, la plupart des filles ont tout juste le budget pour s'en procurer un faux. Alixe ne poursuit pas la conversation et replonge dans son assiette de linguine carbonara. Victoria me jette un regard glacial.

Je n'ose plus poser aucune question sur le fameux sac, mais je n'en demeure pas moins intriguée. Ça m'étonnerait que Maxou lui ait fait un tel cadeau. À moins que ça vienne de sa mère ou de Victoria. Quoi qu'il en soit, je trouve inadmissible d'offrir un sac à main aussi luxueux à une ado de treize ans !

La conversation porte maintenant sur les activités que chacun souhaite faire pendant les prochains jours. Alixe, encore une fois, reste les yeux fixés sur son plat de *pastas* pendant que Maxou suggère d'aller passer deux jours à Venise. J'essaie d'attirer l'attention de ma belle-fille.

— Toi, Alixe, qu'est-ce que t'en penses ?

— Bof, j'aimerais mieux glander.

— Comme tu veux, dis-je, pas tout à fait certaine de la signification du verbe qu'elle vient d'employer.

— Alixe, intervient Maxou, tu auras tout le reste de l'été pour paresser. Nous sommes venus en Italie pour visiter. Et puis, tu vas adorer Venise, avec son architecture, ses canaux.

— Pff, je ferai certainement pas une balade en gondole. C'est trop nul.

— D'accord, pas de gondole. En revanche, nous visiterons le palais des Doges.

Je ressens une légère déception. J'aurais bien aimé, moi, faire un tour de gondole. En fait, j'en rêve depuis la toute première fois où j'ai vu un vieux vidéoclip de Madonna. Celui de *Like a Virgin*, dans lequel elle se trémousse dans une barque sous les ponts de Venise.

Mais bon, ce sera pour une autre fois. Pas question de contrarier Alixe avec mes idées romantiques, qu'elle trouverait certainement *off*. Mon regard est de nouveau attiré par le sac Chanel. Et, une fois de plus, je me creuse les méninges pour tenter de comprendre.

Alixe lève les yeux et me surprend à reluquer son sac. Elle me lance un petit air interrogateur et se tourne ensuite vers Victoria, qui elle aussi me regarde bizarrement. Ah non! Je viens de commettre ma première gaffe. Décroche du sac, Charlotte, décroche du sac…

— Mamie, tu as apporté ce que je t'ai demandé?

— Mais bien sûr, mon p'tit tournesol.

Ah… Voilà un beau surnom, plein de soleil et de gaieté. Beaucoup plus joli que «lapin». Je n'ose pas imaginer celui que Victoria pourrait me donner. Ma «p'tite épine au pied»? Ou bien ma «cinquième roue du carrosse»?

Ma belle-mère s'excuse et sort de table quelques instants. Elle revient ensuite avec un petit objet dans les mains. Une petite boîte de forme rectangulaire, en hauteur, qu'elle dépose sur la table devant Alixe.

— Ah, c'est trop joli! s'exclame Alixe en prenant l'objet dans ses mains. Pauvre Sir Lancelot.

— Oui, il a eu une fin bien triste, répond Victoria en admirant la photo de son chien, gravée sur la boîte. Qui, en fait, semble être une petite urne en marbre noir.

— Est-ce que vous avez mis ses cendres dedans? dis-je.

— C'est clair. C'est une urne, répond Alixe sans me regarder.

— Et il y a aussi la moitié d'un biscuit pour chien, ajoute Victoria.

— Pourquoi la moitié, mamie?

— Parce que l'autre moitié du biscuit, c'est à toi que je l'offre. Comme ça, tu auras toujours un lien avec Sir Lancelot.

Victoria tire de la poche de sa veste une autre boîte. Carrée, celle-ci, et beaucoup plus petite, qu'elle remet à Alixe dans un grand geste théâtral. L'adolescente regarde tendrement sa grand-mère et ses yeux expriment toute la reconnaissance du monde.

— Ah, mamie, c'est trop chou, merci.

— Ça me fait plaisir, Alixe. Je me souviens combien tu aimais jouer avec lui et l'emmener au parc le dimanche.

— Oui, mais ça, c'était avant que papa m'envoie en Angleterre.

Je sens une pointe de reproche dans le ton de la voix d'Alixe. Je jette un regard du côté de Maxou, qui semble n'avoir rien remarqué. En fait, il a l'air plutôt ailleurs en ce moment. Comme si la conversation l'ennuyait. J'essaie de le ramener avec nous.

— T'as vu, mon chéri, comme c'est mignon ? Chacun la moitié d'un biscuit.

En disant cela, je m'aperçois que je n'en pense pas un mot. Ce n'est pas mignon du tout. C'est même plutôt un peu absurde ! Comment un vieux biscuit entamé peut-il nous aider à nous souvenir d'un être qu'on a aimé ? Animal ou pas !

— C'est vrai que c'est une délicate attention, répond Maxou en faisant semblant tout à coup de s'intéresser à ce qui se passe autour de la table.

Victoria demande ensuite à Alixe de lire la phrase inscrite sur la boîte.

— « Je serai avec toi pour l'éternité. » Et c'est signé : Sir Lancelot.

Alixe reste les yeux baissés sur la boîte quelques instants, sans dire un mot. Je l'entends renifler et je la vois essuyer une larme. Victoria, qui a aussi les yeux pleins d'eau, lui caresse doucement l'épaule.

Je ne soupçonnais pas qu'Alixe était aussi attachée au chien de ma belle-mère. Il faut dire qu'elles ont une relation privilégiée, toutes les deux. Depuis toujours, m'a déjà dit Maxou. En fait, Alixe semble beaucoup plus proche de sa grand-mère que de son propre père.

Alixe relève la tête. Elle pleure maintenant à chaudes larmes et ses yeux expriment la colère quand elle se tourne vers Maxou.

— À cause de toi, je n'ai presque pas vu Sir Lancelot cette année. C'est ta faute. Je ne veux pas retourner en Angleterre. Je veux revenir étudier à Paris.

— C'est hors de question et tu le sais très bien. Nous en avons déjà discuté, répond Maxou.

— Je veux en rediscuter.

— Alixe, je vais te le dire une dernière fois et le sujet sera clos. Tu étudies à Manchester pour apprendre l'anglais. Quand tu seras parfaitement bilingue, tu reviendras vivre avec ta mère à Paris.

— Je ne veux plus vivre chez maman. Je veux aller chez toi ou chez mamie. Moi, les bébés, ça me soûle.

Ça me soûle ? Mais qu'est-ce qu'elle veut dire ? Ah oui, je me rappelle maintenant. Arnaud a déjà utilisé cette expression pour dire que quelque chose lui tombait sur les nerfs. Bon, visiblement, elle n'aime pas les enfants.

— Quel bébé ? De quoi parles-tu ? demande Maxou.

— Ah, tu ne savais pas ? Maman est enceinte. Et moi, j'ai surtout pas l'intention de prendre soin d'un petit frère ou d'une petite sœur.

— Ah bon. Je suis très heureux pour Sandrine. Et tu devrais faire de même, Alixe. C'est plutôt une bonne nouvelle.

— Non.

Bon, je crois qu'ils se sont assez obstinés. J'utilise une de mes méthodes de diversion habituelles. Je me lève pour ramasser les assiettes en demandant à chacun ce qu'il souhaite manger pour dessert. Le tiramisu l'emporte sur le *gelato al limon* et la conversation peut reprendre sur un autre sujet.

Deux heures plus tard, collée contre mon chum dans le lit minuscule de la chambre peinte en beige rosé, je repasse dans ma tête les événements de la soirée. Même si j'ai senti qu'Alixe était plutôt froide à mon égard, je suis loin d'être découragée.

Je ne m'attendais pas à ce qu'elle me saute dans les bras le premier soir. Bon, j'avoue en avoir secrètement rêvé, mais je savais bien que ce n'était pas un scénario très plausible.

Non, ce qui me donne espoir, c'est qu'à la toute fin de la soirée j'ai senti poindre un début de complicité entre Alixe et moi. Avant de commencer à faire la vaisselle, j'ai mis le dernier CD d'Adele pour me donner du pep.

Alixe m'a souri avant de me dire que c'était « trop *cool* d'écouter autre chose que les trucs ringards de papa ». J'ai monté le volume, ce qui a donné un prétexte à Maxou pour s'enfuir dans notre chambre pour lire. Ou consulter ses courriels du bureau, dont il n'arrive pas à se détacher complètement.

L'autre raison qui fait que je me couche avec le sourire ce soir, c'est la réflexion qu'a faite Maxou à propos de la grossesse de son ex. Il en a parlé comme d'une bonne nouvelle. C'est bon pour moi, ça.

— Maxouuuuu ?

— Bon, qu'est-ce que tu veux me demander cette fois-ci ?

Je me relève brusquement dans le lit, piquée au vif par sa remarque et par son ton un peu exaspéré. J'allume la petite lampe de chevet chancelante et je la rattrape de justesse avant qu'elle tombe par terre.

— Pourquoi tu dis ça ? Je suis pas toujours en train de te demander quelque chose, me semble.

— Mais non, ce n'est pas ce que j'ai voulu dire. Je connais ce ton-là, c'est tout. Allez, te fâche pas... Recouche-toi.

— N'empêche que c'était pas très gentil, la façon dont tu m'as répondu.

— Je suis désolé... Ça va maintenant, je peux dormir ?

— Qu'est-ce qu'il y a ? T'es pas heureux en vacances ?

— Mais si... C'est juste que je suis un peu claqué, tu vois... La journée a été épuisante.

— Épuisante ? Mais on n'a rien fait.

— Écoute, mets-toi à ma place deux s'condes. Je suis le seul mec avec vous trois. C'était déjà compliqué de vous faire plaisir, à toi et maman... Avec Alixe qui s'ajoute, alors là, je ne sais vraiment pas comment je vais y arriver.

Compliqué? Ah non! Il ne doit surtout pas penser que la famille, c'est compliqué. Sinon c'est foutu. Je n'arriverai jamais à le faire changer d'idée sur une nouvelle paternité.

— Ça va aller, mon chéri. T'en fais pas… Et on est bien tous ensemble, non?

— Oui, oui.

J'éteins la lumière et je me rallonge à ses côtés. Je commence à lui caresser doucement la poitrine.

— Tu sais, tu ne dois pas te mettre autant de pression. On est toutes les trois des grandes filles, capables de s'organiser. T'es pas responsable de notre bonheur.

— Un peu, quand même.

— Mais non… Et puis, ça s'est plutôt bien passé ce soir, hein?

— On peut dire, oui.

— Ta fille te ressemble tellement. Surtout les yeux, c'est fou. Elle est vraiment belle, tu sais. En plus, elle a la même assurance que toi, un certain raffinement dans ses manières et une élégance plutôt rare.

— Vraiment?

— Oui. On voit qu'elle a été bien élevée.

Bon, j'avoue que j'exagère un peu, mais c'est pour la bonne cause. Quoi de plus efficace pour amadouer un homme que de flatter son ego? Surtout quand on le fait en parlant de ses enfants.

— Ouais, c'est vrai que nous lui avons donné le meilleur.

— Je vois ça… Un sac Chanel.

— Ah non, ça, par exemple, je n'étais pas d'accord.

— Je comprends, ça a pas de sens. Qui lui a donné ça?

— Le nouveau conjoint de Sandrine. Pour soi-disant se faire accepter.

Oh là là! J'ai de la compétition, à ce que je vois. Je ne pourrai jamais rivaliser avec quelqu'un qui a les moyens de payer des milliers de dollars pour une foutue sacoche! Je pense que je vais attendre un peu avant de lui offrir les deux camisoles que j'ai achetées pour elle en solde chez H&M.

— Comme ça, tu ne savais vraiment pas que Sandrine était enceinte?

— Ah non, je n'en savais rien. Et je n'ai pas beaucoup apprécié la façon dont Alixe a réagi. Elle sait très bien que sa mère rêvait depuis longtemps d'avoir un autre enfant. Elle a fait preuve d'un égoïsme total.

J'aurais également préféré qu'Alixe ait une réaction plus positive, mais pas tout à fait pour les mêmes raisons que Maxou.

— Ah, merde. Ça me fait penser que j'ai oublié de prendre ma pilule aujourd'hui.

Je rallume la lampe et je fouille dans le tiroir de la table de chevet à la recherche de mes Alesse 28, que j'avale quotidiennement depuis que j'ai seize ans. Tout en déballant la minuscule pilule, je marmonne comme si je le faisais pour moi-même, mais tout juste assez clairement pour que Maxou m'entende. Et j'invente n'importe quoi.

— Va falloir que j'arrête ça bientôt… Pas trop bon pour la santé de prendre la pilule aussi longtemps.

Je bois une gorgée d'eau pour faire passer le comprimé, j'éteins à nouveau la lumière et je souhaite bonne nuit à mon chum. Comme si de rien n'était, mais en espérant que le message fasse son chemin.

— Tu as raison, Charlotte, il est temps que tu cesses de prendre la pilule. À notre retour sur Paris, j'appelle le Dr Jacquet pour une vasectomie.

26

Histoire de sacoche.

— *B*en voyons donc! Tu me niaises. Elle est rendue aussi bas que ça?

— Je te le dis. Ça a été annoncé dans les journaux hier.

Ugo vient de m'apprendre une nouvelle qui me laisse bouche bée. Nous sommes tous les deux devant notre ordinateur. Lui à Montréal, moi en Toscane. Je profite d'un moment de solitude pour *skyper* avec mon meilleur ami.

— Roxanne, animatrice à *Appel-TV*. J'en reviens pas.

— Eh oui! Y a plus personne qui voulait lui donner une émission. Fait qu'elle se retrouve dans un *quiz* poche à prendre les appels de M. pis Mme Tout-le-monde à la télé.

— Bien fait pour elle. C'est tout ce qu'elle mérite.

— Elle est vraiment prête à faire n'importe quoi pour être en ondes, hein?

— Mets-en ! Moi, je serais jamais capable. Dans ce genre de *show*-là, les producteurs te demandent de faire n'importe quoi. Danser la claquette, piquer des colères… C'est une vraie *joke*.

— Oui, pis tout ça parce qu'il faut que le monde appelle.

— C'est sûr. À une piasse par appel, les producteurs s'en mettent plein les poches avec des concepts comme ça. C'est un déshonneur pour la télé.

— T'as raison, Charlotte. Ça a pas sa place.

— Est-ce que tu sais s'ils vont faire une autre émission pour remplacer celle de Roxanne ?

— Ça a l'air que oui. J'ai vu Aïsha l'autre jour à la boucherie. Elle m'a dit qu'ils ont confirmé à P-O qu'il allait en être le coanimateur.

— Pis l'animatrice, ce serait qui ?

— Ils savent pas encore.

Je ressens un pincement au cœur à l'idée que ça aurait pu être moi, cette nouvelle animatrice. J'aurais choisi un décor dans les teintes de turquoise pour aller avec mes cheveux maintenant blond bébé.

Je me serais vêtue de chemisiers légèrement décolletés et de jupes mi-cuisses dans les teintes de blanc cassé, de rose tendre et de gris *charcoal*. J'aurais porté des escarpins Louboutin et j'aurais croisé les jambes pour mettre bien en évidence la semelle rouge.

J'aurais piloté cette émission avec tellement de chaleur et d'amour que j'aurais réussi à établir un contact privilégié avec mes téléspectatrices. Elles me l'auraient bien rendu en me faisant gagner mon premier trophée Artis.

Est-ce qu'ici, en Europe, je peux espérer en faire autant ? Hum… Ça m'étonnerait. Tout ce que je souhaite, c'est de ne pas être l'adjointe du producteur toute ma vie… Ni même pendant plus d'un an.

— Charlotte, ça va ?

— Oui, oui.

— Tu m'as pas parlé de la fille de Max encore. Comment ça se passe?

— Bien, bien. On est revenus de Venise, hier. Tout le monde s'est bien entendu.

— Mais elle est comment? Elle est gentille?

J'avoue que je ne sais pas trop quoi répondre à cette question. Certes, Alixe n'est pas désagréable, loin de là. Mais elle est dans son monde. Les écouteurs sur les oreilles, toujours en train de texter. Ou devant l'ordinateur à clavarder sur Facebook. Difficile d'établir un lien avec elle. Pour moi, en tout cas.

— On n'a pas beaucoup parlé, tu sais. Elle fait ses trucs et, quand elle a envie de jaser, elle va voir sa grand-mère. On dirait que c'est juste elle qui l'intéresse.

— Ah bon. C'est décevant, ça.

— Bah, écoute, c'est une ado. Je me suis dit finalement qu'il ne fallait pas forcer les choses.

— Sage décision, Charlotte. Mais Max, il en dit quoi, lui?

— Max... Il ne sait tellement pas c'est quoi, être père. C'est clair qu'il n'était pas beaucoup là pour elle. Et je pense qu'elle lui en veut.

— Est-ce qu'elle lui fait des crises?

— Un peu, mais en même temps je la trouve pas mal obéissante. Elle ne se révolte pas beaucoup. Et quand elle le fait, ça ne dure pas longtemps.

— Ça veut peut-être juste dire qu'elle a été bien élevée.

— Ouin, possible. Mais j'espère que c'est pas un volcan qui dort.

Je m'arrête un instant pour piger dans mon assiette de charcuteries, que je me suis préparée en guise de collation de fin d'après-midi. J'y prends une tranche de *bresaola* et une olive farcie à l'amande.

La maison est plongée dans la tranquillité. Maxou et Alixe sont partis faire du *shopping* à Florence et Victoria se repose dans sa chambre, après notre expédition de la journée dans un adorable petit village nommé San Gimignano. Moi, je suis dans la cuisine, la porte bien fermée pour être certaine que ma belle-mère ne m'entende pas.

— Qu'est-ce qui te tracasse, Charlotte?

Cher Ugo. Impossible de lui cacher quoi que ce soit. J'avais pourtant décidé de l'épargner, étant donné les moments difficiles qu'il vit avec son chum présentement. Mais il semble que ça ne sera pas pour aujourd'hui.

— Je pense que je serai jamais maman finalement.

— Pourquoi tu dis ça?

— Parce que Max a l'intention de se faire vasectomiser.

— Oups!

— Comme tu dis.

— Mais, dans le fond, c'est pas étonnant. Il a toujours été très clair à ce sujet, hein?

— Ah, je le sais bien. Le problème, c'est que, pour moi, avoir des enfants est en train de devenir une priorité. C'est rendu que j'en rêve pratiquement toutes les nuits.

Je n'avais jamais soupçonné à quel point le désir d'être mère pouvait être fort. Je le sens non seulement dans mon cœur, mais aussi dans mes tripes. Vous savez, quand on dit que quelque chose est viscéral?

— Pis tu vas laisser ton rêve de côté? Comme ça, sans te battre? Me semble que c'est pas toi, ça, Charlotte.

— Ben, je peux pas lui forcer la main, quand même. Déjà qu'il est pas très paternel avec Alixe, je me demande ce que ce serait avec un autre enfant.

— Bah... Les gens changent, Charlotte. Y a plein d'hommes qui ont eu d'autres enfants plus tard dans leur vie et qui ont agi différemment.

— Ouin, mais il en veut pas.

— Est-ce que tu lui as dit combien c'était important pour toi? Lui en as-tu parlé, au moins?

— Un peu.

— Charlotte, pour une fille qui travaille en communication, c'est pas fort. Faut que tu lui dises.

— T'as raison, je vais lui en parler.

Ou bien, si je n'en ai pas le courage, je vais annuler tous ses rendez-vous chez le médecin. Voilà un bon plan B. J'entends tout à coup un bruit sourd qui provient du couloir.

— Ugo, attends deux secondes. Faut que j'aille vérifier quelque chose.

— Écoute, je vais y aller dans ce cas-là. J'ai du boulot.

— Ah non… On a même pas parlé de toi encore.

— C'est pas grave. De toute façon, y a rien de nouveau.

— Bon, d'accord. Mais je te rappelle à mon retour sur Paris.

— Dis donc, lance Ugo en prenant un accent français très prononcé, c'est que tu commences vachement à t'adapter, toi. « Sur » Paris.

— Ouais, ils commencent à déteindre sur moi. Mais, t'inquiète, dans mon cœur, je suis cent pour cent québécoise. Bon, allez, je t'embrasse.

— À bientôt.

Je jette un œil dans le couloir. Tout semble tranquille. J'avance vers ma chambre quand je me rends compte que la porte de celle de ma belle-mère est ouverte. J'y entre. Elle n'y est pas, mais la lampe de chevet est sur le sol, cassée en mille morceaux.

— Victoria? Ça va? Où êtes-vous?

Aucune réponse. Je retourne dans le couloir juste à temps pour voir ma belle-mère sortir de notre chambre, à moi et Maxou. Étrange.

— Charlotte, pourquoi criez-vous après moi?

— Je ne criais pas. J'étais juste inquiète. Et vous, qu'est-ce que vous faisiez dans ma chambre?

— Qu'est-ce que c'est, cette histoire? Je ne suis pas allée dans vos appartements!

— Ben oui, je viens de vous voir.

— Vous divaguez, ma chère Charlotte. Vous divaguez.

Je reste interloquée un instant. Non, mais je ne suis pas folle. Ni victime d'hallucinations. Elle était dans ma chambre, j'en mettrais ma main au feu. Mais à quoi bon s'obstiner?

— Et la lampe, qu'est-ce qui lui est arrivé?

— Ah, un banal accident. Seriez-vous assez aimable pour nettoyer le tout?

Là, c'est trop. Qu'elle les ramasse, ses dégâts!

— Pas question. J'ai fini de jouer les Cendrillon. Faites-le vous-même!

Et vlan! Il y a des limites à ce qu'une belle-fille peut endurer. J'entends la porte d'entrée s'ouvrir.

— Mamie, mamie, viens voir tout ce que papa m'a acheté! s'exclame Alixe en entrant dans la maison, suivie de Maxou.

Bon, ça continue! Et Charlotte, elle? Elle peut voir ce qu'il t'a acheté? Il semble que non, puisque Alixe entraîne sa grand-mère vers sa chambre sans me demander de les suivre. Elle me fait toutefois un gentil sourire au passage. C'est toujours ça.

— Alors, mon chéri, ça s'est bien passé? Alixe a l'air contente.

— Charlotte, est-ce que tu connais une femme qui ne serait pas heureuse d'avoir pour 1 000 euros de nouveaux vêtements?

— Euh… Non.

Surtout pas moi. Je ne me souviens pas de la dernière fois où j'ai dépensé une telle somme pour m'habiller… Ah oui… Pour mes noces. *My God* qu'il me semble loin, ce mariage! À des années-lumière!

Pourquoi donc? Ce n'est certainement pas parce que je ne suis plus amoureuse. Je le suis plus que jamais, me dis-je en regardant mon chum nous verser deux verres de pinot *grigio*. Non, le problème, c'est que nous ne vivons pas une vie de jeunes mariés.

Il y a trop de monde dans notre vie. Trop d'obligations. Trop de travail – pour Max, bien entendu – et un voyage de noces encore reporté. En fait, je m'ennuie d'être seule avec Maxou.

— Mon chéri?

— Oui, Charlotte?

— Qu'est-ce que t'en penses si on partait tous les deux demain? Une petite nuit juste pour nous. On reviendrait dès le lendemain. Pis ça permettrait à Alixe et Victoria d'avoir du temps à elles.

— Ouais, c'est pas mal comme idée.

Je m'approche de lui pour murmurer à son oreille. J'en profite pour glisser ma main sous son t-shirt et lui effleurer le bas du dos avec le bout de mes doigts. Je sens un frisson parcourir son corps.

— Et on va prendre une chambre hyper insonorisée… Comme ça, on va pouvoir faire tout le bruit qu'on veut. J'en ai marre des murs en carton.

Il commence à m'embrasser tendrement et je rêve déjà d'être au lendemain.

***

— Il est hors de question que vous nous laissiez seules ici. Ne serait-ce qu'une nuit. C'est beaucoup trop dangereux!

Victoria m'exaspère vraiment. Elle est de mauvaise foi. Nous sommes en Italie, pas au milieu de nulle part. Les Italiens sont certes souvent machos, mais ils ne sont pas reconnus pour kidnapper des adolescentes et des maudites Françaises, à ce que je sache!

— Comment ça, dangereux?

— Charlotte, vous n'avez rien remarqué? Chacune des maisons est grillagée. Il y a des chiens de garde partout. Et même les policiers patrouillent le secteur régulièrement.

— Maman, je t'en prie, intervient Maxou. Au contraire, ça veut dire que c'est forcément sécuritaire.

— Non, non et non. Je ne risquerai pas la vie d'Alixe et la mienne parce que vous avez soi-disant besoin d'intimité. Vous n'avez qu'à attendre au retour.

Risquer leur vie ? Ah là là ! Quelle *drama queen* ! Si elle continue, elle va insécuriser Alixe. Je me tourne vers elle et je constate qu'il est trop tard. Le mal est déjà fait.

— Mamie, tu penses vraiment que nous sommes en danger ici ?

— Non, Alixe, nous ne sommes pas en danger, dit Maxou d'un ton autoritaire.

Il lance ensuite un regard de défi à sa mère, qui ne semble pas du tout impressionnée.

— Tu vois ça avec tes yeux d'homme, Maximilien. Si jamais tu décides de nous laisser ici malgré les avertissements que je viens de te donner et qu'il nous arrive un malheur, je t'en tiendrai responsable pour le reste de mes jours.

Et voilà ! Je viens de perdre cette partie-là aussi ! Maxou ne courra jamais un tel risque. Adieu, nuit d'amour torride ! Je quitte le salon pour aller me resservir un verre de vin.

Je commence à préparer le souper en songeant à une autre façon pour profiter d'un peu d'intimité avec mon chum. Et ce n'est certainement pas à notre retour à Paris que cela se produira. Le boulot va nous occuper tous les deux. Bon, on se reprendra les week-ends, je suppose.

Je commence à nettoyer minutieusement mon rapini sous l'eau froide tout en tendant l'oreille pour écouter la conversation dans la pièce voisine.

— Je vous assure, il n'y a pas de soucis. Et puis, je viens de vous dire que nous restons, Charlotte et moi. Arrêtez d'avoir la trouille.

My God ! C'est que Maxou a l'air vraiment fâché. Je l'entends perdre patience à force d'écouter Victoria se plaindre qu'il a choisi un endroit trop isolé pour nos vacances.

Bon, c'est vrai que les autres maisons sont assez éloignées de la nôtre. Que notre cour n'est pas très bien éclairée quand il fait noir. Que des individus louches flânent sur la route parfois le soir. Que les chiens de garde hurlent souvent au beau milieu de la nuit. Mais tout ça, ce ne sont pas des raisons pour avoir peur, hein?

Suffit de ne pas laisser son imagination débordante commencer à faire des siennes. De ne pas s'inventer un scénario de film d'action dans lequel une famille française serait prise en otage par des cambrioleurs sans envergure et sous l'effet de la drogue. Et qui se terminerait par un bain de sang.

Je retourne au salon pour verser du vin dans le verre vide de mon chum. Et, peut-être, en offrir à Victoria. La voix légèrement paniquée, Alixe raconte une histoire qui concerne la sœur de sa mère.

— Tu te souviens de ce qui est arrivé à tatie Roseline?

— Non.

— Mais oui, papa. Elle s'est fait voler sa voiture à Milan, l'année dernière. Avec son passeport et tout.

— Et alors?

— Ça veut dire que l'Italie, ce n'est pas un pays sécuritaire.

— Mais c'est n'importe quoi, Alixe. Des vols de bagnoles, il y en a partout.

— En fait, je suis d'accord avec Alixe, renchérit Victoria. Maximilien, tu as fait preuve d'inconscience en choisissant cette destination de vacances. Tu n'as pas pensé une seconde à notre sécurité en venant nous enfermer dans une villa loin de tout.

Je vois le visage de Maxou tourner au cramoisi. Il est bouillant de colère. Prends de grandes respirations et compte jusqu'à trois, mon amour. Toi aussi, Charlotte, fais la même chose! Question de ne pas dire des choses que nous pourrions tous les deux amèrement regretter.

— Je pense que je vais aller prendre l'air, annonce Maxou en m'arrachant la bouteille de blanc des mains et en attrapant son verre vide sur la table à café.

Il se dirige vers la sortie à grands pas. Il claque la porte d'entrée tellement fort que le bruit résonne dans toute la maison. Je ferme les yeux pour reprendre le contrôle de mes propres émotions. Ce n'est surtout pas le moment de laisser libre cours à ma colère.

Quand j'ouvre les yeux, quelques instants plus tard, je constate que des larmes coulent sur les joues d'Alixe. Sa grand-mère tente de la rassurer du mieux qu'elle peut, mais rien ne semble y faire.

— T'en fais pas, Alixe, Max ne reste jamais fâché très longtemps, dis-je.

— Je le sais. C'est mon père. Ça fait plus longtemps que toi que je le connais.

Je prends une grande respiration. Et je récite dans ma tête : « Elle a treize ans, elle a treize ans, elle a treize ans… »

— Tu as raison, Alixe. Mais, moi aussi, je le connais très bien. Et je sais exactement quoi lui dire pour qu'il t'emmène faire du *shopping* dans les boutiques. Comme il l'a fait cet après-midi.

Personne ne me jugera pour ce petit mensonge qui a pour but d'amadouer ma belle-fille, n'est-ce pas ? Alixe cesse de pleurer et reste interloquée quelques instants. Elle me regarde, ne sachant pas très bien si elle doit me croire ou non.

— Charlotte, intervient Victoria, Maximilien n'a pas besoin de votre permission pour acheter des vêtements à sa fille.

— Peut-être. Mais est-ce qu'il lui arrive souvent de dépenser plus de 1 000 euros d'un coup ? De ne rien lui refuser ? C'est ce qui s'est passé aujourd'hui, non ?

Je n'en sais foutrement rien, mais j'espère de tout cœur que c'est ce qui s'est produit.

— Non, c'est plutôt rare, admet Alixe. Il m'achète souvent des trucs, mais jamais autant qu'aujourd'hui.

Je jette un coup d'œil vainqueur à Victoria, pour aussitôt me reconcentrer sur Alixe. Je sens qu'une première barrière vient de tomber et il n'est pas question de laisser ma belle-mère la remettre en place.

— Qu'est-ce que tu crains, ici?

— Les voleurs, comme dit mamie.

— Bon, honnêtement, ça m'étonnerait qu'on se fasse voler ici. Mais la meilleure façon pour ne plus avoir peur, c'est de se faire un plan de match. Tu comprends?

— Qu'est-ce que vous racontez?

— Victoria, s'il vous plaît. Laissez-moi finir.

— Qu'est-ce que tu veux dire par «plan de match»? demande Alixe, maintenant curieuse d'en savoir plus.

— C'est simple, il faut savoir comment on doit réagir.

Je commence à expliquer à Alixe que, face à des voyous, il est préférable de n'opposer aucune résistance. L'important, c'est qu'ils ne nous fassent pas de mal. L'argent, les passeports, les bijoux, le sac Chanel, on s'en fout! On leur donne ce qu'ils nous demandent.

— Charlotte, vous allez traumatiser mon p'tit tournesol avec vos histoires.

— Ça, vous l'avez déjà fait, Victoria. Moi, je ne fais que réparer les pots cassés.

— Ouais, mais comment on va faire pour comprendre ce qu'ils veulent s'ils parlent italien?

Bonne question, Alixe. Très bonne question. Je baragouine bien quelques mots d'italien, mais ils me servent surtout à passer des commandes au restaurant.

— Facile, on n'a qu'à se mettre à l'italien.

Je cours jusqu'à notre chambre à coucher, où je m'empare du dictionnaire français-italien. Je retourne rapido au salon. Je m'assois sur le grand sofa en faisant signe à Alixe de venir me rejoindre.

J'ouvre le dictionnaire et elle se tasse contre moi pour le consulter elle aussi. L'envie me prend de passer mon bras autour de ses épaules, mais je décide de ne pas pousser ma chance plus loin. Tout doucement, Charlotte. Tout doucement.

— Bon. Comment on dit ça, en italien, « Prenez tout, mais laissez-nous en vie, s'il vous plaît » ?

***

Une heure plus tard, Alixe et moi avons appris une dizaine de phrases en italien. Nous savons maintenant comment négocier avec des voleurs. Mais aussi comment faire un compliment à un beau policier italien. Et comment demander au vendeur de nous faire un rabais sur le prix des bottes que nous convoitons.

Tout ça au grand désespoir de Victoria, qui tente par tous les moyens de briser ce début de complicité. Mais aussi au grand bonheur de mon chum, qui affiche maintenant son plus beau sourire.

La soirée s'annonce vraiment bien, me dis-je tout en terminant mon pesto au rapini, que je vais servir avec des filets de sole grillés et une salade de poivrons rouges, jaunes et orange. Une assiette pleine de couleurs et joyeuse. Pour aller avec mon humeur du moment.

— Bravo, ma chérie. Je ne sais pas ce que tu lui as fait, mais visiblement Alixe est tombée sous ton charme, lance mon mari en entrant dans la cuisine.

— C'est pas difficile de s'entendre avec ta fille, Maxou. Elle est a-do-ra-ble.

— Normal, c'est une Lhermitte. On est tous pareils, tu sais. Les plus adorables des Français.

La confiance de Maxou en ses moyens a encore le don de me dérouter. Il a beau faire de telles affirmations sur un ton badin, je sais qu'au fond il le croit sincèrement.

— Et cet adorable Français, est-ce qu'il sait ce que sa tout aussi adorable fille préfère comme saveur de *chips* ?

— Euh, pas vraiment.

Le contraire m'aurait étonnée! Eh bien, moi, je vais me faire un devoir de connaître tous les goûts d'Alixe. Et je vais m'assurer qu'elle retrouve tout ce qu'elle aime quand elle viendra nous visiter à Paris.

Depuis que je vis en France, j'ai découvert des saveurs de *chips* vraiment étranges. Jambon fumé, poulet braisé, pizza pepperoni, *cheeseburger*, etc. Je les ai toutes essayées, mais je n'ai été conquise par aucune. Trop bizarre. Et puis, ça ne goûtait pas vraiment ce que ça annonçait. J'ai donc renoué avec les saveurs plus traditionnelles.

J'ouvre la porte du garde-manger et je sors deux sacs de croustilles. Sel et vinaigre, et barbecue.

— Lequel j'ouvre?

— Attends, je vais aller lui demander.

Maxou quitte la pièce pour aller retrouver sa fille et sa mère quand j'entends tout à coup un cri de mort.

— Ahhhhhhhhhhh!

Je me précipite moi aussi dans le couloir. Je vois Maxou qui entre au pas de course dans la chambre d'Alixe. Je le rejoins sur le seuil de la porte. Depuis le début de notre séjour, c'est la première fois que je vois la pièce autant en désordre.

La valise d'Alixe, complètement vide, est toute grande ouverte sur le couvre-lit, des vêtements et des chaussures sont éparpillés sur le sol et le contenu d'une trousse de maquillage a été renversé sur la table de chevet. Trois verres sales ont été oubliés un peu partout et un sac de friandises – des oursons multicolores en gélatine – est déposé sur son oreiller.

— Non, mais c'est quoi, ce bordel? Et pourquoi cries-tu comme une demeurée? demande Maxou, visiblement mécontent.

Alixe se tient debout au milieu de la pièce. L'angoisse se lit dans ses yeux et des larmes inondent son visage. Elle tente de parler, mais les sanglots l'en empêchent. Je pose ma main sur le bras de Maxou pour le calmer. Je crois qu'elle n'a surtout pas besoin de se faire réprimander. Il comprend le message et se radoucit.

— Tu veux bien nous dire ce qui t'arrive?

— J'ai… j'ai… j'ai… perdu mon sac Chanel!

— Mais voyons, ce n'est pas possible, ça! lance Maxou.

— Est-ce que tu l'avais avec toi quand vous êtes allés magasiner?

Alixe me regarde d'un drôle d'air. Ah oui, la fameuse expression « magasiner ». À bannir de mon vocabulaire.

— Faire du *shopping*, je veux dire.

— Non, je l'avais laissé ici, dans ma chambre, tout juste avant de partir avec papa. Mais il a disparu.

— Bon, on ne s'affole pas. Il est forcément dans la maison, dit Maxou. On va le retrouver.

— J'espère parce que, en plus, j'y avais mis le biscuit de Sir Lancelot. Et c'est le seul souvenir que j'ai du chien de mamie.

Et la voilà qui se remet à pleurer à chaudes larmes. Pauvre pitchounette! Quel drame dans son cœur d'ado de treize ans. Maxou et moi, on commence à fouiller la maison de fond en comble pendant que Victoria s'occupe d'Alixe, toujours inconsolable.

Le sac n'est nulle part et je n'arrive pas à comprendre que nous ne le trouvions pas. Il ne s'est quand même pas volatilisé. Et puis, on peut exclure le vol puisque personne n'est venu ici aujourd'hui. Mystère qu'il faut à tout prix élucider.

Une demi-heure plus tard, nos recherches n'ont toujours pas porté leurs fruits. Nous sommes tous les quatre dans la chambre d'Alixe. Elle est étendue sur son lit et pleure à chaudes larmes pendant que Victoria lui caresse le dos.

— Ne t'en fais pas, mon p'tit tournesol, je vais te donner un autre souvenir de Sir Lancelot.

— Mais ce ne sera pas la même chose, proteste Alixe.

Est-ce que je me risque à mettre mon grain de sel dans la conversation ? Hum… Pourquoi pas ?

— Tu sais, Alixe, les plus beaux souvenirs qu'on garde de quelqu'un ou d'un animal sont ceux qu'on a dans notre cœur.

— Vous, Charlotte, de quoi vous mêlez-vous ?

— Hé ! Oh ! Maman, on ne parle pas comme ça à mon épouse, d'accord ?

Bien répondu. Merci, Maxou ! Victoria se lève et me regarde droit dans les yeux. La remarque de son fils ne semble pas l'avoir ébranlée du tout.

— Je trouve ça très étrange, cette histoire de sac. Il ne peut pas avoir disparu de la sorte sans que quelqu'un l'ait pris. Et je me demande si ce quelqu'un, ce n'est pas vous, Charlotte.

Le silence se fait dans la pièce. Alixe cesse de sangloter et se redresse sur son lit. Maxou reste pantois devant l'énormité que vient de dire Victoria.

— C'est vrai, dit Alixe, que tu le regardais d'un drôle d'air, mon sac.

Non, non et non ! Il ne faut pas qu'Alixe se mette à la croire. Là, notre relation va vraiment être fichue.

— Mais pour qui vous me prenez ? Je ne suis pas une voleuse. Je n'ai jamais rien volé de toute ma vie.

— Mais, bien entendu, ma chérie, me rassure tendrement Maxou avant de s'adresser à sa mère sur un ton un peu plus sévère. Personne ici ne pense que tu es une voleuse. Personne.

— Je suis désolée de te contredire, Maximilien, mais je n'en suis pas si certaine. J'en aurai le cœur net seulement après avoir vérifié les placards de Charlotte.

— Allez-y, dis-je en montrant d'un signe de la main la porte de notre chambre, de l'autre côté du couloir. Je n'ai absolument rien à cacher.

Ma belle-mère traverse le corridor suivie d'Alixe, de Maxou et de moi-même, complètement blessée par les fausses accusations de Victoria. Je l'observe pendant qu'elle ouvre tous les tiroirs du chiffonnier dans lequel j'ai rangé mes vêtements. Je déteste la voir soulever ma lingerie pour vérifier si le fameux sac ne s'y trouve pas.

Elle s'attaque ensuite à ma penderie, sortant une à une les paires de chaussures que j'ai apportées. Et toutes mes robes, qu'elle jette sur le couvre-lit. Rien là non plus. Bien entendu. Je jette un regard à Maxou, que j'implore du regard de faire cesser cette humiliation.

— Bon, je crois que ça suffit maintenant, maman. Tu vois bien qu'il n'est pas là. On sort d'ici.

Victoria se dirige lentement vers la porte de la pièce quand, tout à coup, elle s'arrête. Son regard se pose sur ma valise vert lime à roulettes, appuyée contre le mur.

— Un instant. Charlotte, vous voulez bien ouvrir votre valise, je vous prie?

— Si ça peut vous faire plaisir, dis-je d'une voix faible, écœurée par toute cette mascarade.

Je m'agenouille sur le sol et je commence à descendre la fermeture éclair de ma valise. Et c'est à ce moment-là qu'un doute apparaît dans mon esprit. Je revois clairement Victoria sortir de notre chambre, un peu plus tôt cet après-midi. Je continue mon mouvement et j'aperçois quelque chose de rose à l'intérieur de la valise. Et je comprends que je viens de me faire piéger.

À contrecœur, j'ouvre tout grand ma valise et j'y découvre le sac Chanel d'Alixe, bien en place et me narguant de toute sa splendeur. Je me tourne vers Victoria, qui affiche un air de triomphe. Puis vers Alixe, qui a le visage rempli de colère. Puis vers Maxou, qui est complètement consterné.

Alixe se rue sur son sac, s'en empare vivement et sort de la pièce en me traitant de tarée. Victoria la suit, un sourire en coin. Et Maxou me regarde, l'air de dire: «Mais à quoi t'as pensé, bordel de merde?»

* * *

— Ma pauvre chérie ! Je n'en reviens pas qu'elle t'ait fait ça !

Je suis au téléphone avec maman, à qui je viens de tout raconter. De retour à Paris depuis maintenant une semaine, j'ai éprouvé le besoin de me confier à elle et d'avoir son opinion de mère.

Ugo, bien entendu, est au courant de tout. J'ai dû lui parler à au moins quatre reprises depuis l'événement. L'événement... Non, ce n'est pas le mot qu'il faut employer. Je devrais plutôt parler d'une tragédie. D'un tsunami qui est en train de dévaster ma vie personnelle.

— Et ton mari, il t'a crue, j'espère ?

— Pas au début. Mais il a fini par me croire... Et c'est ça qui a été le plus dur pour moi, je pense. Il a fallu que je le convainque.

— Bon, il faut dire qu'elle avait bien joué ses cartes, ta belle-mère, hein ? Aller cacher le sac de la petite dans tes affaires... On aura tout vu.

— Ouais, ben, la petite, comme tu dis, elle ne veut plus rien savoir de moi. Elle a dit à Maxou qu'elle ne voulait plus jamais me voir. Tu te rends compte, maman ?

— Écoute, Charlotte, il faut laisser le temps arranger les choses. Est-ce que tu as tenté de te défendre, au moins ?

— C'est sûr. J'ai confronté Victoria devant Alixe. J'espérais bien qu'elle lâcherait le morceau, qu'elle avouerait m'avoir piégée. Ça n'a rien donné. Ça fait qu'Alixe me croit pas pantoute. Pis là, elle est repartie chez sa mère en pensant que je suis une voleuse.

— Et Max, lui, est-ce qu'il a tenté de faire entendre raison à sa fille ?

— Un peu, oui. Mais, en même temps, il n'ose pas trop accuser Victoria devant sa fille. Par contre, il a pris sa mère à part et il lui a dit le fond de sa pensée.

— Qu'est-ce qu'il lui a dit, exactement ?

— Que son comportement était inacceptable, qu'elle ne gagnerait rien à mettre la bisbille entre nous deux parce que j'étais là pour rester, quoi qu'il en soit.

— Il aurait dû lui dire aussi qu'il serait temps qu'elle ait un autre homme dans sa vie que son fils. Qu'elle n'est rien d'autre qu'une mal-baisée frustrée!

— Maman! Franchement!

— Ben quoi, Charlotte? C'est ça pareil!

J'éclate d'un grand rire franc et je sens toute la tension de la dernière semaine se dissiper peu à peu. Que ça fait du bien! Je reste ensuite silencieuse au bout du fil quelques instants, savourant ce moment de détente.

— Parlant d'hommes, maman, comment s'est passée la visite de Normand?

Je n'ai pas revu l'oncle de Maxou depuis qu'il est revenu de son séjour de trois semaines au Québec. Toutes dépenses payées par maman.

— Bof! Finalement, ce n'est pas trop mon type d'homme. Trop sérieux.

Oups! Est-ce que maman aurait eu une mauvaise surprise en voyant débarquer la nouvelle petite amie de Normand?

— Ah ouin… Comment ça?

— Bof! Je l'ai trouvé ennuyant à la longue. Il ne s'intéressait qu'aux musées. Il refusait de sortir tard le soir parce qu'il voulait être en forme le lendemain. En plus, il a préféré rester à l'hôtel plutôt que chez moi.

Si je décode ses propos et que j'analyse son ton faussement détaché, je comprends que maman n'a même pas réussi à emmener Normand dans son lit. Toute une défaite pour une femme comme elle!

— Est-ce que tu crois qu'il a quelqu'un dans sa vie?

— Pff… Qu'est-ce que tu veux que ça me fasse de toute façon?

Et voilà, j'ai ma réponse! L'oncle Normand a bel et bien fait venir sa copine pour la dernière semaine de son séjour. Et maman l'a très mal pris.

— Bon, ben, c'est dommage… Mais c'est la vie.

— Mais non. Ça m'a juste permis de réaliser, encore une fois, à quel point les hommes de mon âge m'ennuient.

Bon, c'est reparti ! Une seule petite déception et maman recommence à chasser de la chair plus fraîche. Pourvu qu'elle ne débarque pas à Paris avec un nouvel amant plus jeune que moi.

— *Anyway*, poursuit-elle, je n'ai pas beaucoup de temps pour ça, ces jours-ci. Imagine-toi donc que j'ai réussi à convaincre mon collègue Richard de prendre sa retraite. Et j'ai mis la main sur tout son secteur. Celui de Blainville. Un des plus payants !

Ma mère m'a toujours impressionnée par sa détermination au travail. Quand elle a un objectif en tête, rien ne peut l'arrêter. Et c'est comme ça qu'elle est devenue une *top* agente d'immeubles. Je suis contente pour elle, car je sais qu'elle convoitait les maisons de cette banlieue huppée depuis un bon moment déjà.

— Bravo, maman !

— Et tu devrais faire la même chose, ma chérie. Mettre ton énergie dans ton travail. Y a rien de mieux pour tout oublier. Quand est-ce que tu commences ?

— Mi-septembre. T'as raison, maman. Je vais donner tout ce que j'ai pour ma nouvelle job. Pis y a ben quelque chose qui va finir par marcher pour moi ici !

27

« Il n'est pas nécessaire d'être née à Paris
pour avoir le style de la Parisienne… Avoir l'attitude
Made in Paris est plus un état d'esprit. »
Inès de la Fressange, *La Parisienne*, Flammarion, 2010.

*J*upes semi-longues. Jupes courtes. Droites, à volants, portefeuilles. Chemisiers en soie, en coton, en polyester. Veston de femme d'affaires, veste de smoking, blouson de cuir. Pantalons noirs, jeans coupe droite, capris en lin. Etc. Mes vêtements sont étendus sur mon lit dans un fouillis indescriptible.

Qu'est-ce que je vais porter pour ma première journée de travail demain ? J'ai essayé tout ce que contient ma garde-robe, mais rien n'est à mon goût. Absolument rien ! Et je suis en train de virer folle.

Il est trop tard pour aller m'acheter un *kit* d'urgence. C'est-à-dire dépenser sans compter parce que la situation l'exige. Les boutiques sont fermées en ce dimanche soir. Eh merde ! J'ai besoin d'aide. Je connais une seule personne capable de me sauver : Aïsha !

Est-ce que je l'appelle ? Ça fait un moment qu'on ne s'est pas parlé ou écrit. Un long, très long moment, en fait. Elle va peut-être le prendre mal si je lui fais signe seulement quand j'ai quelque chose à lui demander. Ah, et puis tant pis ! J'ai trop besoin de son avis professionnel.

Je prends le téléphone et compose le numéro du cellulaire d'Aïsha, qui me répond aussitôt.

— Tiens, une revenante !

— Ah, je sais, Aïsha… Je suis désolée. Comment tu vas ?

— Comment tu veux que ça aille, étant donné les circonstances ?

Les circonstances… Quelles circonstances ? Elle en parle comme s'il s'agissait d'un événement que je devais absolument connaître. Peut-être qu'il vaut mieux lui donner raison.

— Ah oui, c'est vrai… J'avais oublié.

— Comment ça, oublié ?… C'était pas pour ça que tu m'appelais ?

— Euh, oui, oui, Aïsha.

Un silence se fait au bout du fil. Un malaise s'installe entre nous deux. Aïsha soupire profondément, puis me demande ce que je veux. Elle a compris que je n'étais pas au courant des « circonstances » en question.

— Ah… Excuse-moi… Je suis trop nulle. Dis-moi ce qui s'est passé.

Aïsha commence à me raconter qu'elle a rompu avec P-O… après l'avoir pris en flagrant délit d'infidélité. M. le coanimateur de l'émission qui remplace *Totalement Roxanne* s'envoyait en l'air avec la nouvelle coanimatrice, Priscillia. Une fille super belle, mais totalement incompétente selon Aïsha. Encore pire que Roxanne.

— Imagine un peu, Charlotte. C'est notre premier jour d'enregistrement. Moi, je suis dans le jus total. Je cours d'un bord et de l'autre pour habiller tout le monde. On *tape* deux *shows*. Tout va super bien, tout le monde est content.

Bon, j'aurais préféré que cette Priscillia se casse la gueule, mais enfin…

— À la fin de la journée, je suis en train de ramasser mes affaires quand je me rends compte que j'ai oublié ma nouvelle brosse à vêtements avec du velours rouge dans la loge de l'animatrice. J'y vais, mais la porte est fermée. Je cogne doucement. Ça ne répond pas. Là, je pense qu'elle est partie, ça fait que j'ouvre la porte.

— Ah non!

— Ben oui! P-O était en train de l'embrasser. Pis elle, elle était en brassière.

— Ah non! Pauvre chouette!

— L'humiliation totale.

— Qu'est-ce que t'as fait?

— J'ai pas dit un mot, puis je suis partie.

— Pis c'est vraiment fini entre vous deux?

— Vraiment fini. Je ne veux plus rien savoir. Je suis trop en tabar&%@… J'ai démissionné du resto le jour même. Heureusement, j'avais pas encore investi dans l'entreprise.

— Pis tu vis où, là?

— Dans notre condo. Je l'ai mis dehors! Je vais essayer de lui racheter sa part, mais je sais pas si je vais être capable.

— Et au bureau, ça doit pas être évident?

— Pas trop, non. Mais il n'est pas question que je perde ma job à cause de lui.

— Pourvu que tu sois capable de le côtoyer tous les jours sans que ça te fasse trop mal.

— On va voir. Pour l'instant, ça va. Je suis faite forte.

Dans les épreuves, Aïsha laisse toujours plus de place à sa colère qu'à sa peine. Et je me demande si c'est sain. J'ai l'impression qu'elle rationalise beaucoup son chagrin et qu'elle ne se permet pas de le vivre pleinement.

— C'est vrai que t'es forte, Aïsha, mais quand même… Tu t'étais tellement investie dans cette relation-là.

— Investie, tu dis? Je lui ai tout donné! Tout!

— Je sais.

— Non, tu sais pas, Charlotte. T'as pas idée de tout ce que j'ai fait pour ce gars-là ! Rien que d'y penser, ça me met hors de moi.

— J'imagine.

— Je l'ai aidé à ouvrir un deuxième resto. Je l'ai soutenu dans sa carrière d'animateur. Je lui ai même donné toutes les recettes tunisiennes de ma mère pour qu'il les mette dans son deuxième livre, qui va sortir bientôt.

— Quoi ?

— Ben oui, il voulait faire une section «Cuisine du Maghreb», mais il n'avait pas le temps d'expérimenter de nouvelles recettes. Ça fait qu'il a pris celles de ma mère.

— J'espère qu'il va la remercier, au moins.

— Je pense pas, non. Faut pas que ça se sache. Les lecteurs doivent penser que c'est lui qui les a inventées.

— Ben voyons donc ! Il mériterait juste que t'en parles publiquement.

— Inquiète-toi pas, j'y pense.

— En tout cas, moi, ça me ferait plaisir de te donner un coup de main là-dessus.

— Ouin, on verra.

Je me délecte déjà en imaginant la scène. Tout commencera par un article dans le *Cinq jours* titré : «Pierre-Olivier Gagnon accusé d'avoir volé les recettes d'une immigrante tunisienne.» Les ventes de son livre chuteront dramatiquement et il devra démissionner de son émission de télé.

Outrés par un tel scandale, les clients déserteront ses restaurants. Il devra les fermer un à un. Il se retrouvera à la rue, seul et sans le sou. On le verra le soir à l'Accueil Bonneau en train de se faire servir de la soupe tomates et riz. Ou de la servir lui-même en se rappelant avec nostalgie l'époque où il ne donnait pas ses bols de soupe, mais où il les vendait 9 dollars chacun.

Bon, j'avoue que c'est un peu exagéré comme scénario. Mais m'inventer la déchéance totale de P-O me fait un bien immense.

— Pis c'est pas tout, ça, Charlotte. J'ai souffert le martyre parce que Monsieur n'aimait pas les poils.

— Tu veux dire que…

— Ben oui, l'épilation intégrale. Au laser. Ça fait mal pas à peu près.

— Ouin, c'est pas *cool* pantoute, ça.

— Tu veux bien me dire pourquoi on se ramasse toujours à faire leurs quatre volontés, hein? Pis après ça, ils finissent toujours par nous tromper. J'ai trente-sept ans, Charlotte! Quand est-ce que je vais avoir un chum qui va m'aimer pour de vrai? Qui va être fidèle? Ça va-tu m'arriver un jour?

J'entends Aïsha au bout du fil qui retient ses sanglots. C'est vrai qu'elle n'a jamais eu beaucoup de chance dans ses amours. Comme moi jusqu'à ce que je rencontre Maxou.

— Aïsha, faut pas que tu te décourages. Je suis certaine que le prochain, ça va être le bon.

— Comment tu peux dire des affaires comme ça, Charlotte? T'en sais strictement rien, me répond-elle sur un ton excédé.

— Bon, bon, dis-je, un peu vexée. Je disais ça pour t'aider, moi.

— Ah, je sais bien, excuse-moi.

— Ça va, je comprends.

— Change-moi les idées. Parle-moi de toi un peu. Comment ça va avec Max? Pis sa mère, elle est-tu si pire que ça?

Là, c'est à mon tour de faire exploser ma colère. Je commence à raconter à Aïsha notre voyage en Toscane et, surtout, comment il s'est terminé. Je lui fais part aussi de toute la peine que j'éprouve depuis que je sais qu'Alixe ne veut plus me voir.

Maxou m'a demandé d'être patiente. Il est convaincu qu'un jour ou l'autre elle va revenir à de meilleurs sentiments. Un jour ou l'autre… C'est quand, ça, exactement? De mon côté, je lui ai écrit un long courriel pour m'excuser de ce qui s'était passé.

Même si je ne suis fautive de rien du tout. Elle n'a pas répondu.

Aïsha semble émue par mon histoire. Elle m'écoute religieusement, ne m'interrompant que pour compatir avec moi. « Pauvre pitoune !... » « Tu méritais pas ça !... » « Tu vas voir, un jour, elle va comprendre que t'as un cœur gros comme la Terre. »

— T'es fine de me dire ça, Aïsha. Mais je suis pas certaine que je le mérite. J'ai pas été très généreuse avec toi, c'est le moins qu'on puisse dire. Excuse-moi encore de pas t'avoir donné de nouvelles.

— Bof, c'est pas grave. Je t'en ai pas donné non plus. Faut croire que j'étais trop occupée à faire plaisir à mon « t de c » de chum !

J'éclate de rire devant le qualificatif que vient de donner mon amie à P-O. Dans notre jargon de filles, les mecs qui méritent le titre de « t de c » appartiennent à une catégorie vraiment à part. La pire de toutes. Celle des traîtres qu'on pendrait par les couilles si la loi nous autorisait à le faire.

— C'est ton combientième « t de c », Aïsha ?

— Attends que je compte. Y a eu Jamel, Marc-André…

— Albert.

— Ouin, Albert, on peut dire, même si…

— Même si quoi, Aïsha ? C'est le pire, je pense.

— Non, non, c'est loin d'être le pire. Mais t'as raison, il est dans cette catégorie. Pis avec P-O, ça fait quatre.

— J'espère pour toi que c'est le dernier.

— J'espère… Sinon je vire aux filles, pis ça finit là.

— Me semble, oui. Aïsha Hammami, lesbienne… Je le croirai quand je le verrai !

Toutes les deux, on rit de bon cœur pendant quelques instants. La conversation reprend ensuite, mais le ton change radicalement quand je lui apprends que Justin est séropositif. Aïsha avait bien remarqué que Justin ne semblait pas dans son assiette au bureau, mais elle ne soupçonnait pas du tout qu'un tel drame était à l'origine de son changement d'attitude.

— Oh, *my God* ! C'est pour ça qu'il a l'air moins arrogant. Mais c'est épouvantable ! Ugo, comment il prend ça ?

— Ben, assez mal, tu t'imagines bien… Tu l'as pas vu dernièrement ?

— Ben non, pas vraiment. Tu sais, on ne se voit plus beaucoup depuis que t'es en France.

— C'est plate ça. Pourquoi ?

— Parce que je pense que notre lien, c'était toi, Charlotte. C'est toi qui nous tenais ensemble.

Et sur ces paroles qui me touchent, je mets fin à la conversation, en oubliant complètement de lui demander son avis sur mes vêtements. Peu importe. L'échange que je viens d'avoir avec Aïsha m'a fait chaud au cœur. Je me sens maintenant remplie d'une toute nouvelle confiance et prête à affronter le merveilleux monde de la télévision française.

Je me couche aussitôt après avoir rangé mon bordel dans ma penderie. Sauf un jeans moulant, une veste de smoking bourgogne que je ceinturerai et un petit *top* en dentelle noire. Mes *derbies* noires vernies à talons m'attendent au pied du lit.

Demain, je vais avoir le look masculin-féminin, tel que le recommande Inès de la Fressange. Avec les conseils de cette icône de la mode, celle que tous considèrent comme la plus chic des Parisiennes, je ne risque pas de me tromper.

C'est vrai, il ne faut pas que j'oublie d'acheter le journal demain matin. Arriver au bureau avec *Libération* sous le bras, ça doit forcément faire bonne impression, non ?

28

« En faisant un enfant avec toi, je suis pogné pour
coucher juste avec toi pour le restant de mes jours.
Pis rien que depuis qu'on est entrés dans le resto,
y a trois filles avec qui je coucherais maintenant. »
PAUL (PIERRE-FRANÇOIS LEGENDRE)
dans le film *Horloge biologique*.

— Alors, ma chérie, ta première journée de travail,
ça s'est bien passé ? me lance Maxou dès que
je mets les pieds dans l'appartement.

— Oui, oui, ça a bien été.

Maxou dépose *L'Express* sur la table à café du salon
et se lève pour venir m'embrasser. Il me demande
ensuite de tout lui raconter.

— Les gens ont été super gentils avec moi. Pendant le lunch, ils m'ont posé plein de questions sur
le Québec. Sur ce que je faisais avant là-bas. Je pense
qu'ils m'aiment bien.

Sauf peut-être cet imbécile d'Arthur, qui m'a
demandé si c'était vrai que, l'hiver, on ne retrouvait pas
notre auto sous la neige et qu'il fallait qu'on attende le
printemps pour la récupérer. Et il était sérieux en plus !
Pauvre type… Croire des histoires pareilles.

— Mais bien sûr qu'ils t'aiment, Charlotte. Et à
quelle émission as-tu été affectée ?

— *Bien à vous.*

— Ah bon. Connais pas.

Moi non plus, je n'avais jamais entendu parler de cette émission, jusqu'à ce matin. Mon patron, un homme très gentil mais assez distant, m'a laissé un peu de temps avant la réunion pour me familiariser avec le produit. J'en ai visionné quelques extraits sur Internet. Et là, j'ai eu un choc.

L'émission se déroule autour d'une table. L'animatrice et ses coanimateurs reçoivent une personnalité, essentiellement du domaine politique ou culturel. Pendant une heure, tout ce beau monde discute des enjeux du moment, une assiette et un verre de vin devant eux.

Ça jacasse en se coupant la parole, en parlant tous en même temps, sans jamais toucher à leur plat. C'est ce qu'on appelle faire de la radio à la télé. Ou faire de la télé des années 1980. Une émission complètement nulle et sans aucune étincelle. Que du blabla !

J'ai osé demander au producteur si ça arrivait que l'équipe tourne des reportages à l'extérieur et les présente pendant l'émission. Il m'a répondu que ça ne faisait pas partie de son mandat. Que *Bien à vous* existait avant tout pour permettre aux invités de s'exprimer sur les sujets de l'heure.

Je pense que je suis tombée sur la pire des émissions françaises. Mais bon, je commence dans le milieu et je suis là avant tout pour apprendre.

— Et toi, ta journée ?

— La routine. Rien de spécial. Ah oui ! J'ai finalement obtenu mon rendez-vous pour une vasectomie.

Je fige sur place. Je n'ai tellement pas envie d'avoir cette discussion-là maintenant. J'ai ma journée dans le corps et je n'ai pas la force d'aborder ce sujet épineux entre nous deux.

— C'est quand ?

— Le mois prochain, le 18, si je me souviens bien.

Bon, il me reste du temps pour régler ce problème. Dans le pire des cas, je lui dirai que la clinique a appelé pour reporter son rendez-vous à cause d'un dégât d'eau majeur.

— Qu'est-ce qu'on fait pour souper, Maxou ?

— Pour le dîner ? Euh, je sais pas trop. T'as rien prévu ?

— Ben là, non. J'ai pas vraiment eu le temps.

— Bon, on sort alors.

— Trop fatiguée.

Je me dirige vers la cuisine en me disant que, ce soir, je ferais bien comme quand j'étais célibataire et que je rentrais complètement crevée après une journée de travail. Je me ferais réchauffer un bol de potage à la courge Commensal, que je mangerais devant la télé sans vraiment la regarder. Un petit bonheur tout simple.

Mais non ! J'ai un mari que je n'ai jamais vu se contenter d'une soupe pour tout repas. J'ouvre la porte de l'armoire qui me sert de minuscule garde-manger, à la recherche d'un quelconque plat facile à préparer. Les provisions sont plutôt rares ici. *Because* le manque d'espace de rangement. Ah, tiens ! Voilà un truc qui pourra nous dépanner.

— Un risotto aux quatre fromages, ça te tente ?

— Bof ! répond-il depuis le salon, où il est retourné lire sa revue.

Excédée par sa réponse, je referme énergiquement la porte d'armoire. D'un pas décidé, je vais le rejoindre au salon et je me plante devant lui. Il lève les yeux.

— Qu'est-ce qui se passe ?

— Tu t'en occupes.

— De quoi parles-tu ?

— Tu veux pas du risotto, c'est toi qui fais le souper. C'est tout.

— Bon, bon, très bien. Ce n'est pas la peine de te fâcher.

Il se lève, sort son ordinateur de sa mallette de travail, l'allume et commence à naviguer.

— Alors… Poulet au basilic et riz cantonnais, ça te va ? Ou tu préfères les crevettes piquantes avec brocolis sautés ? me demande-t-il, les yeux fixés sur le menu du traiteur asiatique du coin de la rue.

Je soupire, un peu déçue qu'il ne se fende pas en quatre pour me faire le repas que j'aurais bien mérité après cette journée pour le moins étrange dans les bureaux de France 5. Un rouleau de saumon farci au chèvre et aux tomates séchées, par exemple. Ou bien des pétoncles poêlés au pastis. Même une toute simple salade d'endives au bleu aurait fait mon bonheur. Mais bon, il ne peut pas avoir toutes les qualités, n'est-ce pas ?

— Le poulet, s'il te plaît.

— D'accord. Tu veux bien ouvrir une bouteille pendant que je descends chez le traiteur ?

— Hum, hum.

Une heure plus tard, après avoir avalé mon poulet en vitesse, je suis assise sur le canapé, blottie contre Maxou. Je jette un coup d'œil aux infos qu'il regarde à la télé, mais je n'arrive pas du tout à me concentrer sur le reportage que LCI présente. Mes pensées sont toutes occupées par un seul mot : vasectomie.

Je me redresse tout à coup. J'empoigne la télécommande, j'éteins aussitôt la télé et j'annonce à mon mari qu'il faut qu'on parle.

Maxou ne dit pas un mot, mais il ne semble pas très content. Bon, ce n'était peut-être pas l'idée du siècle de couper court au reportage qui semblait le captiver. Surtout pas pour lui faire la déclaration que j'ai en tête…

Je crois qu'il serait préférable de l'amadouer un peu avant d'entrer dans le vif du sujet. Je commence à lui caresser doucement la nuque, en écartant ses cheveux blonds légèrement bouclés que j'aime tant.

— Tu te souviens de la première fois qu'on est partis en week-end d'amoureux, juste tous les deux ?

— Quand on habitait Montréal ?

— Oui. Tu sais, on était allés dans une petite auberge des Cantons de l'Est. On devait faire de la raquette pis, finalement, on avait passé toute la fin de semaine dans notre chambre.

— Ouais, c'était pas mal, répond-il, un léger sourire se formant sur ses lèvres.

Je me suis heureusement habituée au manque d'enthousiasme de mon chum. Typique du Parisien qui affiche volontairement un air blasé. Pour lui, « pas mal », ça veut en fait dire « super ». Bon, il est temps de passer à la deuxième étape. Je m'assois sur ses cuisses et je le regarde droit dans les yeux.

— Bon, c'est là qu'on avait discuté de plein de trucs. Comment on voyait la vie, qu'est-ce qu'on attendait d'elle…

— Charlotte, où veux-tu en venir ?

Je baisse le regard et je commence à déboutonner sa chemise Hermès noire. Je glisse mes doigts à l'intérieur de son vêtement pour caresser son torse.

— C'était à ce moment-là que tu m'avais beaucoup parlé d'Alixe et que je t'avais demandé si tu voulais d'autres enfants.

Je me penche sur son épaule et commence à l'embrasser dans le cou. Il me repousse gentiment, mais fermement.

— Tu veux bien arrêter de me manipuler avec tes caresses et me dire ce que tu veux me dire. Tu n'es pas enceinte, j'espère ?

Je soupire et je me rassois sur le canapé, à ses côtés. Je fixe le sol.

— Non, mais j'aimerais ça, l'être.

Maxou se lève et commence à faire les cent pas dans le salon. Je m'attends à ce qu'il explose d'une seconde à l'autre. J'essaie de retarder ce moment.

— Pas tout de suite, Maxou. Plus tard. D'ici un an peut-être.

Il s'arrête au milieu de la pièce et me regarde.

— T'es sérieuse ? Tu veux un enfant ?

— Oui.

Il s'assoit face à moi, sur le fauteuil en cuir brun. Il reboutonne sa chemise en silence.

— Je ne comprends pas, Charlotte. Je croyais que, toi et moi, on était sur la même longueur d'onde à ce sujet.

— Je ne t'ai jamais dit que je ne voulais pas avoir d'enfants.

— Mais tu ne m'as pas dit le contraire non plus.

— C'est vrai. Mais c'est devenu plus fort dernièrement. Je pense tout le temps à ça. J'en rêve même, la nuit.

— Vraiment?

— Vraiment.

Je le laisse assimiler l'information avant de poursuivre.

— Et puis, quand tu m'as dit que t'en voulais pas, on était au Québec. Tu trouvais ça compliqué parce que tu étais loin de ta fille. Mais là, c'est plus pareil. On vit ici, tout près d'elle. C'est le bon moment, non?

Maxou ne dit pas un mot. Il semble sous le choc.

— Je sais que c'était pas dans tes plans, mon amour. Mais j'ai vraiment envie d'avoir une famille à moi. Tu sais bien que je me sens toute seule ici.

— Charlotte, on ne fait pas des enfants pour ne plus se sentir seul. C'est une très mauvaise raison. Et puis, t'as pas idée de toutes les responsabilités qui viennent avec un enfant.

— Ben, je suis pas folle, quand même. Je sais bien que ça s'élève pas tout seul.

Et je mise aussi sur le fait que Maxou va possiblement vouloir se reprendre avec un deuxième enfant. Il sera plus présent qu'il l'a été avec Alixe. Évident, non?

— Moi, j'ai déjà fait ma part avec Alixe.

— Toi, oui. Pas moi.

Maxou réfléchit un long moment avant de répondre.

— Écoute, Charlotte, je ne te ferai pas croire que ta demande me fait plaisir. Mais je sens que c'est important pour toi et je vais y réfléchir.

Je lui saute au cou et je le couvre de bisous en le remerciant du fond du cœur.

— Hé! Oh! On ne s'emballe pas. Je n'ai pas dit oui.

— Je sais, je sais, mais je suis contente quand même. Et tu penses avoir besoin de combien de temps pour réfléchir?

— Tu me laisses jusqu'à Noël?

Noël? Trois mois de réflexion! Pourquoi autant de temps? Ma question est simple pourtant. Et ce n'est pas comme s'il devait consulter tout un chacun avant de prendre une décision.

— Euh, oui, oui, comme tu veux.

— Et ça nous permettra de voir comment les choses se placent avec Alixe.

Je sens tout à coup ma joie diminuer d'un cran. Comment vais-je faire pour reconquérir une ado de treize ans convaincue que je suis une voleuse de sacs griffés?

**

— T'as juste à l'emmener magasiner! me lance Ugo au bout du fil.

— J'y ai déjà pensé, figure-toi. Mais je ne sais pas si elle va accepter. Non, je t'appelais pour savoir si t'avais pas une meilleure idée, comme ça, à la dernière minute.

— Ben, pas vraiment. Comment tu veux que je sache ce qui plaît à une ado? Française en plus?

— Ouin, t'as raison. C'est juste que je suis pas mal énervée.

Et pour cause. Nous sommes au cœur de l'automne. C'est le congé de la Toussaint et Alixe doit le passer avec nous, ici, à Paris. Pour l'occasion, j'ai préparé un repas d'Action de grâces typiquement nord-américain.

Dinde farcie et canneberges en gelée. Purée de patates douces, haricots au beurre et tarte à la citrouille. De la cuisine réconfortante, comme celle qu'on sert en famille.

— Ne t'en fais pas, ça va bien se passer. Est-ce que ta belle-mère va être là?

— Pas question. On est juste tous les trois... À moins que je l'emmène à Disneyland Paris?

— Charlotte, mets-en pas trop, là! Essaie donc d'être juste naturelle.

— Ouin, peut-être.

— Pis le boulot, comment ça se passe? Toujours la même chose? me relance Ugo.

— Ça n'a pas changé depuis le début. Mettons que je fais mon temps en attendant mieux.

— T'aimes vraiment pas ça?

— C'est surtout que je suis tellement capable de faire plus. J'ai vraiment un rôle de sous-fifre. Je fais pas grand-chose de valorisant. Beaucoup de travail de bureau, peu de création.

— Tu t'emmerdes?

— Mets-en! En plus, c'est compliqué, pis c'est long.

— Ah ouin?

— Les *meetings*, ça finit plus! Pis ce qui m'enrage, c'est que tout le monde répond à son cellulaire.

— Pendant les réunions?

— Ben oui. Ça fait qu'on est toujours en train d'attendre que quelqu'un finisse sa conversation. C'est l'enfer.

— Pas trop ton genre, hein?

Au bureau, j'ai toujours été du type efficace. Les réunions qui traînent en longueur, les gens qui mettent des mois à prendre des décisions, les discussions inutiles et répétitives, tout ça m'a toujours impatientée royalement. Et, ici, ma patience est mise à rude épreuve!

— Non, pas trop. Pis en plus, les relations avec les patrons, c'est loin d'être évident. Tu vas pas prendre une bière avec eux après la job, ça, c'est sûr.

— La fameuse hiérarchie française…

— En plein ça. Bon, mais je me dis que je vais finir par m'habituer.

— Ben oui. On finit toujours par s'adapter.

J'entends la porte d'entrée s'ouvrir. C'est Maxou qui revient de la gare, où il est allé chercher Alixe.

— Ugo, je te laisse, ils arrivent.

J'enlève rapidement mon tablier, je défais ma queue de cheval, j'applique sur mes lèvres une touche de *gloss* transparent et je m'en vais de ce pas gagner le cœur de ma belle-fille.

Maxou a enlevé son manteau, qu'il est en train de ranger dans la penderie. Il est seul.

— Quoi? Elle n'a pas pris son train?

— Si, si.

— Mais elle est où?

— Chez ma mère.

— Comment ça, chez ta mère?

Je suis furieuse. Comment Maxou a-t-il pu laisser Alixe chez Victoria? Lui qui savait que ce moment était important pour moi!

— Viens t'asseoir, ma chérie, dit-il en m'entraînant vers le salon.

Maxou m'explique qu'en arrivant à la gare du Nord il a eu la désagréable surprise de tomber sur sa mère. Avisée par sa petite-fille de son arrivée, Victoria a cru bon d'aller l'accueillir, elle aussi. Et de la convaincre de s'installer chez elle pour le week-end.

— Tu comprends que je n'ai pas voulu faire de scène en public. Surtout qu'Alixe m'a supplié de la laisser aller chez sa grand-mère.

— Supplié?

— Bah, c'est de la manipulation tout ça, Charlotte. Il ne faut pas se laisser impressionner.

— N'empêche…

Une grande tristesse commence à m'envahir. Ainsi qu'un profond sentiment d'injustice.

— Donc je l'ai autorisée à rester avec maman ce soir. Mais demain, en revanche, nous passons la journée ensemble tous les quatre.

— Les quatre?

— Ben oui, forcément. Alixe veut voir sa grand-mère aussi.

Je me sens tout à coup terriblement épuisée. Je veux me lever pour aller m'étendre dans ma chambre, mais mes jambes refusent de m'obéir. Je sens toutes mes forces m'abandonner. J'en ai plus que marre de vivre dans l'adversité. Et pour une des premières fois de ma vie, je sens que je suis sur le point d'abandonner. De tout abandonner!

— Écoute, Maxou. Tu iras, toi. Moi, je n'ai plus le courage. Pas pour le moment du moins.

Je finis par rassembler tout ce qui me reste de force pour me rendre à la chambre. Je ferme la porte et je m'écroule lourdement sur le lit, avant de laisser libre cours à ma peine et d'éclater en sanglots.

29

Just for men.

L'automne s'est éternisé à Paris pour enfin laisser la place à une autre saison. Nous sommes au premier jour de l'hiver et c'est vraiment étrange de ne pas avoir vu un seul flocon de neige. Le Québec et mes amis me manquent plus que jamais.

Dans quelques jours, c'est Noël. Mon premier en France. Mon premier sans Ugo, Aïsha et maman depuis fort longtemps. Mon premier avec une belle-mère qui me déteste et une belle-fille qui refuse carrément de me donner une seconde chance. Toute une fête en perspective.

Mais aussi un premier Noël dans le pays du mari que j'ai choisi. Un homme que je n'ai jamais cessé d'aimer profondément malgré toutes les difficultés que j'ai rencontrées depuis que je suis ici. Malgré son caractère bouillant, son attitude macho, son ton souvent autoritaire, son côté un peu trop coincé, ses qualités de père trop peu nombreuses…

Ne me demandez pas pourquoi je l'aime autant. C'est comme ça et ça restera ainsi toute ma vie. J'en suis convaincue. La seule chose que je me demande à l'heure actuelle, c'est si l'amour qu'on porte à un homme est suffisant pour oublier tout le reste. Pour s'oublier soi-même…

Et le courriel que j'ai reçu ce matin contribue beaucoup à ma réflexion. C'est Dominique, mon ancienne réalisatrice, qui me l'a écrit. Je le relis pour la cinquième fois.

> *Bonjour Charlotte,*
>
> *Comment se passe ta vie en France ? Ici, je dois l'admettre, on s'ennuie beaucoup de toi. Je n'y irai pas par quatre chemins : j'ai besoin de toi. Priscillia, qui coanimait avec P-O, nous a laissés tomber hier. Elle ne reviendra pas avec nous après les fêtes. Entre toi et moi, ça fait bien mon affaire. Le show ne levait pas du tout avec Priscillia. Et les relations entre elle et P-O étaient plutôt tendues ces dernières semaines. C'était l'enfer.*

À mon avis, me dis-je, leur petite histoire de couchette s'est plutôt mal terminée.

> *Donc il me faut une nouvelle animatrice. Right now ! C'est pourquoi j'ai pensé à toi, ma chère Charlotte. Qu'est-ce que tu dirais de revenir à Montréal pour le reste de la saison, jusqu'à la fin mars ? Tu coanimerais avec P-O. Tu n'as peut-être pas vu l'émission, mais tu peux en visionner quelques extraits sur notre site. C'est, en fait, une formule améliorée de Totalement Roxanne. Il ne me manque qu'une bonne animatrice. Et c'est toi, Charlotte.*
>
> *J'attends ta réponse le plus tôt possible.*
> *Dominique*

Depuis la première minute où j'ai lu ce courriel, je vis une véritable torture. Je suis partagée entre la joie de voir un de mes rêves les plus chers se concrétiser et la peur que mon couple s'effondre si je décide de retourner au Québec.

Mais, après tout, ce n'est que pour trois mois. Maxou va comprendre. Le mieux, c'est de lui en parler. Les décisions qui ont un impact sur le couple doivent se prendre à deux, non?

Mon ordinateur portable à la main, je sors de notre chambre à coucher, où je m'étais enfermée depuis une heure. Maxou n'est plus au salon, où il lisait tout à l'heure.

— Maxou, t'es où?

Aucune réponse. Je dépose mon ordi sur la table à café et je fais le tour de l'appartement. Aucune trace de mon chum. J'aperçois la porte de la salle de bain, qui est fermée. Je cogne discrètement.

— Maxou, t'es là?

Pas de réponse là non plus. J'essaie d'ouvrir, mais c'est verrouillé. Inquiète, je frappe plus fort en appelant mon chum une nouvelle fois.

— Charlotte, tu me laisses tranquille, s'il te plaît?

— OK, OK, c'est beau.

Je m'éloigne de la salle de bain et retourne l'attendre au salon. Quinze minutes plus tard, il n'est toujours pas réapparu. Ce n'est pas normal et ça me tracasse. Je retourne frapper à la porte de la salle de bain.

— Ça va?

— Oui, oui.

— Mais qu'est-ce que tu fais au juste?

— Rien, rien.

— Comment ça, rien?

— …

— Laisse-moi entrer.

— Pas question. Qu'est-ce que tu peux être casse-couilles parfois!

— Maxou, je suis inquiète, là.

— Mais non, puisque je te dis que tout va bien.

— Bon, mais dépêche-toi, faut qu'on parle.

— Encore ?

— Ben oui… Encore !

Je m'appuie contre le mur et je réfléchis à la meilleure façon d'aborder le délicat sujet. Dix minutes plus tard, après avoir fait longuement couler l'eau du lavabo, Maxou sort de la salle de bain, vêtu de son peignoir blanc en coton biologique et les cheveux complètement mouillés.

— T'as pris ta douche ?

— Ben, ouais.

Bizarre. Ce n'est pourtant pas la douche que j'ai entendue couler. C'était bien le robinet du lavabo. Et quelle est cette odeur chimique qui émane de la pièce ? Étrange !

Trop curieuse, j'entre dans la salle de bain pour tenter d'élucider ce mystère. Je regarde autour de moi, à la recherche d'un indice.

— Charlotte, qu'est-ce que tu fais ? me demande Maxou, un brin d'angoisse dans la voix.

Je ne réponds pas et poursuis mon inspection. J'aperçois la petite poubelle, remplie à ras bord – il est vraiment temps que Mme Daniela vienne nous rendre visite –, et je commence à fouiller à l'intérieur.

— Ah là là ! Mais qu'est-ce que tu cherches ? Arrête ça, s'il te plaît.

Je continue sans écouter sa demande. J'enlève les mouchoirs sales, les tampons démaquillants noircis par le mascara, un rasoir jetable et un vieux tube de dentifrice. Au fond de la poubelle, il ne reste qu'un objet, qui semble être une petite bouteille de shampooing vide.

Je l'empoigne et commence à lire l'étiquette : *Just For Men – Coloration pour cheveux courts – Blond cendré.* Je regarde Maxou. Il a l'air d'un petit garçon surpris en train de faire un mauvais coup. C'est tordant.

— Tu te teins les cheveux ! dis-je en éclatant de rire.

— Bah, c'est juste un truc pour éclaircir un peu. Rien de bien costaud.

— Pis tu fais ça depuis combien de temps ?

— Bah, un moment… Je sais pas trop. Et puis, ça ne te concerne pas.

— Pff… Franchement, Maxou ! T'es ben orgueilleux ! Je trouve ça *cute*, c'est tout.

Honnêtement, je m'en suis toujours doutée. Et encore plus depuis que je suis arrivée ici. Je n'ai pas croisé un seul Parisien qui a la chevelure aussi pâle que celle de mon chum. Ils sont plutôt du type brun foncé. Mais je ne pensais jamais qu'il faisait ses colorations lui-même à la maison.

— Pourquoi tu ne vas pas chez le coiffeur ? dis-je, un sourire moqueur aux lèvres.

— J'ai pas envie que tout le monde le sache, c'est tout. Bon, t'as assez rigolé maintenant ? De quoi voulais-tu me parler ?

Je reprends tout à coup mon sérieux et je l'entraîne au salon, où nous nous assoyons côte à côte sur le canapé. J'ouvre mon ordinateur et je lui demande de lire le courriel de Dominique. Maxou s'exécute en silence. En terminant, il referme l'écran de mon portable et se tourne vers moi. Il me regarde droit dans les yeux.

— Et tu vas y aller ?

— Ben, je sais pas trop encore… Je voulais te consulter.

— Tu sais ce qui va se passer, Charlotte, si tu y vas ?

— Ben, je vais faire de la télé. Faire ce que j'aime.

— Oui, d'accord. Mais tu ne reviendras pas.

— Ben voyons donc ! C'est sûr que je vais revenir. C'est juste pour trois mois.

— Non, tu ne reviendras pas, parce que après la saison ils vont t'offrir autre chose. Et tu vas l'accepter. Parce que, au fond, Charlotte, tu es aussi ambitieuse que moi.

Ses paroles me laissent sans voix. Je ne m'attendais tellement pas à entendre ça.

— Je ne suis pas con, tu sais. Je sais bien que tu n'es pas heureuse ici. Que ton vrai métier te manque. Et

381

beaucoup plus que tu veux bien te l'avouer, Charlotte. Beaucoup plus.

Je l'écoute, toujours en silence.

— Je vois bien tous les efforts que tu fais pour te convaincre que tu y arriveras. Que ça va aller, qu'il te faut être patiente. Mais ce n'est pas toi. Non seulement tu n'es pas bien dans ton travail, mais ici tu ne te sens pas chez toi. Et tu ne te sentiras jamais chez toi.

Ses propos me font terriblement mal. Des larmes commencent à couler doucement sur mes joues. Je sens une immense peine m'envahir. Mais aussi un grand soulagement. Maxou ne fait que dire ce que je savais depuis longtemps, mais que je refusais d'admettre.

— Et même si ça me brise le cœur de dire ça, je pense que ta vraie nature, Charlotte, elle est au Québec. Et moi, je ne pourrai jamais t'empêcher d'être ce que tu es. D'être Charlotte Lavigne.

Maxou se lève, me tourne le dos et fait un geste que je pense être celui d'essuyer une larme sur ses joues. J'ai le cœur en mille morceaux. Je n'arrive plus du tout à retenir mes sanglots. Je le vois s'éloigner vers notre chambre.

Puis, tout à coup, il se retourne. Ses yeux sont inondés de larmes. Il a l'air plus vulnérable que jamais. C'est dans ces moments-là, quand il laisse tomber son masque de gars parfait, que j'aime Maximilien Lhermitte plus que tout au monde. Il semble vouloir me dire quelque chose. J'attends en le regardant amoureusement.

— Et c'est parce que je t'aime comme je n'ai jamais aimé une femme de toute ma vie… que je vais te laisser partir.

30

« Je reviendrai à Montréal
dans un grand Boeing bleu de mer. »
Robert Charlebois, 1976.

—Joyeux Noël, madame Lavigne. Et bon vol ! me
lance l'employé d'Air Transat en me remettant
mon passeport canadien.

Je consulte encore une fois ma carte d'embarquement : départ prévu à 17 h 35, à la porte 34. Je suis
venue seule à Charles-de-Gaulle en cet après-midi de
la veille de Noël. Seule avec mes grosses valises et mon
cœur en miettes. Je quitte Paris sans savoir si je vais
revenir y vivre un jour.

Maxou et moi, nous n'avons rien décidé. De son
côté, il est convaincu que, nous deux, c'est terminé.
Mais moi, je ne suis pas capable de prendre une telle
décision. J'ai donc décidé d'y aller étape par étape. Je
vais faire mes trois mois de remplacement. Ensuite, je
verrai où j'en suis dans ma vie.

Je traverse tranquillement le long couloir qui mène
à l'aire de restauration en repensant à tout ce qui s'est
passé ces derniers jours.

Je n'ai pas pu exiger de Maxou qu'il m'attende. Et il m'a dit qu'il ne le ferait pas. En me répétant pourtant qu'il m'aimait profondément, mais qu'il ne voulait pas vivre de faux espoirs. Le soir où nous avons décidé que je repartirais au Québec, nous avons fait l'amour longuement. Tendrement au début, puis de plus en plus intensément. Presque furieusement à la toute fin. Avec la violence du désespoir.

Je n'ai pas cessé de pleurer en pensant que c'était peut-être la dernière fois. La dernière fois que j'embrassais cette petite tache de naissance qu'il a dans le bas du dos. La dernière fois qu'il caressait mes seins comme lui seul sait le faire. La dernière fois où je faisais l'amour avec autant de passion, autant de partage, autant d'amour.

Nous avons peu parlé cette nuit-là, même si, tous les deux, nous étions bien réveillés. Il m'a seulement dit qu'il avait compris dernièrement que je ne resterais peut-être pas à Paris toute ma vie, même s'il espérait le contraire. Il s'était donc un peu préparé à mon départ, mais il ne pensait pas qu'il surviendrait aussi vite.

C'est vrai que j'ai peut-être abandonné la partie un peu trop rapidement, mais cette offre de remplacement a tout changé. Je ne pouvais quand même pas laisser passer le train sans y monter. Et ça, c'est quelque chose que Maxou accepte. Parce qu'il a fait exactement la même chose il y a un an, quand il est revenu vivre ici. Sauf que, moi, je l'ai suivi. Alors que, pour lui, revenir vivre à Montréal n'est pas envisageable.

Même si j'ai pris ma décision dans ma tête à l'instant où j'ai ouvert le courriel de Dominique, j'ai tout de même eu besoin de la valider avec mes proches. Tout d'abord avec Ugo, qui a joué son rôle de meilleur ami à la perfection, en me disant que la décision m'appartenait, qu'il m'appuyait à cent pour cent et qu'il allait bien s'occuper de moi à mon retour à Montréal.

J'ai aussi appelé maman. Là, je pensais obtenir plus de résistance. Mais non. Maman m'a simplement dit qu'il était important qu'une femme se respecte. Elle m'a aussi fait comprendre que le plus tôt je partirais, le mieux ce serait. « Ça sert à rien d'enlever le *plaster* petit à petit. Arrache-le d'un seul coup. Après, ça fera moins mal. »

C'est en gardant ces paroles imagées en tête que j'ai réservé la première place libre sur un vol en direction de Montréal. C'est ce qui explique que je quitte mon chum en cette journée qui devrait en être une de célébration. Nous sommes le 24 décembre, la veille de Noël. Un an, jour pour jour, après sa demande en mariage. Mais j'avoue aussi que ça me convient parfaitement. Je n'aurais pas eu le courage de célébrer à la même table que Victoria, tout en sachant qu'elle venait de remporter la partie.

Parce que c'est aussi à cause d'elle que je quitte la France. À cause d'elle et de tout ce qu'elle a fait croire à Alixe. Si seulement j'avais pu trouver une vraie famille ici, je serais peut-être restée.

Il n'y a que Mme Daniela qui a su me comprendre et m'écouter. Mme Daniela, qui n'a pu retenir ses larmes quand je lui ai annoncé la nouvelle hier midi, entre le nettoyage de la cuisinière et le rangement de la salle de bain. Elle m'a prise dans ses bras pendant de longues minutes, me disant qu'elle allait bien s'occuper de *señor* Maximilien. Et qu'elle espérait qu'une autre Mme Daniela m'attendait au Canada.

Une autre raison qui m'a incitée à retourner au Québec, c'est mon désir toujours plus fort d'avoir des enfants. Évidemment, Maxou et moi, nous n'en avons pas reparlé. Il avait promis de m'annoncer sa décision à Noël. Si j'étais restée, je crois bien que je l'aurais entendu me dire qu'il ne voulait définitivement plus être père. Tous les signes étaient là. D'autant plus que, cet automne, il a obtenu une autre promotion au bureau, laquelle l'a obligé à travailler encore plus longtemps les soirs et les week-ends, me laissant souvent seule avec mes réflexions.

Je m'assois pour savourer le café que je viens de commander et j'essaie de lire le *Elle à table*. Mais même les plus alléchantes recettes de gâteaux de Noël n'arrivent pas à retenir mon intérêt. Non, il va me falloir beaucoup plus que des desserts pour surmonter la peine d'amour que je vis présentement. La deuxième avec Maxou. Et celle-ci est encore plus douloureuse. Une profonde blessure au fond de mon âme.

Je ne pensais jamais que, dans ma vie, je me choisirais avant de choisir un homme. Et c'est pourtant ce que je viens de faire. Est-ce que ces derniers mois vécus à Paris ont guéri ma dépendance affective pour laisser la place à une Charlotte Lavigne plus sûre d'elle, plus respectueuse de ses propres besoins? Possible…

Pour être honnête, je crois qu'il aurait suffi que Maxou me regarde avec ses grands yeux noisette en m'implorant de ne pas partir pour que je reste à ses côtés. Mais il ne l'a pas fait. Il a compris que, pour moi, quitter Paris était une question de survie. Il a pensé à moi en s'oubliant, lui. Et c'est pour ça que, Maximilien Lhermitte, je ne pourrai jamais cesser de l'aimer.

Et aussi parce qu'il n'a pas joué la carte du mariage. À cause de sa nature macho et de sa vision traditionnelle des relations homme-femme, je m'attendais à ce qu'il me dise que je devais tenir ma promesse de le chérir jusqu'à la fin de mes jours. Mais il n'a pas dit un mot à ce sujet. Macho, mais pas imbécile.

Il est bientôt l'heure d'y aller. Je texte une dernière fois l'heure d'arrivée de mon vol à Ugo. Et je décide aussi d'en aviser maman. J'avale ma dernière gorgée de café, je me lève de mon siège et je me dirige vers la porte 34.

★★★

— Vous avez terminé? me demande l'agent de bord en regardant mon plateau-repas à peine entamé.

— Oui, merci, j'avais pas très faim. Mais je prendrais bien un autre verre de vin, s'il vous plaît.

Le vol se déroule comme un charme. Je suis assise entre deux voyageurs solitaires qui, comme moi, ne semblent pas vouloir être dérangés. C'est parfait. Je n'ai pas du tout envie de faire la jasette à des inconnus.

Je prends une gorgée du verre de rouge que vient de me servir l'agent de bord et je grimace. Ce qui va le plus me manquer de la France, à part Maxou, c'est le vin. Et surtout son rapport qualité-prix. Au Québec, je n'aurai certainement pas les moyens de boire des grands vins de Bordeaux tous les week-ends.

Je reprends ma lecture où je l'avais laissée avant d'être interrompue par le service du repas. Le dossier que j'ai imprimé avant de partir est volumineux, mais tellement intéressant. C'est toute l'information que j'ai pu trouver sur le site internet de la Clinique l'Actuel au sujet du VIH et du sida.

Je veux tout savoir sur le sujet. Parce que j'ai décidé d'être la meilleure amie possible pour Ugo… et pour Justin. Que je le veuille ou non, Justin fait partie de la vie d'Ugo et j'ai pris la décision de l'accepter.

Pendant les huit derniers mois, j'ai tellement souffert de solitude et de l'absence de vrais amis. Maintenant, je veux en profiter au maximum en prenant soin d'eux… parce que je vais avoir besoin, moi aussi, de leur réconfort.

Et mes bonnes intentions incluent aussi de renouer véritablement avec Aïsha. Au fond, je l'aime beaucoup et je sais que c'est la même chose pour elle.

Bref, je rêve juste d'une vie simple, entourée de mes amis, à faire le travail auquel j'aspire depuis que je suis toute petite. Une vie sans complications.

Je reboutonne discrètement mon jeans avant de me lever pour aller aux toilettes. En prenant place dans mon siège, j'ai éprouvé le besoin de détacher mon bouton pour me sentir moins serrée. Bizarre, tout de même, que j'aie pris du poids dernièrement ! J'ai l'appétit coupé depuis des jours. Trop de vin, peut-être.

J'entre dans les minuscules toilettes de l'avion et je m'assois pour faire pipi. Combien d'heures encore avant notre arrivée ? Au moins quatre, je crois bien. Ugo sera à l'aéroport, j'en suis certaine. Et peut-être maman aussi, ça me ferait vraiment plaisir…

J'attrape un peu de papier hygiénique quand j'aperçois une boîte de tampons à côté du lavabo. Possiblement laissée là par une passagère.

Je me lave les mains rapidement et mes yeux sont à nouveau attirés par la boîte oubliée. Voyons ! Pourquoi est-ce que de vulgaires tampons m'agacent de la sorte ? Et, tout à coup, je comprends ! Il me semble que ça fait une éternité que je n'ai pas eu mes règles. À quand remonte la dernière fois, au juste ?

Je sens l'angoisse monter en moi peu à peu. J'essaie de me raisonner. C'est sûrement une erreur. Je retourne en coup de vent à mon siège, en bousculant le voyageur assis à ma gauche. Pour la forme, je lui murmure de vagues excuses. Je ferme les yeux et j'essaie de me concentrer pour visualiser le moment de mes dernières règles.

Je n'y arrive pas. Aucun souvenir ne remonte à la surface. Concentre-toi, Charlotte, concentre-toi. Je prends deux grandes respirations quand je sens une main se poser sur mon épaule.

— Tout va bien, madame ?

J'ouvre les yeux et je vois l'agent de bord qui me dévisage, l'air un brin inquiet.

— Oui, oui, merci… Mais vous n'auriez pas un calendrier avec vous par hasard ? dis-je, la voix légèrement angoissée.

— Non, désolé.

Il s'éloigne en me laissant avec toutes mes interrogations. Mais j'y pense, j'ai mon agenda dans mon iPhone. Je le sors vite afin d'en avoir le cœur net. Je fais défiler un à un les événements des dernières semaines, à la recherche de l'information manquante. Je tombe tout à coup sur l'entrée suivante : « Départ de Maxou pour Manchester. » Ça y est, j'ai trouvé ! C'est à ce moment-là que j'ai eu mes règles pour la dernière fois. Quand il est allé passer un week-end avec sa fille.

Je m'en souviens très bien. Je n'étais pas contente du tout parce que mes maux de ventre m'avaient empêchée de faire l'amour avant son départ. C'était quelle date déjà, ce voyage à Manchester ? Le 5 novembre.

— Hein ? dis-je tout haut. Ça se peut pas !

Mes voisins de siège lèvent à peine les yeux de leurs lectures. Ils croient certainement que je ne suis pas très équilibrée. Et je dois dire qu'aujourd'hui ils ont un peu raison. Je ne me sens pas vraiment saine d'esprit.

Je compte les jours qui me séparent de la date à laquelle j'aurais dû avoir mes dernières menstruations. Ça fait plus de deux semaines de retard. Deux semaines ? Ça ne m'est jamais arrivé de toute ma vie.

Je m'ordonne de respirer par le nez et de regarder le tout objectivement. Je ne peux pas être enceinte ! Je prends la pilule quotidiennement…

Vraiment quotidiennement ? Est-ce qu'il est possible que j'aie sauté quelques jours ? Mais non, je suis beaucoup trop rigoureuse pour ça, voyons ! Oui, mais ça ne m'empêche pas d'être parfois très énervée. Très, très énervée. Assez pour oublier certaines choses, comme de prendre ma pilule pendant quelques jours… Oh, *my God* ! Et ça m'est arrivé le mois dernier. Je me souviens d'avoir eu mal au cœur toute la journée après avoir avalé quatre pilules d'un seul coup. Non, dites-moi que ce n'est pas vrai ! Ce n'est pas le moment de tomber enceinte. Tellement pas !

Je porte mon verre de vin à mes lèvres. Puis je le repose brusquement sur la tablette en l'éloignant de moi comme si c'était du poison. Si jamais il fallait… Un soudain sentiment de protection m'envahit. Je pose ma main sur mon ventre. Et si une petite vie était en train de se former à l'intérieur de moi? Comme je le souhaitais depuis longtemps… mais pas dans ces conditions-là.

J'ai besoin de parler à quelqu'un. Tout de suite. Là. Maintenant. Je regarde autour de moi, à la recherche d'un visage accueillant, d'une personne prête à me dire ce que je veux entendre. Un sage qui me rassurerait en affirmant que je me trompe. Que mon retard est plutôt dû à toutes les émotions que j'ai vécues dernièrement. Qu'une fois au Québec mon cycle va revenir à la normale et que tout va rentrer dans l'ordre. Mais je ne trouve personne qui pourrait remplir la tâche de me dire n'importe quoi pour calmer mon angoisse. Je dois donc le faire moi-même.

Je ne suis certainement pas la seule à me faire des peurs avec pas grand-chose. Des filles qui se croient enceintes, mais qui ne le sont pas, on a vu ça des centaines de fois, non? C'est mon cas, j'en suis convaincue. Il FAUT que ce soit mon cas. *Pleaaaaaaaaaaaase!*

***

Les dernières heures de vol ont duré une éternité, mais finalement j'y suis: aéroport Montréal-Trudeau, au Québec, chez moi. Épuisée et tourmentée, mais tellement, tellement soulagée.

Dans quelques secondes, je vais enfin trouver un peu de réconfort auprès d'Ugo. Il m'attend tout juste au bout du long couloir que je traverse en tirant péniblement mes trop nombreuses valises. Témoins d'un séjour plus long que de simples vacances. Même la pluie verglaçante n'a pas empêché mon ami de venir m'accueillir à l'aéroport, comme il me l'a indiqué dans un texto que j'ai reçu en ouvrant mon iPhone après l'atterrissage.

Je lui en suis extrêmement reconnaissante. Je n'aurais pas supporté de me rendre chez lui en taxi, puisque c'est là que je vais habiter pour le moment.

Je m'en veux un peu de gâcher son Noël en tête à tête avec Justin, mais Ugo m'a dit que son chum comprenait bien la situation. C'est nouveau, ça... Un Justin compréhensif. Eh bien, tant mieux!

Je sors de la zone réservée aux passagers et je tombe au milieu d'une foule de Québécois bruyants, venus saluer l'arrivée d'autres passagers en provenance d'un peu partout dans le monde en ce début de vacances du temps des fêtes. Je me sens un peu perdue à travers ces manifestations de joie et je n'arrive pas à trouver Ugo.

— Charlotte! Je suis ici.

La voix de mon ami sonne à mes oreilles comme une douce mélodie. Je tourne la tête et je l'aperçois. Un léger sourire réconfortant sur les lèvres, le regard enveloppant et les bras grands ouverts. Je laisse tomber mes valises et me précipite vers lui. Il m'enlace silencieusement. Je me suis promis de ne pas pleurer, mais c'est plus fort que moi. J'arrive à peine à le remercier entre deux sanglots.

— Ça va aller, ça va aller, dit-il en caressant doucement mes cheveux.

— Si... si... si tu savais. C'est épouvantable.

— Mais non, tu vas voir. Tout va s'arranger.

— Tu comprends pas, Ugo... Je suis peut-être...

Et je recommence à pleurer de plus belle sans pouvoir m'arrêter. Ugo continue de me réconforter du mieux qu'il peut. Je sens tout à coup une main se poser sur mon épaule. Et ce n'est pas celle d'Ugo, puisqu'il s'écarte tout doucement. Il a le regard fixé sur un point derrière moi, comme s'il avait vu un fantôme.

— Bonsoir, ma princesse.

Je fige sur place. Il y a un seul homme au monde qui m'appelle comme ça. Mais il est en prison en Afrique et je ne l'ai pas vu depuis des années. Je me retourne, croyant être victime d'une hallucination auditive. Mais non, il est là, devant moi, en chair et en os.

— Papa?

— C'est bien moi.

— Mais… mais qu'est-ce que tu fais ici ?

— Je suis venue prendre soin de ma princesse.

— Oui, mais… T'es plus en Afrique ?

— Ben non. Je suis revenu. La semaine dernière. C'est fini là-bas.

Je suis sous le choc. S'il y a une personne au monde que je ne m'attendais pas à voir ici, c'est bien papa. Je n'arrive pas à y croire et je suis incapable de faire un seul geste.

— C'est maman qui…

— Oui, c'est elle qui m'a dit que tu arrivais ce soir.

Mon père me tend les bras. J'hésite une seconde, encore incertaine qu'il est bel et bien là. Puis, je m'y réfugie pour y pleurer toute ma peine. Comme je le faisais quand j'avais cinq ans.

Quelques minutes plus tard, je sors de l'aéroport entourée des deux hommes qui seront au cœur de ma vie pendant les prochains mois. Je les regarde tour à tour. Ugo, mon fidèle ami à qui je peux tout confier. Et sur qui je peux compter quoi qu'il arrive. Et papa, qui n'a pas changé d'un poil pendant toutes ces années. Et dont le seul sourire a le don de me redonner confiance.

Je me sens maintenant plus forte. Prête à affronter cette nouvelle étape de ma vie. Et ça, même si elle pourrait comprendre l'arrivée d'un nouveau petit être conçu de l'autre côté de l'océan.

Remerciements

À Yves, sans qui Charlotte Lavigne serait restée le personnage d'un seul roman et non d'une trilogie. Merci pour tout.

À Laurence, pour ses séances de magasinage intensives à chercher des trucs *fashion* pour mes personnages.

À toutes mes amies de filles, mais particulièrement cette fois-ci à celles qui m'inspirent par leur force de caractère et leur détermination. Merci, Jocelyne Cazin, Elsa Michael, Karina Marceau, Sophie Bégin et Sophie Durocher.

À mon éditrice, Nadine Lauzon, et à toute l'équipe du Groupe Librex pour leur travail remarquable.

À mon agente, Nathalie Goodwin, pour ses judicieux conseils.

À mes amis d'outre-mer, qui m'ont appuyée dans ma recherche. Et ils sont nombreux : à Dominique, Lorraine et Pauline, pour leur amitié fidèle depuis vingt ans et pour avoir répondu à mes incessantes questions sur les différences entre Québécois et Européens.

À mes amis de la Délégation générale du Québec à Paris, Lynda et Jean-François, pour le vin, le champagne, les saucissons et les confidences sur leur vie en France.

À Chantal, pour sa grande gentillesse et sa liste exhaustive des mille et une expressions parisiennes.

À Claude, pour son magnifique accueil dans son havre, qui est devenu celui de Charlotte.

À Cynthia, pour m'avoir longuement raconté ses expériences parisiennes et parlé de tout ce qui la fait râler en tant que Québécoise en exil.

À tous les Parisiens que j'ai croisés au cours de mon séjour chez vous. Sans le savoir, vous avez été des sources d'inspiration dans la rue, dans le métro, au café, au resto, chez le boucher, le boulanger, le pâtissier et le marchand de vins. Quel plaisir fou j'ai eu à vous observer et à vous faire parler !

Suivez les Éditions Libre Expression
sur le Web :
www.edlibreexpression.com

Cet ouvrage a été composé en Minion 12/14
et achevé d'imprimer en septembre 2012 sur les presses de
Marquis imprimeur, Québec, Canada

certifié   procédé   100% post-   archives   énergie
                sans chlore   consommation   permanentes   biogaz

Imprimé sur du papier 100 % postconsommation, traité sans chlore,
accrédité Éco-Logo et fait à partir de biogaz.